La brûlure d'une nuit

ANN EVANS

La brûlure d'une nuit

*éditions*Harlequin

Titre original : AFTER THAT NIGHT

Traduction française de FRANÇOISE RIGAL

HARLEQUIN®
est une marque déposée par le Groupe Harlequin
PRÉLUD'®
est une marque déposée par Harlequin S.A.

Photos de couverture
Femme : © NANCY BROWN / GETTY IMAGES
Feuillage : © KEVIN RMORRIS / STONE / GETTY IMAGES
Pont de nuit : © STEVE LEWIS / STONE / GETTY IMAGES

© 2003, Ann Bair. © 2007, Harlequin S.A.

83/85 boulevard Vincent-Auriol 75646 PARIS CEDEX 13.
Service Lectrices — Tél. : 01 45 82 47 47
ISBN 978-2-2801-5726-1

Chapitre 1

Décidément, Jenna Rawlings détestait le Regent Street Grill. Ce restaurant de Buckhead, la banlieue chic d'Atlanta, était trop tape-à-l'œil, trop froid et trop inconfortable. Sans parler des prix astronomiques et des serveurs, qui avaient l'air de vous faire une faveur quand ils daignaient prendre votre commande.

Comment pouvait-on oser pratiquer de tels tarifs ?

Il lui fallait pourtant admettre que Vic avait raison sur un point : c'était bien l'endroit le plus branché de la ville et donc le plus approprié pour un déjeuner d'affaires. La preuve, deux des annonceurs du journal s'étaient déjà arrêtés à leur table pour les saluer et les embrasser toutes à la ronde. Mais quel était l'intérêt de rencontrer des gens importants si, trop affamé par les portions congrues qu'on vous servait ici, vous ne pouviez même pas vous souvenir de leurs noms ?

Elle devait avoir la mine chagrine, car Vic, installée à sa droite, lui prit le menu des mains qu'elle referma d'un coup sec.

— Arrête de maugréer ! ordonna-t-elle. Je ne veux plus t'entendre dire que le magazine n'a pas les moyens de jeter l'argent par les fenêtres. Aujourd'hui, c'est jour de fête et nous allons toutes prendre un dessert, sans regarder au prix.

Les trois associées étaient aujourd'hui réunies pour fêter

l'anniversaire de *Mariages de Rêve*, le magazine que Victoria, Lauren Hoffman et elle-même avaient créé trois ans auparavant. En tant qu'expert-comptable, Jenna était aux premières loges pour savoir si l'équilibre financier de l'entreprise pouvait supporter ou non le coût d'un repas hors de prix. D'accord, c'était possible, mais pas trop souvent. De toute façon, comme Vic était de fort mauvaise humeur depuis le début du repas, autant ne pas discuter.

— Je n'ai rien dit, protesta Jenna.

— Pas besoin, il suffit de te regarder. Tu n'as jamais su camoufler tes sentiments, affirma Victoria.

Se tournant vers Lauren, elle ajouta :

— Ce n'est pas vrai ?

Lauren adressa à Jenna un regard d'excuse et répondit gentiment :

— Eh oui ! Vic a raison, ma petite. Et, c'est à cause de ça que nous avons toujours réussi à savoir quand il y avait de l'eau dans le gaz entre toi et Jack…

Jenna n'avait aucune envie qu'on parle de son ex-mari, car elle savait que cela ne manquerait pas de lui provoquer une migraine carabinée dans les cinq minutes.

— Epargnez-moi, soyez charitables, implora-t-elle. Hier soir, j'ai déjà subi une algarade de mon père à ce sujet et je ne m'en suis pas encore remise.

Victoria jeta énergiquement sa serviette sur la table.

— Je vais te dire comment régler ça en quatrième vitesse. Tu n'as qu'à lui annoncer que s'il désire continuer à entretenir des relations avec sa fille et ses petits-fils, il doit garder ses opinions pour lui, aussi pertinentes soient-elles. Même, quand il s'agit de l'immonde Jack Rawlins.

Lauren et la jeune femme échangèrent des sourires complices. C'était tout à fait le genre d'avis qu'on pouvait attendre d'une autocrate-née, comme Vic, qui ne pouvait supporter que quiconque lui dicte sa conduite. Mais Jenna n'avait rien d'une rebelle et elle avait beau être adulte, à vingt-huit ans passés, elle ne s'imaginait pas une seconde pouvoir parler ainsi à son père. Il aurait été terrassé sur-le-champ par une crise cardiaque.

Quand donc saurait-elle gérer ses relations avec les « hommes de sa vie » de façon plus satisfaisante ? Dieu sait s'ils étaient nombreux… D'abord, deux garçonnets exubérants, âgés de six et sept ans, dont elle s'occupait seule. Ensuite, son père, chez qui elle vivait depuis son divorce. Enfin, deux frères, qui se prenaient pour ses psy et la submergeaient de conseils qu'elle devait supporter patiemment… Il y avait de quoi perdre la tête. Bien sûr, tous ne désiraient que son bien et l'aimaient profondément, et pourtant… Etait-elle la pire mère, la pire sœur et la pire fille de la Terre pour rêver parfois de faire ses valises, sauter dans sa voiture et fuir seule, sans se retourner ? Probablement…

S'abstenant de tout commentaire, Jenna regarda Victoria faire signe à Dexter, le serveur qui prenait leurs commandes, chaque semaine depuis six mois. Il se dirigea vers elles en zigzaguant entre les tables.

— Qu'est-ce que vous nous conseillez, aujourd'hui ? demanda Vic.

— La mousse de fruits est très rafraîchissante, suggéra Dexter avec un sourire engageant. Et très légère, si vous devez surveiller votre apport calorique cette semaine.

— Six dollars pour un gâteau, c'est extravagant, grommela Jenna.

Victoria la foudroya du regard avant de retourner son sourire au serveur.

— Nous allons prendre trois Perditions au chocolat, décréta-t-elle. Ah ! Et assurez-vous qu'on ajoute bien un supplément de crème fouettée à mon gâteau, ajouta-t-elle, probablement piquée par le « si vous devez surveiller votre apport calorique ».

— Je n'y manquerai pas, répondit Dexter, aimablement.

Ce type savait très bien à qui faire du plat pour obtenir un bon pourboire, songea Jenna.

Quand il se fut éloigné, Lauren se pencha vers son amie.

— Qu'est-ce qui ne va pas, Vic ?

— Qu'est-ce qui te fait croire que quelque chose ne va pas ?

— Parce qu'en plus du dessert tu as pris des amuse-gueules, une entrée, une salade *assaisonnée* — alors que, d'habitude, tu évites soigneusement la vinaigrette — sans oublier une belle portion d'agneau grillé. Quand tu manges comme ça, c'est soit que tu es préoccupée, soit que tu es en colère. Alors, dis-moi ce qui se passe ?

Victoria vida d'un trait son verre de vin et s'en resservit un autre avant de répondre.

— C'est Cara, avoua-t-elle, morose. Elle veut arrêter ses études de droit pour partir se balader en Europe avec l'imbécile dont elle est tombée amoureuse. Et elle ne veut rien entendre. Il faudrait que j'arrive à la persuader de venir à la maison, l'enfermer à clé dans le grenier et jeter la clé.

Jenna éclata de rire.

— Et moi qui croyais que j'étais la seule à être persécutée par une famille surprotectrice ! Pauvre Cara.

— Je n'ai rien à voir avec tes frères et tu le sais. Quand nos parents sont morts, je me suis donné un mal fou pour assurer l'avenir de ma sœur, et je ne la laisserai pas abandonner ses études pour la simple raison que ce tocard la fait monter au septième ciel.

— Au septième ciel ? s'exclama Lauren, très intéressée. Dis donc, tu ne pourrais pas me le présenter ? Ce garçon m'a l'air très fréquentable.

— Pas du tout. Il est mal élevé, grossier et au chômage. Vous

vous rendez compte, la semaine dernière il voulait que Cara se fasse faire un piercing au téton, lâcha Victoria offusquée.

— Aïe ! s'écria Lauren en grimaçant.

— Ce n'est pas que je sois bégueule, mais vraiment ce type est…

Elle s'interrompit en émettant un sourd grognement de dégoût puis, secouant son opulente chevelure, déclara :

— Bref, passons. Je ne vais pas nous gâcher la fête à cause de cet individu. Où en étions-nous ?

Ses interlocutrices échangèrent un regard. Elles se faisaient du souci pour Vic, mais la connaissaient suffisamment pour savoir que, si elle ne voulait pas leur en dire davantage, il était inutile d'insister. Le moment arriverait bien, où le sujet de Cara, la petite sœur révoltée qui refusait d'entendre raison, reviendrait sur le tapis.

— Tu ne devais pas nous parler du premier de la liste à s'être laissé passer la corde au cou ? demanda Lauren.

Victoria tourna son attention vers le dossier qu'elle avait posé sur la table. Elle l'ouvrit et Jenna remarqua qu'il contenait la documentation d'un article alléchant, que le magazine avait sorti l'année précédente. Ecrit par Vic et illustré des photos de Lauren, il recensait les « Dix plus beaux partis du Sud des Etats-Unis » et avait connu un certain retentissement. Bien sûr, aucune de leurs lectrices n'envisageait sérieusement de mettre la main sur un de ces parangons de virilité, mais les filles en quête de mari étaient toujours curieuses de connaître les produits de premier choix disponibles sur le marché.

C'était ce qui faisait l'attrait de *Mariages de Rêve*. Tout en traitant des dernières tendances en matière de restauration et de vêtements de cérémonie, le journal s'était spécialisé dans des options plus originales : voyages de noces dans les coins les plus reculés et inexplorés de la planète, unions célébrées sous une yourte de montagne ou au fond d'une épave de bateau submergée… Bref, si la publication n'était qu'un petit poisson dans la grande mare de la presse écrite, *MdR*, comme elles l'appelaient, avait enfin trouvé son créneau.

— Alors, lequel se marie ? demanda Jenna en se penchant pour mieux voir.

Au fond, elle s'en fichait. Bien qu'actionnaire du journal, elle ne se chargeait, la plupart du temps, que de la partie administrative : payer les factures, élaborer les budgets et, parce qu'elle se débrouillait en informatique, aider à la mise en page du bimensuel. Il lui arrivait bien aussi de donner des coups de main dans d'autres domaines, mais le contenu éditorial de *MdR* était la chasse gardée de Victoria. De plus, échaudée par son récent divorce, tout ce battage sur les hommes, l'amour et le mariage ne l'excitait pas du tout.

Vic farfouilla dans la pile de clichés sur papier glacé, avec leurs fiches signalétiques, et sélectionna les photos. Dix portraits d'hommes magnifiques, dans des décors de rêve — yachts, jets privés, clubs de polo — s'étalaient sur la nappe. Lauren s'était surpassée.

— Le numéro six, dit Victoria en pointant un des clichés. Mark Bishop.

Lauren déplaça sa chaise pour avoir un meilleur point de vue.

— Je me souviens de lui. Une présence très intense, a suivi des études dans les meilleures universités, travaille dans la presse… Ça m'étonne qu'il soit le premier à se marier.

— Pourquoi ? demanda Jenna.

Sur la photo, un homme très brun, de belle prestance, vêtu d'un costume sur mesure, ne posait pas comme les autres au milieu de jouets coûteux, mais trônait derrière un impressionnant bureau, bras croisés, visage fermé, les yeux fixés sur l'objectif. Cela lui donnait un air redoutable, qui tranchait avec l'extrême raffinement de sa tenue et du décor environnant.

— On ne peut pas dire qu'il se soit montré très coopératif quand il s'est agi de le photographier, répondit Lauren qui cherchait à rassembler ses souvenirs. L'idée que les femmes puissent le trouver séduisant ne lui faisait ni chaud ni froid. Ce n'est pas l'impression qu'il t'a donnée, Vic ?

— C'est vrai qu'il ne voyait pas ce que pourraient lui trouver nos lectrices.

— Il est timide ? s'enquit Jenna, alors que la photo ne trahissait rien de tel.

— Pas timide, arrogant, répondit Victoria en avalant une gorgée de vin. Non, pas arrogant, précisa-t-elle, après quelques instants de réflexion. Je dirais plutôt, parfaitement sûr de lui. En fait, c'était seulement pour faire plaisir à Debra Lee qu'il avait accepté cette interview.

— Debra Lee Goodson ? demanda Jenna, surprise.

— Combien de Debra Lee connais-tu ? répondit Vic avec un sourire. Quand j'ai eu l'idée de cet article, j'ai téléphoné à toutes les femmes qui pouvaient me suggérer des candidats, et elle m'a proposé son patron. Au début, elle n'osait pas le lui demander, mais elle a fini par céder.

— C'est parce qu'elle t'idolâtre, fit remarquer Lauren. Si tu lui demandais de plonger dans une décharge de produits toxiques, elle irait chercher son masque et ses palmes sans hésiter.

C'était l'exacte vérité. Debra Lee vénérait Victoria depuis que celle-ci avait pris l'adolescente ingrate sous son aile au lycée. Sans compter que c'était encore Vic qui lui avait fait rencontrer son futur mari.

Sans nul doute, il avait fallu toute l'insistance de la loyale Deb, pour vaincre les réticences de Mark Bishop à se prêter au jeu, songea Jenna.

Elle retourna la photo pour jeter un coup d'œil à sa notice biographique, ainsi qu'à ses réponses au questionnaire auquel s'étaient soumis tous les hommes de la liste : *Enfant unique, trente-deux ans, né sous le signe du Lion, études à Princeton.* Elle lut à voix haute :

— Passion : *mon travail* ? Un drogué du boulot ! Ça fait rêver, conclut-elle ironiquement.

— Comme tu dis, commenta Lauren renfrognée. Pour couronner le tout, si j'ai bonne mémoire, cette idiote de Debra Lee lui avait raconté tous les petits secrets les plus inavouables de notre adolescence.

— Ça l'a d'ailleurs fait beaucoup rire, ajouta Victoria qui tenait à préciser, pour Jenna, le profil de Mark Bishop.

— Oui, seulement, après ça, comment voulais-tu qu'il nous prenne au sérieux ? demanda Lauren. J'avais l'impression qu'il s'adressait à nous comme à des adolescentes débiles.

Jenna se tourna vers Vic.

— Tu envisages de faire un suivi sur lui ? Tu penses que ce serait intéressant ?

— Bishop est le premier à se fiancer, répondit Victoria, pensive. Oui, ça pourrait être porteur, de publier quelque chose sur tous ces beaux partis, au fur et à mesure qu'ils quittent la liste. Par exemple, on pourrait leur demander ce qui les a poussés à choisir cette femme en particulier et pas une autre. Au fait, qu'est-ce qui a poussé Mark Bishop vers…

Vic consulta la fiche, couverte d'annotations.

— … Shelby Elaine Winston ? Pourquoi elle ?

— On s'en fiche ! Pourquoi se préoccuper de ça ? objecta Lauren, avec irritation. Pour imiter Shelby, afin, qu'un jour, nous dégottions toutes un mari idéal ? Je crois vraiment qu'on devrait arrêter de croire à toutes ces inepties.

— Et qui te dit qu'on y croit encore ? se surprit à dire Jenna.

Zut ! Maudit Jack Rawlins ! Il lui avait fait perdre toutes ses illusions.

— Qu'est-ce qui vous prend, toutes les deux ? demanda Vic,

visiblement désarçonnée. Je vous signale que nous sommes des inconditionnelles du *happy end* et du mariage des bergères avec les princes charmants. Vous ne l'avez pas oublié, j'espère ?

— Pour ma part, j'y crois de moins en moins, répondit Lauren en jouant avec son verre de vin.

Tout comme elle, Lauren semblait bien désabusée. En fait, tout n'était peut-être pas si rose dans sa vie sentimentale. Il y avait peu, alors qu'elle venait de leur parler d'un certain Brad, qui la pressait de s'engager plus avant, elle avait sauté délibérément sur l'offre de contrat d'un magazine de voyage en décrétant qu'elle avait besoin de prendre l'air. Résultat, elle s'envolait la semaine suivante pour un reportage en Nouvelle-Zélande. C'était une manière bien singulière de répondre à l'insistance de Brad…

— La lune de miel est finie ? interrogea Vic.

Lauren ne pouvait faire semblant de ne pas comprendre l'allusion. Les trois complices se connaissaient depuis si longtemps qu'elles avaient peu de secrets les unes pour les autres.

— Brad me rend dingue, admit-elle.

— Comment ça ? interrogea Jenna.

— Il me porte sur les nerfs pour de multiples raisons. Par exemple, quand il parle, il termine toutes ses phrases par « etc », vous avez remarqué ? Il est train de vous raconter quelque chose et, soudain, il s'arrête, comme si ça ne l'intéressait plus… Ça m'oblige chaque fois à *deviner* la suite. Et si je lui fais la remarque, il me regarde comme si j'étais stupide. Qu'est-ce qu'il y a de drôle ? s'interrompit-elle soudain en jetant un regard méfiant à Jenna qui souriait.

— En t'écoutant, je me disais que j'aurais aimé connaître le même problème avec Jack. Lui, il finissait *toujours* ses histoires. Et il les racontait jusqu'à plus soif. Il ne pouvait jamais se taire. J'aurais pu réciter ses blagues en dormant. Excuse-moi, Lauren, je t'ai interrompue, tu disais ?

— En plus, il massacre ses spaghettis, ajouta Lauren, toujours aussi maussade, en tripotant sa cuillère.

Vic se redressa sur son siège.

— Pardon ?

Lauren se mit à agiter ses couverts devant leur nez d'un air exaspéré.

— Il les *massacre*. On dirait qu'il combat une assiette de serpents venimeux. Il se fiche qu'on lui ait fourni une cuillère adéquate, il les attaque au couteau et à la fourchette et les réduit en miettes. C'est dégoûtant.

— En effet, ça, c'est très grave, assura Vic, qui avait du mal à garder son sérieux.

— Il vaut mieux pour lui que ça n'arrive pas aux oreilles de Bocuse, ajouta Jenna.

— Je sais très bien ce que vous pensez. Mais l'accumulation de tous ces détails irritants peut détruire une relation amoureuse, vous le savez aussi bien que moi.

— Ma mère avait coutume de dire qu'on peut s'asseoir sur une montagne, mais pas sur une aiguille, dit Jenna pour abonder dans son sens, alors qu'il lui revenait avec acuité que ce n'était pas ce genre de choses futiles qui avait mis son propre mariage en péril.

La manière dont Jack mangeait ses spaghettis n'avait aucune importance, ni le fait qu'il ressassait toujours les mêmes anecdotes ou qu'il ne rebouchait jamais le tube de dentifrice. Non, tous ces désagréments n'avaient pas pesé lourd dans la balance, au regard de ce qu'elle avait appris. Que Jack entretenait, depuis de longs mois, une liaison avec sa secrétaire.

Jenna décida de chasser ces souvenirs douloureux et de se concentrer sur les soucis de Lauren. Vic et elles étaient habituées à l'entendre se plaindre de la sorte, elle qui proclamait toujours que son besoin d'indépendance l'empêchait d'envisager sereinement le moindre engagement. Ces dernières années, sa carrière de photographe free lance avait pris un bel essor, elle gagnait très bien sa vie, travaillait pour de nombreuses publications et, même si sa contribution à *MdR* était une priorité absolue, elle adorait partir à l'improviste pour les destinations les plus exotiques, arpenter la jungle et escalader des montagnes escarpées en quête de photos choc. Que viendrait faire un mari, des enfants et un coquet pavillon de banlieue dans ce tableau ?

Jenna avait pourtant sa petite idée sur la question. Elle aurait parié que ce n'était pas la peur de perdre son indépendance qui préoccupait Lauren, mais plutôt la crainte de reproduire le mariage désastreux de ses parents. En effet, sa mère en était à son quatrième mari… Quand à son père, le mari numéro un, il portait bien son surnom de Walter le Tombeur. Chaque fois que des nouveaux arrivants s'installaient dans leur quartier de Bear Hollow, Walter s'empressait de les accueillir le premier, les bras chargés d'articles de jardinage destinés à l'époux, avec au fond de sa poche, la clé du motel le plus proche, cette fois destinée à la charmante épouse, s'il la trouvait à son goût et bien disposée. A l'époque, les détails croustillants du divorce des Hoffman avaient alimenté la chronique locale pendant des mois.

— Brad t'a demandée en mariage ? s'informa Jenna.

— Non, répondit Lauren en se raidissant. Mais ça ne va pas tarder. C'est terrible. Il s'est mis dans la tête qu'il m'aimait.

Victoria posa la main sur celle de son amie.

— Lauren, j'espère que tu as conscience de ton attitude ? Dès qu'un homme s'approche de toi, tu prends tes jambes à ton cou.

Jenna s'affaissa dans son siège, découragée.

— Qu'est-ce qui ne va pas chez nous ? Vic a raison. Il fut un temps où on se serait mises à danser sur les tables à l'idée qu'un homme soit amoureux de nous. On n'a que vingt-huit ans, on ne va quand même pas se contenter d'histoires au rabais ?

— Bien sûr que non, protesta Victoria qui venait de rompre avec son dernier fiancé en date. Il faut reconnaître que nous traversons une mauvaise passe, toutes les trois. Mais ça ne veut pas dire que nous ayons abandonné tout espoir de trouver l'homme idéal, ou que lui ne nous trouve. Notre magazine repose bien sur le concept de la passion et du grand amour, oui ou non ?

Pendant que toutes trois s'abîmaient en silence dans leurs pensées, Dexter s'approcha de la table poussant le chariot des desserts et déposa devant chacune une portion d'un gâteau au chocolat à faire se damner un saint. Jenna le remercia d'un sourire. Elle devait reconnaître que, malgré son prix et sa teneur en calories, la pâtisserie lui mettait l'eau à la bouche. Vic les devança et attaqua sa part d'un coup de fourchette énergique.

— On ne va quand même pas gâcher une gourmandise aussi divine en épiloguant sur l'échec de nos vies sentimentales. Je continue à penser que les lectrices de *MdR* désirent croire qu'il existe, quelque part dans la nature, dix riches et séduisants célibataires qui n'attendent qu'elles, affirma-t-elle en posant le doigt sur la photographie la plus proche. Vous, ça ne vous plairait pas qu'on vous livre quelques astuces pour attraper un de ces hommes-là ?

— Tout dépend des concessions qu'il faudrait faire pour y arriver, déclara Jenna.

Ecarquillant les yeux, à la vue de la photo de Mark Bishop, Dexter s'exclama :

— Trésor, moi, *celui-là,* pour tout l'or du monde, je ne le laisserais pas passer. Il ne faut pas lésiner sur les moyens, ma belle.

A ces mots, les trois amies éclatèrent de rire et l'humeur de leur tablée remonta d'un cran. Quand le serveur se fut esquivé, Jenna déclara :

— Je ne sais pas quel genre de secrets ce couple de rêve acceptera de te dévoiler, Vic, mais, comme d'habitude, je suis sûre que tu vas nous trousser un véritable conte de fées.

Un ange passa. Les trois femmes dégustaient leur première bouchée avec des soupirs de délice. Mais soudain, après avoir jeté un coup d'œil furtif à Jenna, Vic déclara en repiquant sa fourchette dans son gâteau :

— Ce n'est pas moi qui vais écrire cet article. C'est *toi*.

— Moi ? Qu'est-ce que tu racontes ? répondit Jenna interloquée.

— Je veux que ce soit toi qui l'écrives.

Jenna se redressa, saisit le verre de Vic et l'écarta à bonne distance.

— Tu as trop bu.

— Je suis sérieuse.

Le dessert avait perdu toute saveur. Jenna lança à Victoria un regard incrédule et remarqua que Lauren n'avait pas l'air aussi étonnée qu'elle.

— Pourquoi tu ne t'en occupes pas, *toi-même* ? demanda-t-elle. Ecoute, je suis incapable de te remplacer.

— Pourquoi tu dis ça ? Tu as toutes les qualités requises, au contraire. Souviens-toi de l'article que tu as écrit à Noël dernier pour les suggestions de cadeaux.

— Ce n'était qu'un entrefilet de dernière minute, qui ne comportait que trois paragraphes. Ce n'est pas ça qui fait de moi une journaliste.

— Ça demandait quand même un certain talent d'écriture, un don dans le choix des mots. Ce que tu possèdes.

Jenna laissa tomber sa fourchette, oubliant soudain son dessert.

— Oui. Eh bien, si ce sont des mots choisis que tu désires,

tu vas être servie, dit-elle en sollicitant du regard l'aide de Lauren qui ne réagit pas.

De toute évidence, il n'y avait aucun espoir à attendre de ce côté-là.

— C'est « non », reprit-elle. Un « non », franc et massif.

Victoria se redressa de toute sa hauteur, arborant son air de prima donna tyrannique.

— Techniquement, c'est moi le patron, et je t'ordonne d'écrire cet article pour le bien du journal.

Cette tirade était si ridicule que Lauren et Jenna éclatèrent de rire et que même Vic se laissa aller à sourire.

— Tu peux te permettre de choisir le dessert à ma place, répliqua Jenna, mais je te rappelle que je suis associée à part égale dans *MdR* et que tu ne peux pas m'expédier à…

Jenna saisit la bio de Mark Bishop pour voir où il résidait.

— A Orlando, pour la simple raison que tu n'as pas envie d'y aller.

— Tu n'auras pas à aller à Orlando, répondit Victoria.

— Bon.

— Shelby et lui seront à New York.

— Comment ça ?

— Ils sont d'accord pour participer, en commun, à une interview, la semaine prochaine, à l'occasion de leur passage en ville. Lui y vient pour affaires et elle pour monter son trousseau. Tu verras, ils vont être sur un petit nuage, tous deux envoûtés par les fastes et le charme romantique de New York, la ville des amoureux…

— Je croyais que c'était Paris, la ville des amoureux, rétorqua Lauren.

Victoria lui lança un regard noir.

— Je vois que je peux compter sur ton aide, je t'en remercie.

Jenna, qui sentait naître en elle un début de panique, croisa les bras. En se penchant sur la photo, à la recherche d'un bon argument, elle fut frappée par le regard d'acier de Mark Bishop. Cet homme travaillait dans la presse. Il allait immédiatement déceler son incompétence et la dévorer toute crue. Elle s'éclaircit la gorge.

— Je ne peux pas tout laisser tomber pour me rendre à New York. J'ai deux jeunes enfants et…

— Ne joue pas la parfaite petite ménagère avec moi, l'interrompit Victoria, d'un ton péremptoire. Tu as un père et deux frères, gâteux avec tes gosses, qui seront ravis de s'en occuper. Pour une fois, ça changera. D'habitude, c'est toi qui les prends *tous* en charge.

— Envoie Lauren.

— J'y vais déjà, pour les photos, expliqua celle-ci avec un sourire d'excuse.

— Lauren ne peut pas rédiger cette interview et tu le sais aussi bien que moi, répliqua Victoria. Elle a beau être une photographe hors pair, elle est incapable d'organiser ses pensées de façon cohérente. C'est rédhibitoire pour écrire un bon article.

— Continue comme ça et bientôt tu vas non seulement chercher une journaliste, *mais aussi* une photographe, rétorqua Lauren, vexée.

Vic se pencha vers son amie.

— Ma chérie, je t'adore. Si je me montre aussi cruelle, c'est parce que je suis aux abois.

— Pourquoi n'engages-tu pas une free lance ? suggéra Jenna.

Victoria sembla soudain fascinée par les miettes éparpillées dans son assiette, qu'elle se mit à trier avec application.

— Ce n'est pas toi qui me sermonnes toujours pour réduire les coûts de fonctionnement ? Pourquoi engager une free lance alors qu'on a une très bonne journaliste sous la main ?

De toute façon, c'est trop tard. Il vous attend demain, toutes les deux, dans sa suite.

— *Demain !*

Devant la consternation de la jeune femme, Lauren tenta de lui remonter le moral.

— Allez, Jenna. Ce n'est pas la mer à boire. On en profitera pour faire du shopping et aller au spectacle. On va se la jouer « week-end de filles en goguette », comme au bon vieux temps.

— C'est après un week-end de ce genre que j'ai commis la pire erreur de ma vie en épousant Jack Rawlins.

— N'aie pas peur. Tu ne risques rien, cette fois, la rassura Victoria. Ça m'étonnerait que Shelby se laisse piquer le Numéro six sans montrer les dents.

Jenna tenta une dernière manœuvre.

— Je ne peux pas partir demain, j'ai un rendez-vous.

— Et on peut savoir avec qui ? questionna Victoria, d'un ton suspicieux.

— Avec un agent immobilier. Je ne plaisantais pas, tout à l'heure. Il faut vraiment que je déménage. C'est primordial pour les garçons et essentiel pour moi. Il est temps que je fasse ma révolution et que je conquière mon indépendance.

C'était très désagréable de constater l'air de profond scepticisme qu'arboraient ses amies. Comme de bien entendu, c'est Vic qui mit son grain de sel la première.

— A qui veux-tu faire croire une fable pareille ? Comme si tu étais prête à acheter une maison ! Je suis sûre que tu ne partiras jamais de chez ton père. En tout cas, pas tant que tu ne seras pas remariée. Tu prétends que tu aspires à te retrouver seule, mais en réalité, tu n'es pas du tout prête à sauter le pas.

— Pourquoi voudrais-je rester, je te le demande ? C'est beaucoup trop petit pour nous tous, papa est carrément insupportable, c'est beaucoup trop loin de…

— Parce que ça te sécurise, coupa Victoria.

Accablée, Jenna baissa les yeux sur le dessert qu'elle avait délaissé. Elle aurait bien voulu contredire son amie mais que lui objecter ? Vic avait raison. Malgré une envie sincère de prendre son envol et de créer un foyer pour elle et ses enfants, elle se sentait paralysée par la crainte d'échouer. C'était terrible, à son âge, après un tel parcours, de réaliser qu'elle n'avait toujours pas confiance en elle, qu'elle redoutait de ne pas savoir se débrouiller seule et qu'elle sabotait tous ses efforts pour s'en sortir.

Sentant que les deux femmes l'observaient, elle se rebella.

— Au fait, pourquoi ne *peux-tu pas* y aller, Vic ? demanda-t-elle, ramenant la conversation sur le cœur du problème. Tu as intérêt à m'avouer la vérité !

Victoria baissa les yeux en peignant des doigts sa longue chevelure blonde. Ce geste signifiait toujours qu'elle en avait fini de plaisanter et passait aux choses sérieuses. Quand elle releva enfin les yeux, Jenna croisa son regard et fut étonnée d'y découvrir de la gêne et, plus surprenant encore, de l'appréhension.

— Je pars pour la Californie demain matin, expliqua-t-elle d'un ton grave. Je ne peux pas laisser Cara s'envoler pour ce tour d'Europe à moto sans essayer de la raisonner. Peut-être que si on en discute, les yeux dans les yeux, elle et moi, j'arriverai à lui faire réaliser l'influence désastreuse que son « fiancé » a sur elle.

Durant sa dernière année de licence, Victoria avait perdu ses parents dans un accident de voiture, au cours duquel Cara, de six ans sa cadette, avait été grièvement blessée. Vic avait tout abandonné pour s'occuper de sa petite sœur, la soigner jusqu'à son complet rétablissement, prendre soin de la succession de leurs parents et superviser la vente de l'entreprise familiale. Les deux sœurs s'adoraient. Mais ça ne voulait pas dire, pour autant, que Cara était prête à laisser son aînée diriger sa vie.

D'expérience, Jenna savait que ce genre d'interférence pouvait même provoquer un résultat totalement opposé au but poursuivi.

Elle se rapprocha de son amie.

— Vic… Es-tu sûre que ce soit la meilleure façon de procéder ? Tu te souviens comme ma famille a essayé de me dissuader d'épouser Jack ? Résultat, on s'est précipités à la mairie.

— Ça ne se passera pas comme ça, répliqua Victoria, fermée, en tentant vainement de dissimuler son anxiété. Je suis déterminée à partir et j'ai déjà mes billets, alors inutile d'essayer de me persuader d'abandonner.

Dans le silence pesant qui était tombé sur les convives, Jenna observa une fois de plus la photo de Mark Bishop, sans y déceler autre chose que la perspective d'un désastre annoncé. Elle était prête à tout pour rendre service à son amie et au magazine. Mais là, c'était perdu d'avance.

Comme le silence s'éternisait et devenait insupportable, elle soupira, désignant le portrait :

— Seigneur, qu'est-ce qu'il est intimidant !

— Debra Lee dit que c'est un patron de rêve. Et n'oublie pas que, depuis cette photo, il est tombé amoureux, répondit Victoria. Il va te manger dans la main.

Jenna s'apprêtait à la contredire quand Lauren, attrapant Vic par la manche, la devança :

— Laisse-lui le temps d'y réfléchir. Tu connais Jenna, elle aime bien tout peser consciencieusement avant de se décider. Ce n'est pas étonnant qu'elle se montre aussi circonspecte, vu la façon dont tu l'as prise au dépourvu.

Victoria se tourna vers Jenna.

— Très bien, je te donne jusqu'à ce soir pour me faire connaître ta décision.

— Et après ? demanda celle-ci.

— Après, je te harcèlerai de mes prières jusqu'à ce que tu cèdes.

Lauren éclata de rire mais Jenna ne partagea pas son hilarité. De toute façon, ça ne servait à rien de discuter davantage. Elle n'irait pas. Comme elle n'allait pas laisser cette histoire absurde lui gâcher le plaisir de savourer un dessert aussi ruineux pour l'entreprise. Avec un air provocant, elle saisit sa fourchette et enfourna une impressionnante bouchée de Perdition au chocolat. Hélas, l'épais glaçage était si riche qu'il en devenait écœurant et elle grimaça.

— Arrête de faire cette tête-là, ordonna Victoria. Je ne t'envoie pas dans le couloir de la mort.

Peut-être pas, songea Jenna. Mais cette part de gâteau avait quand même tout l'air du dernier repas du condamné…

Chapitre 2

Jenna rentra à la maison cet après-midi-là, plus déterminée que jamais à refuser. Elle ne se voyait pas assommer Mark Bishop avec des questions ineptes sur l'amour et la femme idéale. Un homme d'affaires de son étoffe n'avait sûrement pas de temps à perdre avec une petite journaliste. Pourtant, elle ne se voyait pas laisser tomber Victoria dans un moment aussi difficile. Pourquoi ne pas faire appel à une agence de pigistes ? Il ne manquait pas de journalistes au chômage, qui seraient ravis d'hériter du job, même au pied levé. Et bien voilà ! Sitôt les garçons au lit, elle allait prendre les choses en main, quitte à payer de sa poche les frais supplémentaires.

Maintenant qu'elle tenait la solution, il était temps de se préoccuper du dîner, même si elle n'aspirait qu'à une chose : prendre un bon bain puis s'allonger confortablement avec un bon bouquin. Mais il valait mieux faire une croix dessus, ses deux frères aînés étant déjà rentrés à la maison. Le cadet Christopher broyait du noir depuis que sa petite amie Amanda était partie voir ses parents, alors que l'aîné, Trent, ne pensait qu'à fêter le dernier succès de l'entreprise familiale de construction, dont il était le responsable : la livraison d'un immeuble de bureau dans Magnolia Street. La soirée promettait d'être agitée, bruyante et épuisante car ses fils, Petey et J.D., se montraient toujours surexcités par la présence de leurs oncles. De plus son père avait décrété que c'était le jour d'inaugurer son nouveau barbecue.

Jenna prépara en vitesse une salade et des pommes de terre en robe des champs pour accompagner les grillades et, pendant que les garçons et leurs oncles chahutaient dans le salon, elle glissa une tarte aux pêches dans le four. Ensuite, elle avala deux aspirines pour juguler la migraine qui commençait à lui brouiller la vue.

Heureusement que sa famille appréciait toujours sa cuisine et avait le bon goût de le dire. En effet, le repas était très réussi et les convives rassasiés protestèrent en gémissant, quand, à la fin du dîner, elle déposa sur la table la tarte accompagnée d'une glace. Ce qui ne les empêcha pas de se ruer sur le dessert.

C'est le moment que choisit son père pour se lancer dans un long discours sur les subtilités de l'art du barbecue tandis que Christopher, rasséréné, leur expliquait qu'Amanda lui avait téléphoné pour dire qu'il lui manquait déjà. Pendant ce temps, Trent servait les garçons qui se chamaillaient pour obtenir la plus grosse part de tarte. Jenna décida de profiter de la décontraction de l'instant et de la chaude ambiance familiale pour leur annoncer la proposition de Vic. Instantanément, le silence se fit. On aurait dit qu'une bombe venait d'éclater au beau milieu de la table, et cinq paires d'yeux ahuris se tournèrent vers la jeune femme.

Trent réagit le premier.

— Eh ben dis donc ! déclara-t-il, avant de replonger sa cuillère dans le pot de glace. Victoria doit être dans un sacré pétrin pour te demander de la remplacer.

Devant le ton incrédule et désinvolte de son frère aîné, Jenna se figea, bouche bée. Est-ce qu'il insinuait par là que ce que lui proposait Victoria était complètement absurde ? La croyait-il à ce point incapable d'assumer un travail de journaliste ? Autant tirer les choses au clair…

— Qu'est-ce que tu t'imagines ? s'insurgea-t-elle. Je suis l'égale de Victoria dans l'organigramme du journal, nous nous partageons de nombreuses tâches et je crois avoir les ressources intellectuelles requises pour discuter avec un autre adulte de façon intelligible. Même si, avec toi, il ne faut même pas y songer.

— Qu'est-ce que j'ai dit ? protesta vainement Trent.

Il n'avait pas très bien suivi le raisonnement de sa sœur mais ne pouvait se méprendre sur son expression furibonde, aussi préféra-t-il se taire et piquer du nez dans son bol de glace. C'est alors que leur père décida de mettre son grain de sel.

— A New York ? Pas question !

— Et pourquoi ça ? s'enquit Jenna, dont l'irritation changea de cible.

— On a besoin de toi ici.

— C'est un mauvais prétexte et tu le sais parfaitement. Je n'en aurai que pour deux jours et je serai rentrée à la maison avant que vous ayez fini les restes de ce dîner.

Le père de la jeune femme redressa le menton, avec cet air d'entêtement obstiné qui avait toujours eu le don de rendre folle son épouse.

— Je n'aime pas ça. C'est beaucoup trop dangereux. Tu n'es qu'une petite provinciale. Tu serais complètement perdue dans une aussi grande ville, mon bébé.

— Je ne pars pas à Bangkok mais à New York, répliqua Jenna, blême de rage. Je travaille bien à Atlanta cinq jours par semaine. Où est la différence ? Je suis tout à fait capable de me débrouiller.

— On ne peut pas comparer New York à Atlanta, rétorqua son père, qui ne semblait pas mesurer l'énervement de sa fille. Ici, c'est le Sud, ça n'a rien à voir.

— Au nom du ciel ! s'exclama Jenna en minaudant avec un fort accent sudiste. Je crois pouvoir survivre à une incursion chez ces maudits exploiteurs yankees. Et si ce n'était pas le cas, tranquillisez-vous. Je fuirai à toutes jambes pour retrouver la plantation.

Trent gloussa et manqua de s'étrangler avec une bouchée de tarte.

— Ote-moi d'un doute, Jen. Tu nous joues quoi, là ? Scarlett O'Hara ?

— Ferme-la, conseilla Christopher qui sentait que l'ambiance tournait à l'orage.

Trent se le tint pour dit mais leur père revint à la charge.

— Christopher, explique-lui, toi ! Je t'en prie !

Officier de police à Atlanta, son frère aîné avait sûrement nombre d'histoires sordides à leur servir sur les bas-fonds new-yorkais, mais Jenna, dont la colère grandissait, n'était pas d'humeur à les entendre.

— Tu sais, papa, je suis une femme, maintenant. J'ai été mariée, j'ai divorcé, j'ai deux enfants… Et je ne suis plus ton bébé, *c'est fini tout ça*. Même si ça te paraît extravagant, je suis tout à fait capable de mener à bien cette interview, de prendre un taxi, de me diriger dans le métro et… J.D. arrête ça tout de suite !

Le plus jeune de ses fils venait d'entamer un duel contre son frère aîné et faisait d'amples moulinets avec sa cuillère pleine de glace. Devant le regard menaçant de sa mère, il se leva sur-le-champ et, l'air coupable, tenta de nettoyer la glace répandue sur la nappe. Se contenant pour retenir les mots rageurs qui se pressaient sur ses lèvres et qui auraient été totalement déplacés aux oreilles de jeunes enfants, Jenna le regarda s'activer.

Habitué à gérer des situations autrement plus périlleuses, Christopher intervint pour détendre l'atmosphère.

— Calme-toi, Jen. Papa ne voulait pas te vexer. Il est juste un peu inquiet, c'est tout. Comme nous tous.

La jeune femme redressa la tête pour fixer ses frères et son père. Ils n'avaient pas l'air gênés le moins du monde, seulement désarçonnés par la violence de sa réaction. A vrai dire, elle en était la première surprise. Depuis quand un tel ressentiment bouillonnait-il en elle ?

Petey, qui avait fini sa glace, décida d'encourager sa mère.

— Moi, je suis sûr que tu vas faire un boulot formidable, maman. Tu es la meilleure.

Ce n'était sûrement qu'un stratagème pour obtenir une portion supplémentaire de dessert, néanmoins, Jenna en tira une satisfaction enfantine. Il y avait au moins *quelqu'un* dans cette maison qui trouvait qu'elle était bonne à autre chose qu'à confectionner des tartes aux pêches.

Elle se pencha pour saisir la tête blonde, tout ébouriffée, de son fils et lui planta un gros baiser sur le front, avant que le gamin rougissant ait pu échapper à son étreinte.

— Merci, mon amour. Toi, au moins, tu crois en ta mère, n'est-ce pas, mon chéri ?

— Ouais, répondit Petey avec conviction. Tu pourras lui raconter plein de trucs sur nous. C'est toi qui a organisé les décorations d'Halloween à l'école, c'est toi aussi qui a obtenu que le père de Randy nous achète des uniformes pour l'équipe junior de basket, et en plus, tu sais faire de superpaniers de Pâques, comme ceux qu'on a apportés à la maison de retraite de mamie Resnick.

— Et tu pourras lui dire que tu es très bonne cuisinière, ajouta J.D., conciliant.

Le sourire de Jenna se figea. Mieux qu'un discours, les propos de ses fils en disaient long sur l'ignorance totale qu'ils avaient du métier de journaliste. Et aussi sur l'image qu'ils se faisaient d'elle. A leurs yeux, elle n'était pas une personne à part entière, mais tout bonnement une mère. C'est-à-dire quelqu'un qui leur rendait la vie plus facile, qui veillait chaque matin à ce qu'ils partent en classe vêtus de propre et l'estomac plein, qui les conduisait à leur entraînement de football, leur lisait des histoires le soir, et pleurait bêtement d'émotion quand ils lui rapportaient de jolis dessins de l'école... *Oui, pour eux, elle n'était qu'une maman.*

Contrairement à Christopher et à son père, qui avaient enfin compris qu'il valait mieux se faire tout petits, Trent, avec son manque habituel de tact, était totalement imperméable à la tension ambiante. Il ne put s'empêcher de faire de l'esprit.

— C'est ça, Jen. Si tu veux que ce type craque, tu n'as qu'à lui offrir une part de ta tarte aux pêches. Il va t'avouer tous les détails de leur romance en moins de temps que les délinquants qu'alpague Christopher n'en mettent à trouver un alibi, déclara-t-il, très content de lui.

Complices, les trois hommes éclatèrent de rire, imités par les garçons, qui n'avaient pas bien compris la blague de leur oncle.

Face à l'hilarité générale, Jenna prit le parti de ne pas réagir. Elle voulait épargner à ses fils une querelle déplaisante. Elle se retira donc sans un mot dans la cuisine où elle s'attaqua à la vaisselle, pendant que Trent aidait Petey à faire ses devoirs et que son père s'installait devant son programme télévisé favori. Soucieux de dérider sa sœur, Christopher débarrassa la table et proposa même son aide pour la vaisselle. Mais sa tentative de conciliation fit long feu. Chassé de la cuisine, il rejoignit les autres dans le salon.

D'habitude, Jenna utilisait le lave-vaisselle, mais, ce soir-là, elle emplit l'évier d'eau savonneuse et décida de faire la plonge. Elle n'éprouvait aucune envie de se joindre à sa famille et même ses fils, à cet instant, lui apparaissaient comme des étrangers. Vraiment, la conduite de ses proches était impardonnable. Peu importait que leurs arguments fussent exactement ceux qu'elle avait opposés à midi à Victoria, ils auraient dû la soutenir et l'encourager au lieu de se moquer d'elle. En tout cas, ils auraient pu faire au moins *semblant* de croire qu'elle était à la hauteur. Elle avait quand même suivi des études supérieures, exerçait un métier sérieux, s'occupait seule de ses enfants… Elle était loin d'être stupide, non ?

En même temps, elle savait bien que, si sa famille s'obstinait à ne pas la prendre au sérieux et continuait d'interférer dans sa vie, elle en avait une part de responsabilité. Cela faisait des années qu'elle laissait ses frères prendre les décisions à sa place. Le pli était pris, maintenant. Depuis la mort de son épouse, son père aussi avait reporté ses tendances protectrices sur elle, sans qu'elle réagisse, et dans ce contexte, l'échec de son mariage n'avait rien arrangé.

A l'époque, Jack Rawlins était le beau parleur le plus séduisant que Jenna ait jamais rencontré. Il rêvait d'échapper à la comptabilité, qu'il considérait comme un travail médiocre et ennuyeux, et de s'évader vers les tropiques, pour goûter à l'indolente douceur d'une vie paradisiaque. Entre eux, ç'avait été le coup de foudre. Ils avaient ressenti une attraction physique, aussi irrésistible qu'éphémère, qui balaye tout sur son passage. Aussi, malgré l'opposition farouche de sa famille, s'était-elle enfuie avec Jack.

Tous deux avaient continué longtemps à caresser leurs rêves chimériques, même après la naissance des garçons. Jack avait acheté un vieux bateau à radouber, car il projetait de bourlinguer sur toutes les mers du globe, et Jenna se voyait déjà étendue sur le pont au soleil, les cheveux humides d'embruns, en train de rédiger un journal où elle consignerait tous les détails de leurs aventures. Elle aspirait à partager avec Jack une vie exaltante, loin de l'atmosphère étouffante et bornée d'Atlanta.

Mais, au cours de ces cinq ans, les rêves de Jenna avaient fini par évoluer. Ses fils allaient bientôt rentrer à l'école, ils avaient besoin de stabilité. Il lui semblait qu'effectuer les réparations indispensables dans la maison qu'ils venaient d'acheter était plus essentiel que d'investir dans le bateau qui rouillait en cale sèche et prenait racine dans leur jardin. Elle commençait d'ailleurs à se demander s'il était possible de survivre sur une île du Pacifique en se contentant d'amour et d'eau fraîche. Ne valait-il pas mieux devenir réalistes et n'envisager de naviguer que de temps en temps, pour les vacances, en abandonnant l'idée d'un départ définitif ?

Naïvement, elle s'était figuré que Jack en était arrivé aux mêmes conclusions qu'elle. Ils habitaient une banlieue agréable et même si l'existence qu'ils menaient manquait singulièrement de fantaisie, elle était sûre qu'il était heureux. Après tout, ce n'était pas si grave de faire des compromis avec ses rêves. Chacun ne doit-il pas, tôt ou tard, se confronter à la réalité ?

Mais, un beau jour, elle était retombée sur terre pour découvrir que Jack, lui, n'avait pas changé et qu'il n'avait jamais eu l'intention de se fixer. Il venait de vider leur compte en banque et avait utilisé toute la réserve de leurs cartes de crédit pour acheter deux billets d'avion pour Tahiti. Il était apparu que sa secrétaire partageait ses goûts pour l'aventure !

Heureusement, la procédure de divorce, bien qu'elle ait été très douloureuse, n'avait pas duré longtemps et Jenna avait réussi à épargner aux enfants les détails de la lâcheté de leur père. Totalement anéantie, elle avait vendu la maison, était retournée vivre chez son père et s'était attelée à la lourde charge de rembourser ses dettes. Elle n'oubliait pas comment sa famille avait alors serré les rangs autour d'elle et l'avait formidablement soutenue dans cette mauvaise passe.

Elle s'était accordé un unique accès de vengeance. Oh, elle n'était pas une sainte ! Alors, un beau matin, le bateau que Jack avait abandonné derrière lui, sous prétexte qu'il était trop petit, avait été réduit en cendres par un mystérieux incendie.

Le temps avait passé et elle avait réalisé peu à peu que Jack ne lui manquait pas tant que ça. Cela faisait si longtemps, déjà, qu'ils n'étaient plus sur même longueur d'onde. Les garçons s'étaient eux aussi habitués à n'avoir plus aucune nouvelle de lui. Les jours de leurs anniversaires ou de Noël, quand ils ne recevaient pas la moindre carte postale, Jenna réalisait combien elle haïssait cet homme.

En méditant sur son passé, face à l'évier d'où s'échappait un nuage de vapeur, elle essuya machinalement la sueur qui perlait à son front. C'est alors qu'elle aperçut par hasard son reflet dans la vitre, transformée en miroir par la nuit noire, et se figea.

Qui était cette femme ?

Cela faisait des années qu'elle ne se souciait plus de son apparence physique mais, là, tout à coup, elle se jaugea plus attentivement qu'elle ne l'avait jamais fait. Et ce qu'elle découvrit lui fit peur.

Elle avait toujours trouvé que sa chevelure châtaine, un peu terne, manquait d'épaisseur. C'est pourquoi elle préférait les coupes courtes, qui mettaient sa nuque en valeur. Mais à quel moment son manque de coquetterie s'était-il transformé en *négligence* ? Et ce n'était pas seulement à cause de l'éclairage peu flatteur du plafonnier qui accusait ses cernes et lui donnait l'air maladif. Son regard morne et assombri avait visiblement perdu tout son éclat, et elle fut saisie par son expression fermée. Pourtant, c'était le pli amer de sa bouche qui était le plus troublant. Elle avait toujours été fière de sa bouche et pensait que c'était ce qu'elle avait de mieux. Avec son arc bien dessiné, ses jolies commissures relevées et sa lèvre inférieure pulpeuse et vibrante, c'était une bouche qui appelait le baiser. En tout cas, c'est ce que lui avait déclaré Jack à l'époque de leurs amours.

Il avait surement dû débiter les mêmes fadaises à sa secrétaire — Quelle importance ? Or, aujourd'hui, il n'y avait vraiment pas de quoi se glorifier, en découvrant ces lèvres minces et dures, qui lui donnaient l'air d'une femme aigrie, qui serre les dents pour réprimer son désespoir. Que s'était-il donc passé ? Comment un tel changement avait-il pu lui échapper ?

Perdue dans la contemplation de l'étrangère dont la vitre lui renvoyait l'image, Jenna ne prit même pas conscience que l'eau était devenue trop froide pour faire la vaisselle. Elle savait bien que son divorce avait brisé toute sa superbe et que ses sentiments n'y avaient pas *survécu*, mais elle pensait avoir surmonté tout cela. Elle croyait avoir réussi à recoller les morceaux et retrouvé assez d'allant pour se jeter de nouveau dans le flot de la vie. Si tel était le cas, qui était donc cette inconnue qui la fixait ? Combien de temps lui restait-il avant que la vie ne lui inflige de nouvelles épreuves ? Ses fils partiraient un jour, ils n'auraient plus besoin d'elle. Est-ce qu'elle allait continuer longtemps cette existence sans joie qui ne lui apportait que des déceptions ?

« Je ne vais pas me laisser faire sans combattre, jura-t-elle à son reflet dans la vitre. Il n'est pas trop tard pour réagir. »

Elle abandonna les derniers plats à tremper, se sécha les mains et emprunta l'escalier en évitant de se faire remarquer de sa famille, absorbée dans un feuilleton télévisé. Parvenue dans sa chambre, elle composa le numéro de Vic, sans se donner le temps de changer d'avis et se fut soulagée que son amie décroche dès la deuxième sonnerie.

— Qu'est-ce que tu es en train de faire ? lui demanda-t-elle.

— Devine ! Ma valise, bien sûr.

Il y eut des bruits sourds, de l'autre côté de la ligne et Victoria rattrapa en catastrophe l'écouteur qui lui avait glissé des mains.

— Dis, comment ferais-tu pour nettoyer une tache de sauce hollandaise sur un chemisier de coton blanc ?

— Essaye un mélange d'eau gazeuse et de lessive.

— J'étais sûre que tu aurais bon un truc. Alors, qu'est-ce que tu as décidé ?

— Je pars, répondit Jenna, sans hésiter.

Vic eut une exclamation de joie.

— Super ! J'avais bien dit à Lauren qu'une fois rentrée chez toi, après avoir bien réfléchi, tu te découvrirais une de bonne douzaine de raisons d'y aller.

Jenna ne put s'empêcher de sourire.

— Il se trouve que je n'en ai que six, précisa-t-elle.

— Et on peut savoir lesquelles ?

— Papa, Christopher, Trent, Petey et J.D.

— Si je compte bien, ça ne fait que cinq. Et la sixième ?

Jenna respira profondément et confessa :

— C'est moi.

Chapitre 3

— Arrête de me fixer comme ça ! répéta Jen à Lauren, pour la troisième fois, dans l'ascenseur privé qui les menait à la suite royale du Belasco.

— Je ne peux pas m'en empêcher, répondit son amie en souriant malicieusement. Je suis encore sous le choc.

En découvrant l'hôtel, Jenna avait été agréablement surprise par le charme raffiné et l'ambiance très « vieille Europe » de l'établissement. Elle s'était imaginé que, vu sa position et sa fortune, Mark Bishop serait descendu dans un palace au luxe plus clinquant.

Lauren, plus blasée qu'elle, n'avait pas semblé le moins du monde impressionnée par le décor, mais, en revanche, elle ne pouvait détacher les yeux de sa compagne.

— Comment as-tu trouvé le temps de faire *tout ça* ? demanda-t-elle, admirative.

Il y avait, en effet, quelque chose de prodigieux dans la métamorphose de son amie, entre leur déjeuner de la veille et le décollage de leur avion, le matin même. Il faut dire que Jenna, qui savait qu'elle ne pouvait tout à fait revendiquer le *titre* de journaliste, avait décidé d'en avoir au moins l'*apparence* et elle s'était employée, dans le peu de temps dont elle disposait, à acquérir l'allure pleine d'assurance et de sophistication qui lui semblait propre à la fonction. La réaction éloquente de Lauren prouvait que ses efforts n'avaient pas été vains.

— C'est incroyable ce qu'on peut accomplir quand on a décidé de se réveiller et de prendre sa vie en main, expliqua-t-elle. Au beau milieu de la nuit, j'ai dévalisé le rayon cosmétiques de la superette de mon quartier, je me suis fait une manucure, un masque hydratant et j'ai réveillé Max, à l'aube, en lui promettant un mois de salaire s'il venait me coiffer sur-le-champ.

— En tout cas, le changement est saisissant, déclara Lauren.

— Qu'est-ce que tu en penses ? Tu ne trouves pas que les reflets blonds sont trop soutenus ? s'inquiéta Jenna, encore peu rassurée sur son aspect.

— Moi, je te trouve fantastique, affirma la photographe, qui avait encore du mal à se remettre de sa surprise.

— Ton étonnement m'inquiète, tout à coup. J'étais si moche que ça, avant ?

— Non, excuse-moi, c'est seulement que tu as l'air tellement...

— Professionnelle ?

— Je dirais plutôt sexy.

— Ça veut dire que j'ai raté mon coup, alors, se renfrogna Jenna, déçue.

— Peut-être, mais un soupçon de glamour ne saurait nuire, rétorqua son amie en la toisant longuement, des pieds à la tête. Rassure-toi, ce rouge te va à ravir.

Jenna jeta un coup d'œil dubitatif à sa veste courte, au col officier. Bien sûr, elle n'avait pas eu le temps de courir les boutiques. C'était l'élément qui, dans sa garde-robe, correspondait le plus à une tenue d'« executive woman ». Si ses souvenirs étaient exacts, lors du contrôle fiscal qu'avait subi son frère Trent, l'année précédente, elle s'était confrontée à une inspectrice des impôts qui portait exactement le même ensemble.

A l'inverse, Lauren s'était contentée de sa sempiternelle tenue de reportage : une chemise et un pantalon kaki, très pratiques, aux poches innombrables. La photographe s'était coiffée, à la diable, d'une queue-de-cheval, et portait sur l'épaule la besace dont elle ne se séparait jamais et qui contenait son matériel.

— Au moins, j'espère que je ne vais pas me ridiculiser, murmura Jenna, au moment où les portes de l'ascenseur s'ouvraient.

Les deux femmes s'engagèrent dans un étroit couloir à la moquette aussi épaisse qu'un tapis neigeux. Elles s'arrêtèrent à la porte de la suite et, alors que Lauren s'apprêtait à frapper, Jenna la supplia à voix basse :

— Si mes genoux commencent à s'entrechoquer, promets-moi d'élever la voix.

Elle serrait convulsivement contre sa poitrine le dossier dont Victoria l'avait munie avant le départ et qui contenait une liste de questions à poser, ainsi que la copie de la première interview de Mark Bishop. A la lecture, certaines demandes lui avaient semblé anodines ou informatives, mais une bonne demi-douzaine d'entre elles l'avaient fait rougir de confusion. Jenna ne se voyait pas du tout en train de poser de telles questions à Mark Bishop et n'imaginait pas une seconde qu'il accepte d'y répondre. Comment réagirait Victoria si elle rentrait bredouille, sans la moindre anecdote croustillante à se mettre sous la dent ? Elle décréterait que son amie était nulle, incapable d'assumer ce genre de mission et ne l'enverrait plus jamais en reportage. Ce qui n'était pas si grave.

Pour la centième fois, Jenna se remémora les directives que Vic lui avait serinées au téléphone, pour la guider pendant l'interview :

« Sois à l'écoute, à l'écoute et encore à l'écoute. Ne l'inter-

romps surtout pas au milieu d'une phrase. Aie l'air passionnément intéressée par tout ce qu'il raconte, même si tu n'es pas
du tout d'accord. Enfin, ne le quitte jamais des yeux et cache
ta nervosité… »

Ma parole, il fallait qu'elle soit folle à lier pour s'être lancée
dans une telle entreprise. Elle n'avait rien d'une journaliste, elle
était comptable, et, malgré sa panoplie d'« executive woman »,
l'homme d'affaires allait la percer à jour en deux temps, trois
mouvements. Autant se défiler pendant qu'il en était encore
temps. Oui, autant…

La porte s'ouvrit soudain, surprenant la jeune femme en
pleine indécision, et les deux amies se retrouvèrent face à Debra
Lee, leur vieille connaissance, qui parut à Jenna plus âgée mais
beaucoup plus raffinée que dans son souvenir. Ce qui n'avait
pas changé, en revanche, c'était son bon sourire, toujours
aussi accueillant et chaleureux. L'assistante de Mark Bishop les
serra tendrement sur son cœur et s'empressa de les faire entrer.
Jenna eut à peine le temps de prendre la mesure de l'immensité
des lieux que Debra Lee les avait déjà introduites, à travers
la baie vitrée du salon, sur une superbe terrasse qui longeait
tout l'appartement. La fraîcheur de l'air était surprenante et,
du balcon, Jenna distinguait à peine la cime des plus grands
arbres du parc voisin, qui se balançaient en ondulant comme
des éventails, au gré des caprices de la brise. Au-delà, s'étendait
le magnifique panorama de Manhattan, dont les immenses
gratte-ciel reflétaient les rayons du soleil déclinant.

Lauren, toujours en quête d'une nouvelle photo choc, se
précipita vers la balustrade, régla son objectif et commença à
mitrailler allègrement, tandis que Jenna, qui était sujette au
vertige, restait prudemment près de la porte-fenêtre.

— Faites comme chez vous, déclara Debra Lee, en désignant un pichet de thé glacé et des verres sur une table basse.

Mark et Mlle Winston ne sont pas encore rentrés de leur rendez-vous.

S'il y avait bien une chose qui mettait Jenna hors d'elle, c'était qu'on la fasse attendre. D'autant que le rendez-vous avait bien été reconfirmé, le matin même. Elle avait lu quelque part qu'arriver en retard était une démonstration inconsciente de force pour prouver sa suprématie. Elle imaginait très bien qu'un homme tel que Mark Bishop puisse distiller ce genre de message : Vous êtes bien trop insignifiantes pour que je fasse l'effort d'arriver à l'heure.

D'un autre côté, ce contretemps lui fournissait une échappatoire inespérée.

— Nous pouvons reprogrammer le rendez-vous, si ça t'arrange, proposa-t-elle à Debra Lee, sachant que, si la date de l'interview était reculée, c'est Victoria qui s'en chargerait.

— Non, on ne peut pas, décréta Lauren, qui s'était arrêtée net de photographier pour lui adresser un regard furibond. On attendra.

— Bien, conclut Debra Lee qui n'avait pas l'air très à l'aise. Il faut que je vous avoue, commença-t-elle, avec un air penaud, que Mark n'a pas vraiment donné son accord pour...

Elle fut interrompue brusquement par quelqu'un qui claquait violemment la porte de la suite et l'appelait d'une voix de stentor :

— Deb ! Où es-tu ? Viens ici tout de suite !

Leur amie leur adressa un sourire gêné.

— Voulez-vous attendre un moment, s'il vous plaît ? s'excusa-t-elle, avant de tourner les talons et de retourner dans le salon.

Lauren en profita aussitôt pour reprendre ses prises de vue. Elle s'éloigna à l'extrémité de la terrasse où un énorme ficus en pot la dissimula, pendant que Jenna restait plantée contre le mur extérieur, à proximité de la baie vitrée, invisible de l'intérieur. Elle savait que la politesse aurait exigé qu'elle se dirige vers le centre de la terrasse pour que l'arrivant puisse prendre conscience de sa présence mais tétanisée, elle se plaqua au contraire contre le mur, comme si elle souhaitait disparaître. Bien qu'elle ne puisse le voir, la jeune femme se doutait bien que c'était Mark Bishop qui s'adressait à Debra Lee sur ce ton sévère.

— Pendant deux heures, j'ai souffert comme un damné à écouter cet imbécile de Benchley déblatérer sur les changements radicaux opérés à la tête du groupe Castleman. Trouve-moi Scott, tout de suite. J'exige de savoir pourquoi il n'y avait rien là-dessus dans son dernier rapport. Il faut vraiment être aveugle pour n'avoir pas su décrypter les prémices d'une telle restructuration ! s'exclama l'homme, d'une voix grave et autoritaire qui laissait peu de place à la discussion.

Cela correspondait tout à fait à la vision que Jenna s'était forgée de l'homme d'affaires et elle eut un frisson d'appréhension en pensant à ce qui l'attendait.

— Tout de suite, répondit Debra Lee. Mlle Winston n'est pas avec vous ?

— La pauvre, je ne voulais pas l'obliger à supporter Benchley. Elle devait signer des papiers et en a profité pour se rendre au bureau de Ken. Elle ne va pas tarder à arriver. Moi, je suis complètement lessivé. J'ai besoin d'un bon verre pour effacer la voix perçante de ce type. Il m'a littéralement cassé les oreilles.

Pendant une longue minute, le silence se fit. L'homme avait l'air de prendre ses aises. Jenna n'entendait plus que des froissements d'étoffes et le tintement de glaçons dans un verre.

— Votre rendez-vous de 5 heures est là, annonça enfin Debra Lee.

— Je n'ai rien de prévu à 5 heures.

— Si, vous devez rencontrer mes amies journalistes. Vous ne vous en souvenez plus ? On en a parlé hier.

— Il me semble t'avoir demandé d'annuler, rétorqua Bishop, et Jenna imagina le regard maussade qu'il lançait à son assistante.

— Oui, mais c'était avant que vous ne réclamiez que je travaille toute la nuit sur l'accord avec Brazelton. Vous me devez bien ça, Mark.

— Ecoute, Deb, sois gentille. J'ai déjà répondu à leur truc. Combien de fois est-ce que je vais devoir me laisser torturer par ces gens pour te faire plaisir ?

A ces mots, Jenna se retrouva sur la défensive.

— Tant que vous exigerez qu'au moindre claquement de doigts j'abandonne mari et enfants, afin de vous prouver que vous disposez d'une esclave corvéable à merci vingt-quatre heures sur vingt-quatre, répliqua Debra Lee, pas impressionnée pour deux sous.

On sentait qu'elle s'occupait de lui depuis si longtemps qu'au fil des années, leur relation, s'était éloignée du rapport classique patron à employée.

— Tu sais, le journal regorge de filles qui se damneraient pour obtenir ton poste et tu pourrais bien te retrouver aux archives en moins de temps qu'il n'en faut pour le dire, menaça-t-il sur le ton de la plaisanterie.

Debra Lee éclata de rire.

— Je m'en vais tout de suite chercher les formulaires de mutation. Un travail normal avec des horaires normaux, sans avoir à se casser la tête pour satisfaire vos lubies les plus dingues, ce sera le paradis pour moi.

— Pourquoi ne réponds-*tu* pas cette interview à ma place ? suggéra l'homme d'affaires. Tu me connais bien assez pour répondre à ces âneries. Je t'autorise même à livrer tous mes secrets. Tu as carte blanche pour raconter tout ce qui te passera pas la tête, je m'en contrefiche. Je suis épuisé. Ça fait une éternité que je n'ai pas dormi.

— Alors, commençons tout de suite. Comme ça, quand Mlle Winston rentrera, le plus gros sera fait. Vous verrez cette interview sera terminée avant que vous ne vous en soyez rendu compte.

— C'est le genre d'arguments qu'employait ma mère quand elle m'emmenait chez le dentiste. Et, elle non plus, je ne la croyais pas.

— Ecoutez, Mark, ce sont mes amies. J'ai…

— Une dette envers elle, je sais, la coupa Mark Bishop, d'une voix impatiente.

Jenna imaginait très bien le geste de la main qui accompagnait ses propos pour signifier à son assistante de cesser de le harceler.

— C'est vrai que je n'aurais jamais survécu à mes années de lycée sans leur soutien. Mais si je me permets d'insister c'est qu'il me semble que vous devriez entretenir votre notoriété. Il serait bon que vous paraissiez plus abordable.

— Je ne tiens pas du tout à avoir l'air abordable.

— Alors dites-vous que c'est utile aux relations publiques de l'entreprise, rétorqua habilement Debra Lee.

— Tu as raison. Bon, allons-y. Débarrassons-nous de cette corvée au plus vite.

Jenna se figea en entendant le branle-bas dans la suite. D'une minute à l'autre, elle allait se retrouver face à Mark Bishop qui allait s'apercevoir qu'elle était cachée assez près de la porte pour avoir entendu ses propos désobligeants. C'était trop tard pour tenter de s'échapper, elle n'avait plus qu'à rester plantée là à remâcher sa vexation.

L'homme d'affaires surgit aussitôt sur la terrasse, suivi de près par Debra Lee, si bien que Jenna ne put discerner de lui qu'une large carrure et des cheveux bruns. Lauren, qui était réapparue, se dirigea du bout de la terrasse vers Bishop, main tendue et le sourire aux lèvres.

— Bonjour, dit-elle, en lui serrant la main. Lauren Hoffman, je suis ravie de vous revoir.

— J'en suis ravi également, répondit Bishop, d'un ton amène.

Etait-ce le même homme qui se plaignait si amèrement de leur présence une minute auparavant ? Jenna en arrivait à douter de ce qu'elle venait d'entendre.

— Et voici Jenna Rawlins, une des associées de *Mariage de Rêves*, c'est elle qui remplace Victoria pour l'interview, ajouta la photographe.

Bishop se retourna, surpris, visiblement irrité de découvrir quelqu'un dissimulé dans son dos. Rouge comme une pivoine, Jenna sentit son cœur battre la chamade. Elle s'élança à sa rencontre.

— Je suis heureuse de faire votre connaissance, monsieur Bishop, déclara-t-elle d'un ton assuré en lui serrant la main. Nous allons tâcher de ne pas vous retenir trop longtemps. C'est très gentil à vous d'avoir accepté de subir une nouvelle séance de torture…

Puisqu'elle avait surpris, à son corps défendant, les propos désagréables qu'il avait eus à leur endroit, autant le lui faire savoir. L'homme réagit par un imperceptible battement de paupières et Jenna se sentit plus forte d'avoir joué cartes sur table. Mais sa confiance en soi s'évanouit rapidement, car Mark Bishop, sans se soucier du silence pesant qui s'installait entre eux, conservait sa main dans la sienne bien plus longtemps qu'il n'était convenable. Aimantée par le regard gris étincelant, dont l'éclat la traversait comme l'éclair déchire un ciel d'orage, Jenna, tétanisée, se sentait totalement désemparée. On aurait dit qu'un lien invisible la reliait à cet homme, alors qu'il continuait tranquillement à l'examiner comme une bête curieuse. Enfin, il finit par abandonner son sérieux et esquissa un sourire.

— Deb m'a tout raconté à votre sujet, dit-il d'un ton aimable.

Jenna n'avait aucune idée de ce qu'il voulait dire. Se moquait-il d'elle ou était-ce pure remarque de courtoisie ? Quoi qu'il en soit, elle devait absolument lui cacher son trouble.

— Deb ne nous a rien caché sur vous non plus, rétorqua-t-elle.

Mark Bishop allait répliquer quand Debra Lee intervint habilement.

— Shelby devrait arriver d'une minute à l'autre. Est-ce que nous commençons sans elle ?

Sans donner aux jeunes femmes le temps de répondre, Bishop hocha affirmativement la tête et s'engouffra dans le salon. Elles suivirent toutes son sillage et Jenna put remarquer sa taille impressionnante et la manière tranquille et pleine d'assurance dont il se déplaçait. La jeune femme s'y connaissait en costume d'homme, car elle accompagnait souvent ses frères ou son père dans les magasins, mais rien de ce qu'ils choisissaient en confection ne pouvait rivaliser avec l'élégant costume anthracite, fait sur mesure, que portait l'homme d'affaires.

Il indiqua le canapé à ses visiteuses et s'installa lui-même dans un fauteuil, pendant que Debra Lee disparaissait dans une autre pièce. Jenna supposa qu'elle se mettait en quête de Scott, l'homme qui n'avait pas su anticiper les changements à la tête du groupe Castleman. Est-ce que le pauvre diable allait perdre son job ?

Après avoir déboutonné son veston et croisé les jambes, Bishop écouta attentivement Lauren lui expliquer le type de clichés qu'elle désirait prendre, sans opposer la moindre contradiction. Isolée dans son coin, Jenna avait le sentiment qu'il l'ignorait complètement. Sentant le trac la gagner, elle gardait obstinément le regard braqué sur le dossier posé sur ses genoux, mais les feuillets ne lui apparaissaient plus que comme un brouillard informe. Les questions lui traversaient l'esprit de façon décousue et elle ne savait plus du tout comment les ordonner, ni par quoi commencer. Devait-elle débuter par les plus anodines et progresser vers les plus intimes ? Ou au contraire, attaquer bille en tête, comme Vic l'aurait sûrement fait ?

Oh et puis zut ! Au fond, quelle importance ? Elle n'était pas venue déterrer un scandale politique, mais seulement glaner quelques potins.

Quand elle finit par y voir plus clair, elle tomba, par hasard, sur une des questions oiseuses dont Vic avait le secret et qui avait trait aux positions sexuelles favorites de son interlocuteur. Jenna réalisa instantanément que, même déguisée en « executive woman », elle n'aurait jamais le toupet de questionner Mark Bishop là-dessus. Rouge de confusion, elle regretta soudain de ne pas avoir gardé les cheveux assez longs pour camoufler ses oreilles écarlates.

— Je suis à votre disposition, mademoiselle Rawlins, déclara soudain Mark Bishop, pour briser le silence gênant qui s'était installé.

Jenna redressa vivement la tête et s'aperçut que l'homme la fixait attentivement d'un regard profond, plein de curiosité. Elle en eut le souffle coupé.

« Voici donc le regard qui a séduit Shelby Elaine Winston », fut la pensée qui lui traversa l'esprit au moment même où, affolée, elle s'entendit demander à brûle-pourpoint :

— Portez-vous des slips ou des boxer-shorts, monsieur Bishop ?

Celui-ci laissa échapper un petit sourire de surprise amusée, tandis que Lauren se retournait éberluée vers Jen, qui trouva assez de cran pour ne pas baisser les yeux.

— Je dois dire que vous soulevez là un point crucial, répondit-il, avec un autre sourire ironique.

Comment avait-elle pu se mettre de but en blanc dans un tel embarras ? Rassemblant le peu de sang-froid qui lui restait, Jenna s'éclaircit la gorge et déclara avec un petit sourire contrit :

— Excusez-moi de me montrer si indiscrète. Peut-être pourrions-nous commencer en abordant des sujets moins délicats ? Par exemple, comment vous êtes-vous rencontrés, Mlle Winston et vous ?

Visiblement soulagé d'éluder la question, Mark Bishop répondit de façon très directe :

— Nous nous sommes connus à un gala de charité. Nous avons passé des instants délicieux à surenchérir l'un sur l'autre.

— C'est depuis ce moment-là que vous sortez ensemble ?

— Pas du tout. Je n'ai revu Shelby qu'il y a trois mois. Un de mes journaux menait une enquête sur l'éventuelle implication du sénateur Winston dans le scandale Texanol. Elle a fait irruption dans mon bureau comme une furie en m'accusant de mener une campagne diffamatoire contre son père.

Ainsi, Mark Bishop s'était parfaitement passé de la « femme de ses rêves » pendant… deux ans ! A l'évidence, ça n'avait rien d'un coup de foudre. Jenna dissimula sa perplexité en farfouillant dans ses papiers. Comme l'homme d'affaires reprenait, elle redressa la tête.

— M. Winston est le doyen des sénateurs du Texas, expliqua-t-il d'un ton doctoral, et je vous informe qu'il s'est révélé totalement étranger à la débâcle de Texanol.

Jenna, qui était parfaitement au courant, s'irrita de constater que son interlocuteur la prenait de haut. Croyait-il qu'elle n'était qu'une idiote qui ne lisait jamais les journaux ?

Elégant et serein dans son costume hors de prix, confortablement installé dans sa luxueuse suite, on aurait dit un roi trônant devant ses sujets. Ce n'était pas parce qu'il s'était montré, jusqu'à présent, charmant et amical, qu'elle devait tout accepter avec bonhomie. Au fond, elle ne savait rien de cet homme. Si ce n'est qu'il n'avait aucune envie de répondre à son interview. Agacée, elle lui adressa son sourire le plus éblouissant :

— Vous savez, monsieur Bishop, il arrive à l'équipe de *Mariage de Rêves* de suivre l'actualité. Si j'ai bonne mémoire, le sénateur a fait la une des journaux, en même temps que le bébé à deux têtes découvert au Nebraska, non ?

Ignorant ses sarcasmes, Bishop continuait à la fixer paisiblement, attendant la suite. Lauren se leva brusquement pour se remettre à le mitrailler tandis que Debra Lee faisait irruption dans la pièce, son portable à la main.

— J'ai Scott en ligne, souhaitez-vous lui parler ? demanda-t-elle à son patron.

— Oui, répondit-il. Voulez-vous m'excuser un instant, s'il vous plaît ? ajouta-t-il aimablement à l'intention des deux femmes, avant de s'éloigner sur la terrasse pour plus de discrétion.

Comme Debra Lee, après avoir ramassé leurs verres, était retournée dans la cuisine, Lauren interpella Jenna à voix basse tout en chargeant son appareil :

— Qu'est-ce qui te prend ? Ne joue pas à ce petit jeu avec lui. Tu vas l'énerver.

— Il nous prend pour des imbéciles.

— On s'en fiche.

— Moi pas !

Bishop réintégra la pièce. Il avait été légèrement décoiffé par le vent qui soufflait sur la terrasse. Jenna le trouvait ainsi beaucoup plus à son goût et elle fut déçue quand il repoussa, d'un geste impatient, une boucle de cheveux tombée sur son front. Quand il alla se percher sur le magnifique bureau en acajou qui occupait un coin entier de la pièce, elle ne put s'empêcher d'admirer la grâce athlétique avec laquelle il se déplaçait. A l'évidence, cet homme la troublait profondément.

— Ou en étions-nous ? Ah oui ! Je crois que vous aviez une objection à me soumettre, n'est-ce pas ? lui demanda-t-il d'un ton apparemment affable.

Ces paroles n'avaient rien de menaçant et pourtant Jen se sentit rougir sous son regard inquisiteur. Elle n'avait plus la moindre envie de l'interroger comme le désirait Vic sur sa vie sentimentale. Au contraire, elle brûlait de découvrir qui était le *vrai* Mark Bishop, et, par la même occasion, lui démontrer ce qu'elle valait. Elle avait tellement envie qu'il la prenne au sérieux…

Comme il avait éveillé sa curiosité sur la cession de Castleman Press, elle ne put s'empêcher de demander :

— Avez-vous réellement l'intention d'acquérir Castleman ?

Cette question imprévue ne sembla pas le désarçonner.

— Ça dépend de la conjoncture financière du prochain trimestre, répondit-il du même ton imperturbable.

En tant que responsable financier du magazine, Jenna en connaissait un rayon sur ce groupe de presse. Elle lisait le *Wall Street Journal* consciencieusement, suivait les moindres frémissements de la Bourse et surveillait attentivement les compagnies susceptibles d'enrichir le maigre portefeuille d'actions de *MdR*.

— L'action Castleman a plongé de seize points, la semaine dernière. Ils sont mûrs pour une O.P.A., déclara-t-elle.

Elle ressentait, sans la voir, la gêne de Lauren mais ne pouvait détacher les yeux de ceux de Mark Bishop qui continuait à la jauger. Il semblait s'installer entre eux une atmosphère électrique, intensément sensuelle. Et, non, il ne s'agissait pas d'une illusion de sa part. Elle était quand même encore capable de reconnaître ce genre de regard alors, il lui fallait se rendre à l'évidence : aussi incroyable que ça puisse paraître, cet homme la désirait.

Seulement voilà, il était fiancé à une autre.

— Vous avez pioché cette information dans votre magazine féminin préféré ? ironisa-t-il.

Et, avant que Jenna puisse répliquer du tac au tac, il se tourna vers Debra Lee pour lui répondre d'un ton professionnel.

Lauren profita de cet instant d'inattention pour pincer Jenna et murmurer entre ses dents :

— Oublie Castleman. Ça n'intéresse personne. Reviens aux slips et aux boxer-shorts.

— Mais…

Elle n'eut pas le temps d'acherver. Déjà, l'homme d'affaires reportait son attention sur elles.

— Toutes mes excuses. Vous disiez ?

Jenna se résigna à revenir au questionnaire.

— Dans les premiers temps, d'après ce que j'ai compris, ce n'était pas si évident entre Shelby et vous. Qu'est-ce qui vous a attiré alors chez Mlle Winston ?

— On peut dire qu'elle est très jolie. Elle a la tête sur les épaules. Elle vient d'une excellente famille très concernée par les problèmes sociaux. Je dois dire que la loyauté qu'elle a montrée envers son père m'a aussi beaucoup impressionné…

Il s'interrompit, l'air interrogateur :

— Est-ce que j'ai dit quelque chose de drôle, mademoiselle ?

Comment répondre à ça, sans risquer de le vexer ? Tout de même pas en lui disant : « Dites-moi, Bishop, vous êtes bien sûr de parler de votre fiancée ? Parce qu'on dirait que vous nous décrivez Lassie chien fidèle. » Non, impossible, il n'allait pas bien le prendre.

Jenna tourna sept fois sa langue dans sa bouche, avant de reprendre :

— C'est que, monsieur Bishop, les lectrices de *MdR* risquent de trouver votre réponse un peu…

— Prosaïque ? termina-t-il à sa place. Oui, je pense qu'elles risquent d'être déçues. Je ne suis plus un adolescent. Je suis un homme raisonnable. Ma conception du mariage ne tient aucun compte de la poésie, des fleurettes et des chansons d'amour. Pour moi, c'est un compagnonnage. Je ne vois rien de blâmable à ce que deux adultes consentants établissent, un partenariat profitable à chacun, déclara-t-il avec conviction.

Jen ne sut que répliquer. Un tel pragmatisme lui clouait le bec. Elle était même impressionnée par le calme et l'assurance qui émanaient du regard d'acier de son interlocuteur. S'était-elle illusionnée, tout à l'heure, en ressentant une trouble ambiguïté entre eux ? En tout cas, elle espérait que la pauvre Shelby Elaine avait bien compris le genre de marché qu'elle s'apprêtait à signer.

— Vous envisagez donc votre union comme une alliance profitable, conclut-elle, essayant de garder à l'esprit le conseil le plus important de Vic : « Ne montre jamais ton désaccord. »

Il fut rapidement évident qu'elle n'avait pas du tout réussi à camoufler ses sentiments.

— J'ai l'impression que ce que je viens de vous expliquer vous choque, nota Bishop. Je suis désolé d'avouer que, pour moi, le concept de passion manque totalement de… Comment dire ?… De fiabilité.

— Je comprends parfaitement, répliqua-t-elle sans réfléchir, tout en consultant sa liste pour trouver une question bien bête ou bien insensée qui lui permette, en gagnant du temps, de recouvrer son sang-froid et de faire le tri dans ses idées.

— Quelle est votre fleur préférée ?

— Les fleurs artificielles, surtout celles de soie. Plus chères à l'achat, bien sûr, mais indéniablement plus durables.

La pauvre Shelby n'était pas près de recevoir des roses pour son anniversaire…

— Et votre film favori ?

— Je n'ai pas le temps d'aller au cinéma.

— Votre couleur de prédilection ?

— Le gris.

Elle aurait dû s'en douter…

— L'animal que vous préférez ?

— Il faut que je réfléchisse. Je ne suis pas fou des animaux en général. Je n'ai jamais eu d'animal domestique.

« Evidemment, songea-t-elle, ça fait des saletés. Et puis toute cette affection dégoulinante, c'est tellement déplaisant… »

— Je suis du signe du Lion, indiqua Mark Bishop. Je crois que je l'ai déjà dit lors de la dernière interview.

Plus persuadée que jamais qu'il se moquait d'elle, Jenna se raidit. Derrière son air candide, Bishop semblait lire en elle à livre ouvert. Elle décida de changer de tactique.

— Vous avez déjà fixé la date du mariage ?

— Shelby voudrait que nous nous mariions au printemps.

— Où cela ?

— Dans le ranch de son père, au Texas.

— Partirez-vous en voyage de noces ?

— Nous n'avons encore rien décidé, répondit-il avec indifférence. J'ai demandé à Shelby de choisir une destination qui lui plaise.

L'envie démangea Jenna de s'écrier alors : « Ah bon, c'est elle qui prend toutes les décisions ? Est-ce qu'on peut savoir quelle est votre implication personnelle dans cette affaire ? En dehors d'une courte apparition, le jour de la cérémonie ? »

— Et projetez-vous d'avoir des enfants ? se contenta-t-elle de demander.

Bishop prit le temps de réfléchir.

— Shelby et moi sommes enfants uniques et je ne crois pas que nous soyons encore prêts à abdiquer notre liberté. Mais nous aurons peut-être un enfant, un jour. On verra bien.

Jenna continua à le questionner pendant quelques minutes et il répondit avec la même indifférence courtoise, éludant habilement tout ce qui avait trait à sa vie privée. Alors que l'entretien tirait à sa fin, la jeune femme réalisa qu'elle constaterait bientôt, en relisant ses notes, qu'elle s'était complètement fourvoyée. Comment tirer quoi que ce soit de lisible d'un tel tissu de banalités ?

Pour résumer, Mark Bishop ne possédait pas une once de romantisme. La pauvre Shelby risquait d'en faire rapidement l'amère expérience. Cela n'expliquait pas pourquoi elle se sentait si déprimée par tout ce qu'elle venait d'entendre. Elle se sentait comme une enfant déçue par son cadeau de Noël.

La question des slips ou des boxer-shorts lui apparaissant totalement obsolète, Jenna consulta une fois de plus le questionnaire pour tenter de rapporter à Vic un peu de grain à moudre.

— Quel conseil donneriez-vous à nos lectrices qui voudraient mettre la main sur quelqu'un comme vous, monsieur Bishop ? reprit-elle.

Comme si quelqu'un pouvait avoir le front d'essayer…

— Je leur conseillerais de ne pas m'embêter avec ça.

— Que voulez-vous dire ? demanda Jenna surprise.

Elle n'aimait pas du tout la façon blasée et impersonnelle avec laquelle il la considérait maintenant.

— Aucun homme ne désire une femme obsédée par le mariage, expliqua-t-il d'un ton neutre et détaché.

Un peu abasourdie par cette réponse, Jenna resta momentanément sans voix… C'est le moment que choisit une blonde splendide pour faire irruption dans la suite en claquant la porte avec fracas. Pénétrant dans le salon, elle ignora totalement

Lauren et Jenna, de même que Debra Lee qui était accourue au bruit, et malgré la finesse de son profil de médaille, c'est sans délicatesse aucune qu'elle se rua, hors d'haleine, sur son fiancé. On aurait dit qu'elle venait de courir un marathon.

— Shel, que se passe-t-il ? demanda Bishop, perplexe.

La réponse fusa, immédiate. Shelby Elaine Winston lui retourna une gifle magistrale. Sur le coup, l'homme d'affaires resta parfaitement maître de lui, alors qu'on pouvait voir une empreinte de main pourpre se dessiner sur sa joue.

— Tu n'es qu'une ordure ! Comment as-tu pu penser une seconde que j'allais signer ce torchon ? hurla la jeune femme en brandissant sous son nez une liasse de papiers.

— Shelby, sois raisonnable, veux-tu, répondit-il imperturbable. Un contrat de mariage est indispensable dans une union telle que la nôtre. Ce n'est qu'un garde-fou légal qui…

La jeune femme jeta rageusement les documents sur le bureau.

— J'ai eu tort de penser que tu pouvais changer. J'aurais dû écouter mon intuition. Tu es incapable d'amour ! Incapable d'accorder ta confiance à qui que ce soit ! J'en suis désolée pour toi, mais heureusement que je l'ai compris avant qu'il ne soit trop tard.

— Ma chérie, tu devrais considérer les choses rationnellement…

— Je n'ai fait que ça depuis que je suis sortie du bureau de Ken. C'est donc ainsi que tu vois notre avenir ? Tu envisages déjà froidement l'issue de notre mariage ?

Mark Bishop, les yeux rivés sur la jeune femme en furie qui l'affrontait, ignorait complètement Jenna et Lauren.

— Evidemment que non. Pourtant, personne ne connaît l'avenir. Je ne sais pas ce qu'il adviendra de notre couple, pas plus que toi, d'ailleurs.

— Oh si ! Moi, je le sais, rétorqua Shelby.

Elle ôta sa bague de fiançailles et l'envoya rejoindre les papiers sur le bureau.

— J'entrevois très clairement mon avenir, Mark, et tu n'en fais pas partie.

Chapitre 4

— Au moins, déclara Lauren alors qu'elles faisaient le pied de grue devant l'ascenseur, c'était instructif.

— Instructif ? Cauchemardesque, tu veux dire ! rétorqua Jenna, bouleversée par l'issue désastreuse de l'entretien.

Tremblante, elle attendait impatiemment que l'ascenseur arrive, afin de sortir au plus vite de l'hôtel et calmer son agitation en se réchauffant aux derniers rayons du soleil.

Après le départ en trombe de sa fiancée, Mark Bishop s'était tourné calmement vers les jeunes femmes pour s'excuser. Il leur avait annoncé que l'entretien était terminé et qu'il se retirait. Leur sortie précipitée avait dû être du plus haut comique, car elles avaient rassemblé leurs affaires en quatrième vitesse et s'étaient enfuies sans demander leur reste. Mais Jenna n'avait pas le cœur à rire. Lauren lui jeta un coup d'œil.

— Allons, Jen. On croirait vraiment que ton expérience avec Jack ne t'a rien appris. A ton âge, tu ne sais toujours pas de quoi les hommes sont capables ? J'ai l'impression qu'en cas de divorce, notre séducteur n'avait pas l'intention de laisser le moindre centime de son bon argent, durement gagné, à sa Shelby adorée. Moi, je trouve qu'elle a bien réagi.

Jenna se renfrogna. Quelque chose clochait dans cette histoire. La veille, Victoria lui avait brossé le portrait des deux fiancés et, comme elle s'intéressait à la politique, elle était aussi au fait de l'actualité de la famille Winston. Il fallait s'attendre à ce qu'un homme de l'envergure de Mark Bishop se prémunisse d'éventuels déboires par un contrat de mariage. Mais, de son côté, Shelby, n'était pas n'importe qui. Fille d'un sénateur influent, elle venait d'une riche famille de propriétaires terriens, installée au Texas depuis des générations, et menait une carrière fulgurante comme directeur de campagne du sénateur du Nebraska… Comment les questions d'argent pouvaient-elles être un motif de rupture entre ces deux-là ?

Alors qu'elles se hâtaient toutes deux vers la sortie, Jenna fit part de ses doutes à son amie qui haussa les épaules avec indifférence. Ce n'est qu'arrivée sur le trottoir qu'elle déclara :

— Peut-être qu'elle est montée sur ses grands chevaux par principe. Peu importe. Ce qui est beaucoup plus ennuyeux, c'est que nous n'avons rien à nous mettre sous la dent pour la prochaine édition, conclut-elle en observant à la ronde si elle apercevait un taxi. Vic va être en pétard parce que nous rentrons les mains vides. On pourrait lui proposer de créer le palmarès des « dix hommes les moins romantiques ». Je me demande si Mark Bishop accepterait d'en prendre la tête.

— Comment peux-tu plaisanter après ce qui s'est passé ? C'était tellement… atroce, s'insurgea Jenna.

Lauren la considéra stupéfaite.

— Tu ne vas quand même pas me dire que tu as cru une seconde que leur relation pouvait durer ! Il lui offrait des fleurs artificielles, parce que c'est plus avantageux… Non, mais tu imagines ? Ça ne m'étonne pas que ça ait craqué pour une question d'argent. Pourtant, d'habitude, les hommes se montrent généreux, *avant* le mariage, conclut-elle en hélant un taxi qui les dépassa à vive allure.

Jenna était exaspérée. Tout ça n'avait pas de sens. Mark

Bishop avait beau s'être montré irritant et parfois choquant, elle ne comprenait pas son attitude.

— Il semblait tenir à ce mariage.

— Pourquoi te préoccupes-tu de lui comme ça ? C'est le genre de type qui retombe toujours sur ses pieds. Et avec son physique de play-boy, il n'aura aucun mal à la remplacer.

— Ça m'intrigue parce que ça ne tient pas debout, c'est tout.

— Allez, on s'en va, décréta Lauren qui, ayant tiré un trait sur Bishop et son ex-fiancée, avait enfin réussi à arrêter un taxi. On va faire du shopping.

— Je ne suis pas très en forme. Je vais marcher jusqu'à l'hôtel, ce n'est pas loin, répondit Jenna en s'éloignant.

— Viens claquer du fric avec moi, ça va nous faire du bien, proposa Lauren pour la retenir.

— Vas-y. Moi, j'ai besoin de réfléchir et de retrouver mon calme.

— Ecoute. On est à New York. Et pour venir on a utilisé tous le crédit kilométrique que le magazine avait accumulé auprès de la compagnie d'aviation. C'est toi-même qui me l'as dit. Tu ne vas pas gâcher ça. Tu n'as pas envie de faire quelque chose de sympa ?

— On verra ça ce soir.

— Jen…, commença Lauren exaspérée, est-ce que tu sais *encore* ce que s'amuser veut dire ?

Blessée, la jeune femme préféra ne pas discuter.

— On se voit tout à l'heure, répondit-elle avec un petit signe de la main en disparaissant dans le flot des piétons, avant que son amie ait pu réagir.

Elle regagna l'hôtel à grandes enjambées. Le téléphone sonnait quand elle pénétra dans la chambre. Elle saisit le récepteur en envoyant valser ses chaussures à talons et s'allongea sur le lit en frottant ses mollets douloureux. C'était son père.

— Tout va bien, ne t'inquiète pas, commença-t-il. Je voulais juste m'assurer que tu étais arrivée à bon port. Tu as oublié de me téléphoner pour me rassurer.

Jenna ressentit soudain un besoin urgent de se masser les tempes. Après tout ce qu'elle venait de vivre, elle n'allait pas en plus endurer des reproches.

— Tout s'est bien passé, papa. Tu sais, j'ai passé l'âge de voyager avec une hôtesse et qu'on vérifie que mes parents m'attendent à l'arrivée.

Il ignora son sarcasme et se mit à rire.

— Tu me connais, je ne peux pas m'empêcher d'être inquiet.

— Je sais, soupira-t-elle.

Mais ce n'est pas parce que son père tenait tant à ses petits travers qu'elle devait les supporter stoïquement. Dès son retour, elle allait rappeler l'agent immobilier et prendre un nouveau rendez-vous. Le moment était venu de se trouver une maison bien à elle.

— Les garçons sont là ?

— Chris les a emmenés au terrain de base-ball pour que Petey travaille son swing. Si tu veux mon avis, c'est peine perdue.

Jenna savait que son aîné était le pire joueur de toute l'histoire de la ligue junior de base-ball. Malgré les efforts de son oncle et de son grand-père qui, pendant tout l'été, n'avaient pas ménagé leur peine, il continuait inlassablement à projeter ses balles « dans les étoiles », d'après les dires de son coach.

— Comment s'est passée l'interview ?

— Très bien, répondit-elle, préférant passer sous silence son échec misérable. Je rentre demain.

Son père, qui ne ratait jamais la météo, l'informa qu'une tempête risquait de balayer la côte Est, aux environs de minuit, et que ça risquait fort de perturber son vol, le lendemain. Il lui conseilla instamment de prendre des cachets contre la nausée. N'écoutant que d'une oreille, Jenna se plongea dans la notice du minibar qu'elle avait trouvée sur la table de nuit.

— Est-ce que tu m'entends, Jen ?

— Je suis tout ouïe, papa, répondit-elle, distraitement, en louchant sur les tarifs.

— Fais attention, on annonce une vague de froid descendant du Canada… Et tu vas me faire le plaisir de te coucher tôt ce soir. Tu voyages demain, il faut te ménager.

Ainsi, même l'heure de son coucher ne lui appartenait plus ? Elle prit un malin plaisir à répondre :

— C'est ma seule nuit à New York et j'ai décidé de faire une fête du tonnerre.

— Est-ce bien raisonnable ? répondit gravement son père, après un silence interloqué.

— Sûrement pas. Seulement, je veux me prouver que je sais encore m'amuser, répliqua-t-elle, encore vexée par la pique de Lauren.

— Evidemment que tu sais encore t'amuser, ma chérie, mais tu es adulte maintenant. Tu es une fille bien et ton mariage avec Jack t'aura au moins mis du plomb dans la cervelle. Tu connais tes responsabilités, les dangers d'agir à la légère en suivant aveuglément ses impulsions et…

Ah non ! songea-t-elle, exaspérée. Elle pouvait encore souffrir ses discours sur le climat et toutes ses directives, mais que son père se mêle de l'échec de son mariage était plus qu'elle n'en pouvait supporter !

— Il faut que je parte, papa, coupa-t-elle pour lui clouer le bec. Embrasse les garçons pour moi.

Puis elle raccrocha sèchement, avant de se ruer, excédée, sur le minibar où elle s'empara de toutes les bouteilles.

Il y avait des lustres qu'elle n'avait pas confectionné de

cocktails... Qu'à cela ne tienne ! Elle n'avait sûrement pas dû oublier.

Cependant, elle se ravisa aussitôt et remit tout en place. Si elle voulait retrouver sa bonne humeur, mieux valait sortir se promener à l'aventure dans l'ambiance trépidante des rues de New York et rencontrer des gens nouveaux, plutôt que de rester seule dans sa chambre.

Bien que ses pieds la fissent souffrir — décidément, elle avait perdu l'habitude de porter des talons —, Jenna chaussa ses escarpins et se remaquilla. Puis elle se décoiffa légèrement du bout des doigts pour se donner un look plus décontracté. En retournant à l'hôtel, elle était passée devant une bonne douzaine de bars et de restaurants. Elle en trouverait sûrement un à son goût. Elle laissa un mot à l'intention de Lauren, enfouit le sachet de noix de macadamia dans sa poche et décampa.

Quarante-cinq minutes plus tard, assise devant les grandes baies vitrées de chez Willowby, Jenna sirotait son troisième verre d'une exquise mixture exotique à base de rhum, tout en admirant la vue magnifique sur les gratte-ciel de Manhattan, que les derniers rayons du soleil couchant métamorphosaient en immenses miroirs dorés. Elle se sentait délicieusement grise et détendue...

Pourtant, l'établissement était bruyant, et bondé de new-yorkais qui oubliaient entre amis leur longue journée de labeur. Mais Jenna ne les voyait pas, ne les entendait pas : tout ce qui l'intéressait, pour l'instant, c'était le dossier de *MdR* qu'elle avait sorti de son sac. Vic allait juger l'interview sans aucun intérêt, et ce, à juste titre. Pourtant, elles avaient besoin d'un article pour boucler la prochaine édition. Que faire ? Peut-être faudrait-il envisager de se tourner vers un autre membre de la liste... Seulement, comme aucun d'entre eux n'était fiancé pour le moment, il faudrait aussi trouver un nouvel angle d'attaque.

La jeune femme entreprit donc de relire le dossier, en quête d'idées… Elle se concentrait sur les notices biographiques, cherchant le candidat le plus à même de lui éviter le fiasco, quand elle tomba sur la photo de Mark Bishop. Si l'on adoptait le point de vue de Lauren et de Shelby, cet homme n'était qu'un affreux pingre, incapable d'aimer ou d'accorder sa confiance à qui que ce soit… un homme à fuir. Pourtant, la photo ne trahissait rien de tel. Bishop était sûrement arrogant, probablement snob, c'était l'homme le moins romantique de la planète, certes, mais elle percevait avant tout chez lui une grande solitude. Etait-il *réellement* insensible ? En tout cas, ce n'est pas qui se dégageait de ce cliché, ni ce qu'elle avait ressenti durant l'interview.

Elevée au milieu de garçons, Jenna en connaissait un rayon sur la psychologie masculine. A la notable exception de son ex-mari, elle se trompait rarement sur les hommes et savait deviner, au-delà des apparences, leurs motivations, leurs désirs et leur véritable personnalité.

Pour elle, Mark Bishop était combatif, charmeur, provocateur aussi, avec, par moments, des éclairs d'humour et de gentillesse. Surtout, il avait le don de faire sentir à la personne qu'il regardait qu'elle était unique, fascinante et seule digne d'attention. Il y avait quelque chose, dans ses yeux, sur ses lèvres, qui donnait envie de…

Jenna se secoua. L'homme d'affaires était bien différent de tous ceux qu'elle fréquentait dans son milieu étriqué et raisonnable, et elle était folle de se laisser aller à de telles pensées. L'effet des cocktails exotiques, sans doute… Il était temps de grignoter un peu.

Elle déchirait le sachet de noix de macadamia quand elle prit conscience d'une présence derrière elle.

Se retournant, elle découvrit un homme blond, au physique avantageux, qui la regardait.

— Vous permettez ? demanda-t-il en désignant le siège libre, en face de celui qu'occupait Jenna.

— Eh bien, je…

Jenna s'interrompit. A son air de prédateur, il était clair que l'homme n'avait nullement l'intention de s'en tenir à une simple conversation. Même si ça pouvait être divertissant d'exercer sur lui ses talents, un peu rouillés, de séductrice, Jenna ne tenait pas à se trouver en situation de repousser des avances alors qu'elle se sentait grise. Aussi grise que son admirateur l'était lui-même, d'ailleurs.

« Tu es une fille bien », se dit-elle. Avant de se répondre à elle-même : « C'est ça, et mortellement ennuyeuse. Est-ce que tu sais encore ce que s'amuser veut dire ? Non, mais j'aimerais bien le savoir. Seulement, il faudrait que je m'y mette tout de suite ? Avec… ce type ? »

Lauren et son père lui avaient fait prendre conscience de la profondeur de l'ornière où elle s'enlisait. Elle ne supportait plus l'existence qu'elle menait — au point que le désir de changement l'emportait maintenant sur sa peur de l'inconnu.

Comme l'homme attendait toujours, la main sur le dossier de la chaise, elle lui retourna son sourire en tâchant de se remémorer les rites du badinage.

— Eh bien, en fait…

Mais à cet instant, elle sursauta : quelqu'un venait de poser la main sur son épaule.

Médusée, elle découvrit Mark Bishop. Et l'hallucination continua tandis qu'elle le voyait s'asseoir en face d'elle, dans le siège que briguait l'inconnu, et l'entendait lui lancer avec un sourire de dragueur désolé :

— Excuse-moi de t'avoir fait attendre, tu m'as commandé quelque chose ?

Le joli cœur, dépité, tourna les talons sans mot dire. Quant à Jenna, elle n'en revenait pas et fixait Bishop, incrédule. Juste au moment où elle examinait sa photo, voilà qu'il avait surgi de nulle part, comme une apparition…

— Qu'est-ce que vous avez ? lui demanda-t-il en fronçant les sourcils.

— Et vous, qu'est-ce que vous faites ici ?

Bishop lança un coup d'œil vers l'homme accoudé au bar, qui avait déjà commencé à entreprendre une autre femme.

— Je constate que je vous ai tiré une belle épine du pied.

Irritée par sa suffisance, Jenna, qui tentait de recouvrer ses esprits, plongea dans son verre.

— Je ne vous ai rien demandé. J'avais juste envie d'un peu de conversation. Vous avez tout gâché.

— Vraiment ? Alors, il sera dit que j'aurai tout raté aujourd'hui ? répondit-il en regardant d'un air absent par la fenêtre.

Jenna sentit en lui tant de regret et de découragement que son exaspération s'évanouit.

— Qu'est-ce que vous faites ici ?

— Je ne vous cherchais pas, si c'est ce que vous voulez savoir. J'étais sorti pour me changer les idées et tenter d'y voir plus clair. Je vous ai aperçue par la fenêtre — avec votre ensemble rouge, impossible de vous rater —, et ça m'a donné envie de rentrer. Pourquoi êtes-vous toute seule, comme ça ?

— Je ne comptais pas le rester très longtemps, figurez-vous.

Bishop lui jeta un drôle de regard et la jeune femme comprit que son audacieux sous-entendu l'avait désarçonné. C'était une bonne chose. Elle n'avait sûrement pas besoin d'avoir quelqu'un de plus sur le dos qui s'imagine tout savoir sur Jenna McNab Rawlins.

— Préférez-vous que je rappelle votre chevalier servant ? lança alors Mark.

— Non.

— Est-ce que ça vous ennuie si je reste un peu, alors ?

En fait, Jenna aurait préféré qu'il s'en aille, car il la mettait mal à l'aise. Plus précisément, elle ressentait un *trouble* étrange en sa présence, quelque chose qui la perturbait. Pourtant, c'était bien le dernier homme qu'elle désirait séduire…

Elle haussa les épaules nonchalamment pour camoufler son émoi et répondit :

— Cette chaise est à tout le monde.

L'homme d'affaires s'esclaffa de bon cœur.

— Voilà ce qui s'appelle un accueil enthousiaste. Où est donc passée notre chaleureuse hospitalité sudiste ?

— Nous ne sommes pas dans le Sud.

— C'est bien vrai, approuva-t-il d'un ton sinistre. Aujourd'hui, j'ai l'impression d'avoir atterri sur une autre planète.

Jenna l'examina avec curiosité. Elle n'aurait jamais cru qu'une voix puisse trahir un tel pessimisme. Tandis que le serveur prenait sa commande, elle remarqua l'air désemparé de Mark Bishop, et sa manière de jouer distraitement avec une serviette en papier. Et là, elle fut frappée par la beauté virile de ses mains. Encore un aspect de sa personne qui ne correspondait vraiment pas à la brute dont Shelby et Lauren renvoyaient l'image…

Elle rompit le silence qui devenait pesant.

— Je suis désolée de ce qui s'est passé entre vous et Mlle Winston, cet après-midi. Pensez-vous que votre relation y survivra ?

— Non, c'est terminé entre nous, répliqua-t-il brusquement mais sans agressivité. Certaines choses sont irrattrapables.

Son regard désabusé et toute sa physionomie trahissaient une immense lassitude.

— Je suis sûre que…, commença Jenna, avant de se rendre compte qu'elle ne savait quoi dire pour le consoler.

Car il avait raison. Quelquefois, on ne pouvait revenir en

arrière. Pourtant, elle aurait voulu lui dire quelque chose de réconfortant.

— Vous êtes le genre à savoir se redresser dans l'épreuve.

— Vous avez dégoté cette sentence dans une pochette surprise ? se moqua-t-il en esquissant un sourire.

Jenna sentit son cœur battre la chamade. Et cette fois, elle savait que l'alcool n'y était pour rien. Le sourire ravageur de Mark Bishop était redoutable.

— Non, dit-elle. C'est juste le genre de maximes dont ma famille m'a rebattu les oreilles au moment de mon divorce. Je dois avouer que ça ne m'a pas été plus profitable qu'à vous. Il faut m'excuser, c'est un travers familial. A la maison, il ne se passe pas une heure sans que mon père ou mes frères ne sortent ce type de préceptes. C'est censé vous rendre positif. Même moi, j'en dispense à mes garçons.

— Intéressante famille.

— On dit parfois intéressante pour ne pas dire « bizarre ».

— Parlez-moi d'eux.

L'atmosphère était moins inconfortable que quand ils discutaient de sa rupture avec Shelby, et Jenna se détendit. « Comme il est beau », se dit-elle en le contemplant, ensorcelée. Elle prit une profonde inspiration avant de répondre.

— J'ai deux adorables fils de six et sept ans et je vis chez mon père à Atlanta. J'ai aussi deux frères aînés, dont j'ai oublié l'âge précis, mais qui me traitent toujours comme si j'avais dix ans. Et si vous voulez des détails plus excitants, il va falloir m'offrir un autre Rhum blaster parce que, sinon, je ne réussirai pas à vous tenir en haleine avec ma triste vie.

— Combien en avez-vous bus ?

— Trois… je crois. Ce sont des boissons pour mauviettes, ça ne ferait pas de moule à une souche… Zut ! de mal à une mouche, corrigea-t-elle, confuse. Alors, ce qu'on dit est vrai. Sous l'influence de l'alcool, c'est la parole qui se perd en premier. A moins que ce ne soit la dignité. Qu'est-ce que vous en dites ?

— Vous avez dîné ?

— Non, je n'ai mangé que ça, répondit-elle en saisissant entre ses dents les morceaux de fruits plantés sur une pique qui trempait dans son verre.

— A moi de vous donner un conseil. Ne buvez jamais l'estomac vide.

— Comme ceci ? s'enquit-elle avec espièglerie en agitant le sachet de noix sous le nez de Bishop. Vous en voulez ?

— J'avais pensé à quelque chose de plus substantiel.

— Pas dans mes moyens, à New York. Tout coûte une fortune ! Vous savez, je ne proposerai pas à n'importe qui, de partager avec moi…

Mark ne répondit pas tout de suite, mais son visage s'éclaira lentement du même sourire irrésistible.

— Je suis donc très flatté, déclara-t-il d'une voix douce, en la regardant avec tant d'intensité que Jenna se sentit parcourue de frissons.

C'était bien agréable d'être contemplée ainsi par un homme comme Mark Bishop. Et au diable ce que pouvaient penser de lui Shelby, Lauren et toutes les autres.

— Jenna, reprit-il, et son nom sur ses lèvres était la plus douce des musiques. Voudriez-vous dîner avec moi ? Je veux parler d'un *vrai* dîner.

— Volontiers, mais j'ai peur de ne pas tenir debout, s'excusa-t-elle, mi-amusée mi-gênée.

— Ne vous inquiétez pas. Je m'occuperai de vous…

Il se leva, jeta quelques billets sur la table, et tendit la main à Jenna.

— Allons-y. Je connais l'endroit idéal.

Elle sauta sur ses pieds, surprise de découvrir qu'elle vacillait mais pas trop. Et puis, son vertige était-il vraiment dû au rhum, à ses maudits talons aiguilles ou bien à la proximité troublante de Mark Bishop ? Difficile à dire. Peut-être aux trois à la fois. Il lui posa une main sur l'épaule pour la guider vers la sortie et, une fois dehors, ils cheminèrent, côte à côte, en silence. Jenna s'accrochait à son dossier comme à une bouée de sauvetage. Ils longèrent des librairies, des agences de voyages et de nombreux bars d'où s'échappait de la musique. Dans l'ombre du crépuscule, la douceur de l'air annonçait l'arrivée de la pluie et toutes les senteurs de la cité s'exhalaient. Jenna respira à pleins poumons.

— J'aime ce moment de la journée. Pas vous ? C'est comme si on évacuait toutes les tensions, toutes les peurs et qu'on pouvait enfin se détendre.

— C'est vrai. D'un seul coup, les problèmes deviennent relatifs.

Ce n'était pas dans l'intention de Jenna de lui rappeler ses soucis. Elle préféra changer de sujet.

— Vous savez, dit-elle en désignant son dossier, je ne suis pas vraiment journaliste.

— Oui, je le sais, répondit-il, sans chercher à feindre la surprise.

Elle fit une petite grimace et dissimula son visage derrière la chemise en carton.

— Je me doutais bien que je ne pouvais pas faire illusion, surtout devant vous. Mais, soyez gentil, dites-moi que je n'étais pas trop ridicule.

— Vous n'étiez pas du tout ridicule. Tout en déplorant la fin abrupte de notre entretien, je peux dire que je n'ai jamais été interviewé de façon aussi… originale.

Jenna se tourna vers lui pour tenter d'interpréter le jeu d'ombres et de lumières qui alternait sur son visage, et voir s'il se moquait d'elle. Elle remarqua que la brise l'avait un peu décoiffé, ce qui le rendait encore plus sexy.

— En fait, je suis comptable, avoua-t-elle, après avoir respiré un bon coup pour contrôler son émoi. Je fais partie de la direction du journal, mais mon rayon, ce sont les chiffres.

Elle lui expliqua brièvement les raisons de sa présence à New York, passant sous silence ses tentatives désespérées pour échapper à l'interview.

— Vic va me tailler en pièces quand elle va savoir que je rentre bredouille.

— Ce n'est pas votre faute.

— C'est vrai. Au fond, c'est plutôt la vôtre si nous n'avons pas pu terminer.

— Je suis en affaires avec quelques-uns des hommes de votre liste. L'un d'eux va bientôt annoncer ses fiançailles avec une actrice en vue. Si ça vous intéresse, je peux l'appeler pour le convaincre d'accorder l'exclusivité à votre magazine.

Jenna s'arrêta net et le regarda éberluée.

— Pourquoi feriez-vous ça pour moi ? Je veux dire, pour nous ?

— Parce que vous avez raison. Nous ne sommes pas allés jusqu'au bout. Et aussi parce que j'estime que vous le méritez, répondit-il, sobrement.

Ils restèrent un long moment immobiles, à se regarder sans rien dire, au milieu de la foule des passants qui étaient forcés de faire un détour pour les éviter. Jenna ne savait plus comment échapper à ce silence envoûtant. Elle dut tanguer légèrement car Mark lui saisit le bras et l'entraîna de nouveau dans le flot des piétons. Quand il lui prit la main, elle le laissa faire et ils continuèrent ainsi leur chemin, comme des amoureux. Le plus étrange, c'est que cela lui semblait parfaitement naturel. Grisée par le rhum, Jenna se sentait flotter dans un bien-être délicieux pimenté d'un frisson de danger.

Ce n'est qu'en passant les portes du Belasco qu'elle retomba brusquement sur terre.

— Mais… c'est votre hôtel.

— Oui.

— Je me proposais de vous inviter à dîner dans ma suite.

La jeune femme sursauta, stupéfaite.

— Il est hors de question que je monte dans votre suite !

— Et pourquoi cela ? Vous y êtes bien venue, tout à l'heure.

— Ça n'a aucun rapport.

— Je n'ai pas l'intention de vous suborner, je veux juste vous offrir un dîner.

— Sûr ? s'exclama Jenna, étonnée.

Elle baissa la tête pour réfléchir à la conduite à tenir et lança un regard méfiant.

— C'est vrai ? Vous n'avez pas d'idées derrière la tête ?

— Pas à cet instant précis, en tout cas, affirma-t-il, amusé.

Mark ne paraissait pas le moins du monde offusqué par ses soupçons.

— Pas tant que vous n'aurez pas dessoulé, en tout cas.

— Je ne suis pas soûle. Légèrement grise, je ne dis pas. Mais soûle, non. Et pourquoi ne dînerions-nous pas plutôt au restaurant de cet hôtel ?

— Mais c'est que…

Il s'interrompit l'air absent, comme s'il débattait avec lui-même, avant de se jeter à l'eau en soupirant :

— Ecoutez, vous n'allez pas me croire, mais j'ai une salle à manger pleine de ballons et débordant de victuailles, un maître d'hôtel sur le pied de guerre et un chef fou furieux, qui m'attendent dans ma suite. Si vous m'accompagniez là-haut et dîniez avec moi, vous me sauveriez probablement la vie.

Jenna, qui ne comprenait rien à ce qu'il racontait, essaya de clarifier la situation.

— Pourquoi votre suite est-elle pleine de ballons ?

— Parce qu'avant la débâcle de cet après-midi, il était prévu que, ce soir, Shelby et moi partagerions un dîner en tête à tête. Elle avait tout organisé avec la direction de l'hôtel. Bien sûr, elle n'a pas pris la peine de décommander. Quant à moi, je n'étais pas d'humeur à me mêler de quoi que ce soit. Alors, en tombant sur vous, tout à l'heure, je me suis dit que nous pourrions peut-être partager ce festin, plutôt que le laisser se gâcher.

Evidemment, c'était bien tentant de prolonger ce moment en compagnie de Mark Bishop. Pourtant, Jenna se demandait si elle avait vraiment envie de profiter d'une fête préparée à l'intention d'une autre…

— Qu'est-ce que vous deviez célébrer ? demanda-t-elle.

— Eh bien, en fait…, expliqua-t-il, un peu embarrassé, aujourd'hui, c'est mon anniversaire.

— Menteur, répliqua-t-elle, froidement.

— Moi, menteur ? Dans ce cas, vous avez raison : vous ne valez rien comme journaliste, rétorqua-t-il avec un sourire malicieux. Si vous aviez potassé vos fiches, vous connaîtriez ma date de naissance.

Jenna s'empressa de feuilleter le dossier qu'elle serrait toujours sur son cœur et consulta le dos de la photo.

— Mon Dieu ! Vous dites vrai. Bon anniversaire !

A ces mots, Mark lui prit le menton et elle crut discerner de l'amusement dans ses yeux gris.

— Alors, acceptez-vous de monter là-haut avec moi ? Ça m'éviterait de m'apitoyer sur moi-même, tout en m'épargnant le courroux du chef. Surtout qu'il est armé d'un redoutable tranchoir.

Comment refuser une invitation si tentante ? Jenna oublia sur-le-champ toutes ses préventions.

— Puisque vous me le demandez gentiment…

Mark n'avait pas menti. Le maître d'hôtel se montra aux

petits soins dès qu'ils pénétrèrent dans la suite, qui se trouvait absolument telle qu'il l'avait décrite. Dans la salle à manger, la table flottait sur une mer de ballons dont la surface lisse reflétait l'argenterie et la porcelaine fine. La table basse du salon croulait sous les petits-fours et, quand Mark se rendit à l'office, Jenna l'entendit discuter avec le chef pour tempérer sa mauvaise humeur. Par ailleurs, suffisamment fin pour comprendre que Jenna n'apprécierait pas de récolter les restes de Shelby, il avait suggéré de changer au moins le décor et de s'installer sur la terrasse, plutôt que dans la salle à manger, pour un pique-nique gastronomique au champagne. Jenna se rendit donc sur la terrasse et s'assit confortablement, après s'être débarrassée de ses chaussures.

Cinq minutes plus tard, Mark arrivait chargé de deux assiettes. Il était suivi du maître d'hôtel, qui dressa habilement la table et y déposa un seau à champagne, avant de disparaître en silence.

La lumière de la lune, indéniablement romantique, les laissait presque dans l'ombre. Pendant que Mark ouvrait la bouteille, Jenna tenta d'identifier ce qu'on venait de lui servir. Elle reconnut des huîtres dans leurs coquilles, des bâtonnets de céleri fourrés au caviar mais, pour le reste, mystère… Tout ça avait l'air bien joli mais un peu trop sophistiqué à son goût, pensa-t-elle en fronçant le nez. Comme s'il l'avait comprise sans qu'elle ait besoin de s'expliquer, Mark annonça :

— Saumon aux agrumes, canard braisé au curry rouge, crabe à l'avocat, terrine de foie de pigeon… Ça ne vous plaît pas ?

Puis il éclata de rire et tendit une crevette marinée au bout de sa fourchette.

— Commençons par un met simple et nous progresserons doucement vers les plus raffinés.

Mark était un merveilleux compagnon et, au fur et à mesure qu'ils goûtaient les différents plats en comparant les saveurs, Jenna se détendait, envoûtée par le charme de l'instant. Ils parlèrent de tout et de rien et, bientôt, elle en vint à lui confier quel défi représentait pour elle la perspective de se libérer de l'emprise de sa famille. Il l'écoutait, sans chercher à lui imposer son opinion — ce qui la changeait agréablement de ses proches. Est-ce qu'elle ne s'épanchait pas trop ? Pourtant, elle ressentait déjà moins les effets du rhum, et n'avait bu qu'une seule coupe de champagne.

Puis les mots devinrent inutiles à leur intimité et ils restèrent ainsi, près l'un de l'autre, sur la terrasse, silencieux, perdus dans la contemplation du ciel, sous la lune pâle qui se dissolvait dans la nuit. Les yeux fermés, Jenna se laissa glisser dans son siège, allongea les jambes sur une chaise et, soupira d'aise.

— Et que dois-je savoir d'autre sur vous ? reprit doucement Mark, au bout d'un long moment.

— On lit en moi à livre ouvert, répondit-elle en le regardant droit dans les yeux.

— J'ai l'impression que vous dissimulez tout de même quelques pages de ce livre-là… C'est la dernière. Vous la voulez ? reprit-il en lui tendant une olive noire.

Jenna se pencha vers lui et prit l'olive entre ses lèvres. Elle avait agi sans réfléchir, sans chercher à y mettre la moindre sensualité mais, croisant le regard de Mark au même instant, elle y découvrit un éclair de désir qui la fit trembler. Hélas, il était trop tard pour revenir en arrière. Elle referma les lèvres sur l'olive puis, troublée, chercha une idée pour camoufler son embarras.

— J'oubliais, dit-elle enfin. J'ai un cadeau pour vous. Excusez-moi, je n'ai pas eu le temps de faire un paquet. Bon anniversaire.

Mark s'esclaffa : c'était le sachet de noix de macadamia.

— Je le chérirai toujours comme un trésor. Je ne sais que trop la preuve d'estime qu'il représente.

— Vous ne croyez pas si bien dire. C'est un cadeau très spécial, venant de quelqu'un de très spécial. « Quelqu'un qui sait encore s'amuser. »

— De très spécial… Vous pouvez le dire, s'exclama-t-il ardemment, la fixant avec une telle intensité qu'elle en eut le souffle coupé.

Il fallait qu'il l'embrasse, là, tout de suite, elle ne pouvait plus attendre. Mark dut sentir son appel. Il se pencha vers elle, inclina la tête et frôla délicatement ses lèvres. Ils avaient partagé une orange dont le goût parfumait sa bouche. Jenna en savoura mieux encore le suc quand Mark la caressa de la langue avec une douceur enivrante. Mon Dieu… Comme il savait bien lui communiquer la fièvre qui le consumait.

Combien de temps s'embrassèrent-ils ainsi ? Elle n'aurait su le dire. Trop peu pour assouvir son désir et pourtant bien assez pour qu'elle ait conscience de se trouver au bord d'un précipice. Elle risquait fort de faire le grand saut.

— Jenna…, murmura Mark.

Un éclair de chaleur zébra le ciel de Manhattan et le vent annonça la pluie. Jenna frissonna.

— Quelle heure est-il ? demanda-t-elle.

— Presque minuit.

L'oracle paternel se confirmait donc : l'orage se déclenchait à l'heure. Et son père, qui se bilait toujours pour sa petite Jenna, allait se faire un sang d'encre. Qu'aurait-il dit en la voyant prête à faire l'amour avec quelqu'un qu'elle ne connaissait même pas la veille ?

« Qu'est-ce qui m'arrive ? » songea-t-elle, vacillante. Cet homme était sûrement habitué à avoir toutes les femmes à ses pieds, mais, elle, d'ordinaire si raisonnable, ce n'était pas son genre de se donner si rapidement. Comment pouvait-elle se conduire ainsi ? Comment avait-elle pu montrer assez d'audace pour monter dans cette suite, et réclamer un baiser ? Qu'il ne s'était pas fait prier pour lui accorder, d'ailleurs.

C'était de la folie ! Maintenant, il fallait mettre un terme à ce délicieux et dangereux intermède. Il était temps que Cendrillon retourne à sa citrouille.

— Il faut que j'y aille, déclara-t-elle en se levant pour rassembler sa veste et ses chaussures.

— Vous n'êtes pas obligée de partir, dit Mark en se levant à son tour.

— Je suis vraiment désolée. Je ne cherchais pas à vous provoquer... ni à vous donner d'idées fausses... Je veux dire...

Jenna, qui bafouillait et s'embrouillait, comprit qu'il valait mieux se taire. Elle se dépêcha de retourner dans le salon, Mark sur les talons. Comme elle se débattait avec la manche de sa veste, il vint à son aide.

— Qu'est-ce que ne vouliez pas provoquer, Jenna ? Ce baiser ?

— Oui. Enfin, non. En fait, j'ai trouvé ça merveilleux. Trop peut-être...

— Moi aussi. Alors, pourquoi ne restez-vous pas ? Nous avons tant à découvrir l'un de l'autre.

Zut de zut ! Cette veste ne voulait vraiment pas se laisser faire, pesta Jenna en tentant maladroitement d'attraper la seconde manche. Quand elle y parvint enfin, elle se tourna vers Mark.

— C'est impossible. Je ne suis pas ce genre de fille facile.

— Vous croyez que c'est ainsi que je vous vois ?

— Non, probablement pas. Mais tout ça, New York, vous, cette suite, ce baiser... c'est beaucoup plus dangereux pour moi que pour vous. Ici, vous êtes sur votre territoire, vous avez vos marques. Moi, je ne suis qu'une fille très ordinaire qui mène une vie horriblement ordinaire, d'après Lauren. Vous n'avez qu'à lui demander…

Au milieu de cette tirade, Jenna, qui en avait enfin fini avec sa veste, découvrit qu'elle était encore pieds nus.

— Je hais ces chaussures !

— Je ne connais pas l'opinion de Lauren, ni celle des autres, mais moi, je ne vous trouve pas ordinaire du tout. Au contraire, il y a longtemps que je n'avais pas rencontré quelqu'un d'aussi mystérieux.

— Et moi qui croyais que vous n'étiez pas romantique pour deux sous ! Vous cachez bien votre jeu, répliqua Jenna qui sautait à cloche-pied pour essayer de se chausser.

Comme elle manquait de tomber, il la rattrapa habilement.

— Tenez-vous tranquille et discutons un peu, dit-il en posant les mains sur les épaules de la jeune femme, qu'il regarda droit dans les yeux.

Elle oscilla encore quelques secondes puis se figea. Dans son esprit régnait une terrible confusion, mélange de culpabilité et de honte. Aucune aide à attendre de Mark, car il s'était mis à caresser voluptueusement le creux de sa gorge et ne semblait pas du tout disposé à lui faciliter les choses. Elle se sentait fondre, impuissante.

— Arrêtez ça tout de suite, ordonna-t-elle. Ça ne vous mènera à rien.

Il ne l'écouta pas. Ses mains remontèrent lentement le long du cou de Jenna en effleurant sa peau avec une douceur affolante, jusqu'à sa nuque qu'il prit dans ses paumes. Et là, du bout des doigts, il réveilla adroitement ses sens endormis.

Ce n'était pas juste, aurait voulu crier Jenna, qui pourtant resta muette. Elle était sous le charme, trop fascinée par les lèvres viriles, le sourire tendre de Mark et son regard qui la fouillait jusqu'à l'âme et lui promettait tant de choses.

— Est-ce que vous réalisez que si vous partez maintenant vous n'aurez jamais la réponse ? demanda-t-il, soudain avec un sourire.

— A quelle question ? répondit-elle d'une voix qu'elle ne reconnut pas.

— Si je porte des slips ou des caleçons.

Elle resta bouche bée, frappée par une impitoyable évidence : autant se laisser aller à la force du destin et reconnaître sa défaite, car quelque chose cédait en elle et l'emportait irrésistiblement.

— Vous avez raison, il faut que je le sache, murmura-t-elle, en jetant sa chaussure par-dessus son épaule.

Puis elle attira Mark à elle, passa les bras autour de son cou et l'embrassa fougueusement. Si c'était une erreur, elle le découvrirait bien assez tôt. Et si, plus tard, elle éprouvait des remords, elle s'en accommoderait. D'ailleurs, elle s'était laissé entraîner bien trop loin sur les ailes du désir pour renoncer au plaisir qui l'appelait.

Chapitre 5

Victoria Estabrook paraissait totalement terrassée.

— Alors, vous avez remballé vos affaires et vous êtes *parties* ? répéta-t-elle, comme si elle n'en croyait pas ses oreilles. Sans même essayer de savoir ce qui, dans ce fameux contrat, avait pu rendre Shelby si hystérique ?

— Nous ne pouvions pas poser de questions, cela aurait été totalement déplacé, répondit Jenna. Après tout, ça ne nous concernait pas.

— Evidemment que ça ne vous concernait pas, répliqua Victoria, ébahie par tant de naïveté, mais c'était un vrai scoop !

— Ce que nos lectrice désirent, c'est que nous leur indiquions où trouver une robe de mariée à la dernière mode et comment se débrouiller pour dénicher, à bas prix, un cadeau qui fasse de l'effet pour leur belle-mère, rétorqua Jenna, irritée. Elles se fichent comme d'une guigne des détails du contrat prénuptial de Mark Bishop.

Lauren, qui tuait le temps en nettoyant son appareil photo, s'interrompit pour dire à Vic :

— Si ça t'intéresse, interroge Debra Lee.

— Tu as raison, elle acceptera peut-être de m'en dire plus long, acquiesça Vic, pensive, en consultant son agenda.

— Je suis sûre que tout ça ne mènera à rien. C'est sans intérêt ! s'exclama Jenna, exaspérée.

Elle ne souhaitait qu'une chose : oublier toute cette histoire — et surtout le rôle qu'elle y avait joué.

— Il y a des chances qu'ils se soient déjà rabibochés, suggéra Lauren.

— Ne compte pas là-dessus, répliqua vivement Jenna.

En croisant le regard surpris de la photographe, elle comprit aussitôt qu'elle s'était montrée un peu trop péremptoire.

— Shelby semblait trop blessée et furibonde pour faire marche arrière, ajouta-t-elle, plus calmement.

— On n'en sait rien, elle pourrait regretter sa décision, expliqua son amie.

— Bon ! En tout cas, il nous manque un article pour boucler le journal. Vous avez des idées ? demanda Victoria, qui réfléchissait depuis un bon moment et souhaitait revenir au cœur du problème.

Lauren suggéra quelques pistes, mais rien de bien concret, tandis que Jenna écoutait, sans rien dire. Elle avait apporté les derniers rapports financiers et tapotait du bout des doigts la chemise en carton qui reposait sur ses genoux. Comme les chiffres étaient rassurants, stables, définitifs, pensait-elle, rêveuse. Pourquoi l'obligeaient-elles toujours à participer aux réunions de rédaction, sous prétexte qu'elle faisait partie de la direction du magazine ? Elle aurait préféré de beaucoup rester tranquillement dans les coulisses, au milieu de ses dossiers, mais ses amies refusaient d'admettre qu'elle n'avait pas une once d'imagination et s'obstinaient à lui demander d'avoir des idées.

Quoique…

Elle se souvint soudain de la proposition que Mark Bishop lui avait faite d'aider *MdR* à obtenir une interview d'un autre célibataire de la liste. Vu la façon dont leur nuit d'amour s'était terminée et tout ce qui s'en était suivi, elle doutait qu'il accepte de l'aider… Mais peut-être accepterait-il de le faire pour Vic ?

— Il paraîtrait que le numéro 8 de notre liste est sur le point de se fiancer à une actrice d'Hollywood, annonça-t-elle. On devrait le contacter pour en tirer quelque chose.

— Comment est-ce que tu es au courant ? demanda Victoria qui, très intéressée, semblait déjà prête à se lancer sur cette nouvelle piste.

— C'est Mark Bishop qui me l'a dit, répondit-elle, étourdiment.

— Et je peux savoir quand ? demanda Lauren, soupçonneuse, qui ne se souvenait rien de tel.

Jenna comprit instantanément qu'elle avait fait une gaffe.

— Pendant l'interview, il me semble ; à moins que ce ne soit Debra Lee qui ait évoqué cette histoire, éluda-t-elle, avec un haussement d'épaules, en rougissant jusqu'aux oreilles. Au fait, ajouta-t-elle pour faire diversion, à quelle heure est ton vol pour la Nouvelle-Zélande, Lauren ? C'est génial de partir dans un endroit pareil, non ?

Il était évident que son amie était trop fine pour ne pas se faire sa petite idée sur la façon dont Jenna avait appris l'information. Heureusement, la secrétaire de Vic détourna l'attention en prévenant Lauren qu'un de ses employeurs la réclamait au téléphone. La photographe quitta aussitôt la pièce pour répondre à l'appel dans son bureau. Jenna s'apprêtait à partir, elle aussi, quand elle se rendit compte que, depuis son retour, Victoria ne leur avait pas parlé de sa sœur. Elle se tourna vers son amie.

— Alors, au fait, comment ça s'est passé avec Cara ?

Victoria, un léger sourire aux lèvres, leva le nez de la pile de messages en attente qui recouvrait son bureau.

— Elle m'a promis de réfléchir et de ne pas s'enfuir en Europe avec lui.

— Tu devrais être ravie.

— Tu sais le pire, Jenna ? Quand j'ai rencontré ce type et que j'ai pu le voir avec les yeux de ma sœur, j'ai commencé à comprendre ce qu'elle lui trouvait. Je crois qu'il y a même une époque où je me serais enfuie avec lui, moi aussi. J'ai l'impression d'être devenue affreusement raisonnable. Pas toi ?

— On n'est pas raisonnables. On a seulement compris que les coups de tête et les actions inconsidérées se payent au prix fort.

— Tu as sûrement raison…, soupira Vic en s'enfonçant dans son fauteuil. Mais si tu voyais comme Cara est épanouie. Avec ce garçon, elle plane…

— Tout ça, c'est bien beau, mais gare à l'atterrissage. Quand on s'est déjà crashé, on hésite à deux fois avant…

— Jenna ! protesta Victoria en la toisant sévèrement, Je t'interdis d'être aussi blasée. Ce n'est pas parce que tu t'es plantée en beauté avec Jack que tu dois faire une croix sur les hommes. C'est du passé, tout ça. Un jour tu vas rencontrer le grand amour et il faudra lui sauter dessus et ne pas laisser passer ta chance.

« Si tu savais quelle chance j'ai laissé passer… », songea Jenna. Mais elle ne voulait confier à personne son aventure new-yorkaise. Et surtout pas à Vic, qui s'en serait mêlée et aurait rendu les choses plus douloureuses encore. Or, la jeune femme savait bien que certaines batailles étaient perdues d'avance.

Elle adressa un grand sourire à son amie.

— Je ne m'inquiète pas. Je sais que si le prince charmant débarque, toi et Lauren, vous me pousserez dans ses bras avec tant d'énergie que je risque de me retrouver à l'hôpital.

— Tu peux compter sur nous.

— En attendant, j'ai des notes de frais à examiner. Trouve

un moment pour venir me voir, tout à l'heure. Il faut qu'on étudie les tiennes.

— Si c'est vraiment indispensable, répondit Vic, sans enthousiasme.

— Oui.

Jenna était déjà arrivée à la porte quand Victoria la rappela :

— Au fait, merci de t'être chargée de cette interview à ma place. Je ne t'en veux pas. Je sais que tu as fait de ton mieux.

— En tout cas, j'ai essayé, expliqua Jenna. Pourtant, je suis déçue du résultat et je me sens coupable, alors que je n'y suis pour rien.

— Si on réussit à obtenir un entretien avec le numéro 8, et que tu te charges de l'interviewer, ça te rachètera à tes propres yeux.

— D'accord.

— Quoi ? J'étais certaine que tu allais pousser des hauts cris, s'étonna Vic.

— J'avais presque terminé l'entretien quand Shelby Elaine a débarqué avec ses gros sabots et a tout gâché. Au fond, ce n'était pas si impressionnant. Tu vois, je sais quelquefois saisir ma chance. Mais ne te méprends pas. Mon truc, c'est toujours les tableurs et les calculatrices, déclara Jenna en montrant son dossier. A ce propos, il va falloir que tu m'expliques comment tu comptes faire passer tes séances de massage en frais professionnels, lança-t-elle, avant de retourner dans son bureau.

Comme elle sentait la déprime la gagner, Jenna se plongea dans les derniers rapports financiers. Elle devait trouver un moyen d'abaisser les coûts d'expédition des abonnements, que *MdR* sous-traitait à l'extérieur, et elle aurait bien aimé se changer les idées en s'absorbant dans ce problème. Où était la période bénie des déclarations d'impôts, Quand il lui fallait remplir une telle montagne de formulaires administratifs, qu'elle n'avait plus une seconde de distraction… ?

Quelques minutes plus tard, son esprit dérivait déjà et retournait sans fin la même question obsédante : Comment avait-elle pu coucher avec Mark Bishop ?

Etait-ce parce qu'elle avait désespérément besoin de se prouver qu'elle ne correspondait pas à l'image qu'avaient d'elle ses proches ? Qu'elle était encore capable d'audace ? Ainsi, il n'avait fallu qu'un peu d'alcool, une conversation agréable et les attentions d'un homme résolument séduisant, pour abattre ses défenses. Ce soir-là, elle n'avait pas eu le moindre recul quand la situation avait dérapé. Dévorée par l'envie de le toucher, elle s'était donnée à lui avec autant de hâte qu'il l'avait lui-même prise. D'où lui venait cet appétit pour le corps d'un homme, soudain ? C'était inexplicable. Mark l'avait révélée à elle-même, sensuelle, audacieuse, affamée.

Mais, le lendemain matin, au réveil, Jenna s'était sentie migraineuse et soudain triste, comme découragée. Blottie dans les bras de son amant, elle avait commencé à envisager l'avenir. Il fallait revenir à la raison et se résigner : elle n'avait rien à attendre de Mark.

Ils avaient couché ensemble, rien de plus.

Cette prise de conscience terrible lui avait fait l'effet d'une douche froide. Alors, elle s'était libérée avec précaution de l'étreinte de Mark endormi, lui avait laissé un mot laconique sur la table de chevet, avant de s'enfuir.

— Tu as une minute ?

La voix la fit sursauter. Jenna redressa la tête et découvrit Lauren, armée de son inséparable appareil photo, qui se tenait dans l'embrasure de la porte, sur le seuil de son bureau.

— Bien sûr. Qu'est-ce que tu veux ?

La photographe entra, referma doucement la porte et s'y adossa.

— Bon, maintenant, tu vas te confesser.

— Pardon ? fit Jenna, l'air de ne pas comprendre.

Elle ne voulait pas se rendre sans combattre, aussi eut-elle un petit sourire contrit et plaisanta.

— O.K., je suis coupable. C'est moi qui ai mangé le dernier croissant.

Lauren se rapprocha.

— Ne me prends pas pour une imbécile. Je sais que tu as revu Mark Bishop après l'interview.

— Pourquoi tu dis ça ?

— Parce que j'étais avec toi pendant tout l'entretien et qu'il n'a jamais parlé d'un type qui se fiançait.

— Vraiment, il n'en a pas parlé ? Tu m'étonnes.

— Tu devrais te regarder dans une glace. Tu es rouge comme une pivoine. L'autre nuit, quand tu es rentrée sur la pointe des pieds dans la chambre, à 5 heures du matin, tu m'as raconté que tu t'étais promenée toute la nuit dans la ville. Mais je savais que tu mentais.

— Et pourquoi donc ?

— Te promener avec ces chaussures ? Tu plaisantes. Tu avais déjà mal aux pieds dans l'avion. Et puis ce n'est pas ton genre de sillonner les rues toute seule, au milieu de la nuit, surtout à New York.

— Eh bien, dis donc ! Tu devrais travailler pour Scotland Yard…

— Quand je t'ai demandé des détails, tu m'as dit qu'un homme charmant t'avait invitée à dîner et t'avait fait visiter des lieux sympas.

— Qu'est-ce que tu trouves à y redire ?

— Rien. Je te demande simplement si cet « homme charmant » ne serait pas Mark Bishop, par hasard ?

— Non. Lui n'a rien de « charmant », rétorqua Jenna du tac au tac.

Lauren posa son appareil photo et se campa devant Jenna. Elle posa les deux mains sur le bureau, se pencha vers son amie et menaça à voix basse :

— Arrête de jouer sur les mots. Tu vas m'avouer la vérité tout de suite ou je te dénonce à Vic et elle va te cuisiner jusqu'à ce que tu lui pondes un scoop. Tu la connais, elle est plus impitoyable que moi.

C'était vrai. Jenna soupira profondément. Pourquoi s'acharner à nier ? De toute façon, elle ne reverrait jamais Mark Bishop…

— Bon, d'accord, j'abdique. En effet, j'ai rencontré Mark Bishop par hasard, ce soir-là, et on a dîné ensemble.

— Où ça ?

— Dans sa suite.

— Tous les deux seuls ?

— C'est ce que signifie « ensemble », généralement.

— Et ça a duré jusqu'à 5 heures du matin ?

— Eh bien, on n'a pas vu le temps passer…

— Mon Dieu ! s'exclama Lauren en se redressant brusquement. Toi, tu as couché avec lui !

Jenna, qui s'apprêtait encore une fois à nier, décida de changer de tactique.

— Oui, j'ai couché avec lui. Tu es contente ?

— Tu as couché avec lui, répéta Lauren, incrédule.

— On peut appeler ça comme ça, oui, répliqua Jenna sèchement.

— Je ne peux pas y croire.

— Moi non plus, mais c'est pourtant ce qui est arrivé.

— Et tu comptes le revoir ?

— Non, jamais, répondit Jenna, le cœur serré, en se mordant les lèvres.

— Et pourquoi ? demanda Lauren, qui la regardait avec un

sourire canaille. Il est nul au lit, c'est ça ? Je le savais. Tous ces apollons ne valent rien comme amant.

Jenna se sentit soudain oppressée. Elle lutta pour se ressaisir.

— Je ne veux plus jamais parler de ça, avec qui que ce soit, tu m'entends. Ni toi, ni Vic, ni personne. C'était une erreur qui n'aura pas de suite. Je compte sur ta discrétion.

Heureusement pour Jenna, Lauren avait plus de tact que Victoria et ne poussait jamais trop loin son avantage. Elle regarda son amie avec une compréhension attendrie et dit :

— Il t'a bien possédée, c'est ça ? Ma pauvre chérie.

— Moi aussi, rassure-toi, répliqua Jenna avec un petit sourire. Alors, tu me promets de te taire ?

— Je te le jure sur mon meilleur objectif, déclara Lauren en brandissant l'objet à bout de bras. Je ne dirai rien à personne.

Quand Lauren fut partie, Jenna resta longtemps assise, à méditer. Rien ne se déroulait comme elle l'avait espéré. De retour à Atlanta, elle avait trouvé deux messages sur son répondeur : un du bureau, l'informant que Mark Bishop avait téléphoné pour connaître son numéro personnel — comme sa secrétaire croyait que cela concernait l'interview, elle le lui avait procuré, pensant que cela ne portait pas à conséquence —, et l'autre de Mark lui-même qui réclamait qu'elle le rappelle.

Que fallait-il faire ? Répondre à l'invitation d'un homme qui venait à peine de rompre ses fiançailles et risquer une amère déception si jamais il décidait de renouer ? Pourtant, il avait semblé sincère en affirmant que tout était définitivement fini, entre Shelby et lui. Au son de sa voix sur le répondeur, Jenna s'était sentie flotter sur un petit nuage. Elle mourait d'envie de revoir Mark, et la hâte qu'il avait mise à la recontacter l'excitait comme une adolescente. Après tout, Orlando n'était qu'à huit heures de route d'Atlanta.

Jenna s'apprêtait à rappeler quand la sonnerie du téléphone

l'avait fait sursauter. C'était Mark qui la devançait ! Hélas, dès le début de la conversation, elle avait compris que les choses s'engageaient mal. Il semblait circonspect, comme s'il récitait des phrases préparées d'avance — et lui avait demandé sèchement pourquoi elle l'avait quitté sans prévenir. On ne sentait aucune irritation dans sa voix, c'était pire : rien qu'une indifférence glacée. Jenna avait bien tenté de s'expliquer mais, désespérée par la froideur avec laquelle il l'écoutait, elle avait compris que tous ses efforts pour s'expliquer seraient vains.

C'est alors que Mark lui avait porté le coup de grâce. Oh, mon Dieu ! songea-t-elle en se remémorant ce moment terrible de leur conversation, comment avait-elle pu imaginer qu'il était un type bien ? D'abord, il lui avait laissé entendre qu'il la croyait tout à fait capable d'utiliser leur nuit torride pour faire monter en flèche les ventes de *MdR*. Puis, il avait ajouté quelque chose de menaçant comme : « Il vaudrait mieux ne pas faire trop de scandale, si tu ne veux pas voir la faillite de ton journal. »

Elle lui avait raccroché au nez. Mais il avait tout de suite rappelé — pour lui faire ses excuses, cette fois, et elle lui avait dit de se les garder. Il n'avait aucun scandale à redouter. En fait, elle allait s'empresser de l'effacer de sa mémoire et d'oublier la folie qu'elle avait commise de coucher avec lui.

Sur ce, elle lui avait de nouveau raccroché au nez.

Mark avait encore tenté de la joindre pendant deux jours et elle s'était fait un devoir d'ignorer ses appels. Le troisième jour, il avait renoncé. Une semaine s'était passée, maintenant, sans récidive.

Jenna fixait les colonnes de son bilan, qui n'était plus qu'un gribouillis de signes illisibles. Lauren se méprenait complètement sur Mark, pensa-t-elle : il n'était pas du tout « nul au lit », au contraire ; en revanche, il était parfaitement « nul dans la vie ».

★
★ ★

Orlando n'était pas New York, loin de là. Mais si pouviez survivre à la canicule de l'été, aux bouchons sur l'autoroute et à l'insondable bêtise des touristes, la ville avait un certain charme et même une certaine majesté. C'était une cité prospère qui ne manquait pas d'éclat et où l'on avait plaisir à résider.

La plupart du temps.

Mais pas aujourd'hui.

Mark Bishop se tenait devant la fenêtre de son bureau, au vingt-sixième étage du siège social de son entreprise, en plein centre-ville. Rentré de New York depuis une semaine, il n'avait fait que passer d'une réunion soporifique à l'autre, recevoir les doléances du service des ressources humaines et calmer le zèle des audits qui avaient le bureau d'Atlanta dans le collimateur et voulaient enquêter sur les comptes. Maintenant, il n'aspirait plus qu'à rentrer chez lui pour se détendre et regarder un bon match à la télé. Par acquis de conscience, il en profiterait pour vérifier si Jenna Rawlins avait répondu à l'un de ses messages. Quoique, vu la manière dont leur dernière conversation s'était terminée, cela aurait tenu du miracle. La magie de la nuit extraordinaire qu'ils avaient partagée s'était bien vite évanouie — et il en était seul responsable.

Depuis longtemps, Mark avait appris à séparer l'amour du sexe. Il en arrivait presque à envisager les femmes comme des objets interchangeables et se perdait dans la foule innombrable de ses maîtresses. Si bien que personne, jusque-là, ne lui avait jamais manqué. Pas même Shelby.

Tandis que Jenna... Mon Dieu, quel vide, depuis qu'elle avait déserté sa vie après que Shel s'était retirée.

Pauvre Shel, songea-t-il, dépité. Dire que, pendant longtemps, il l'avait prise pour la femme idéale : belle, brillante, talentueuse, d'une franchise rafraîchissante... Quand leur liaison était devenue sérieuse, il s'était dit qu'elle possédait toutes les qualités qu'il recherchait chez une épouse. Shelby s'en était trouvée bien, elle qui considérait qu'il lui convenait parfaitement. Pour sa carrière, bien sûr, puisqu'elle ne pensait qu'à cela. Dans l'esprit de cette femme, l'époux devait être un compagnon solide, qui l'aiderait à gravir les échelons et mettrait au service de ses ambitions politiques les nombreuses relations de son carnet d'adresses. Vu comme ça, les enfants ne pouvaient être qu'un obstacle à l'épanouissement personnel, une gêne dont on pouvait fort bien se passer.

D'ailleurs, quand Mark lui avait proposé de l'épouser, elle n'avait ni sauté de joie ni pleuré d'émotion, mais juste exprimé la satisfaction raisonnable de conclure un marché avantageux pour les deux parties.

Sauf que Mark avait découvert que Shelby visait beaucoup plus que ça. Elle croyait pouvoir le manipuler. C'était la raison de ce fameux contrat prénuptial qui, en la détrompant, avait provoqué la rupture.

Tout en déplorant ce constat, Mark se félicitait que la crise ait éclaté avant la cérémonie.

Néanmoins, quelques jours auparavant, il avait téléphoné à Shelby pour organiser la dissolution de sociétés qu'ils possédaient en commun et aussi pour s'enquérir si elle allait bien. Il ne s'était jamais séparé d'une femme en mauvais termes et il ne voulait pas déroger à la règle avec celle-ci.

Hélas, les délicieux moments partagés avec Jenna Rawlins ne s'étaient pas mieux terminés. Bon sang, comment avait-il pu se débrouiller aussi mal avec elle ?

Les souvenirs affluèrent à sa mémoire… Quand il avait rencontré la jeune femme, cet après-midi-là, dans la suite du Belasco, et qu'ils s'étaient retrouvés face-à-face pour l'interview, il s'était tout de suite rendu compte du puissant effet qu'elle produisait sur lui. Incroyable. Le grain de sa peau de satin…

son long cou de cygne… le creux émouvant de sa gorge quand elle se penchait… Et surtout, ses lèvres finement ourlées, son sourire de madone, dont il se repaissait et qui l'entraînait malgré lui dans un monde de fantasmes.

Aujourd'hui, il en frissonnait encore d'excitation, rien que d'y penser.

Et puis, il l'avait trouvé drôle, intelligente, sexy, attirée par lui. Alors, à sa grande surprise, il s'était abandonné à des rêveries érotiques tout à fait déplacées chez un homme sur le point de se marier.

C'était le moment qu'avait choisi Shelby pour surgir comme une furie, et changer la face du monde…

Ce soir-là, le sentiment de déprime qu'il connaissait bien était réapparu pour peser sur ses épaules. A juste trente-trois ans, il avait soudain l'impression d'être un vieillard.

Alors, dire qu'il n'avait pas été content de tomber par hasard sur Jenna Rawlins dans ce bar aurait été mentir. Il n'y avait aucun artifice chez elle, aucune ruse. Elle était douce, compréhensive, totalement elle-même et si… vivante. Elle l'avait fait rire et l'avait soulagé de la douloureuse sensation de chaos qu'il ressentait.

Mais terriblement excité, aussi. Si bien que, à minuit, il ne songeait plus qu'à lui faire l'amour. Et lorsqu'elle s'était donnée à lui, il avait éprouvé une jouissance qui dépassait tout ce qu'il avait jamais connu jusque-là. Dans la pénombre luxueuse de la suite, ils s'étaient aimés plusieurs fois, sans jamais réussir à étancher leur soif l'un de l'autre. La fureur de l'orage, dehors, n'était rien, comparée au déchaînement de leurs sens, et à chaque éclair, à chaque coup de tonnerre ils répondaient par un redoublement d'ardeur.

Enfin, sur le coup de 4 heures du matin, ils s'étaient écroulés de fatigue et de plaisir. Mark s'était endormi en serrant Jenna contre lui, comme pour arrêter le cours du temps et préserver ce moment de bien-être absolu. Comment la persuader de prolonger son séjour à New York ? s'était-il demandé. Avant de sombrer dans le sommeil en caressant tendrement le velours de sa joue.

Le réveil l'avait fauché de son petit nuage. Ebloui par le soleil matinal, il n'avait pu que constater que Jenna s'était envolée. Voilà… Pour la première fois de sa vie, une femme quittait son lit avant qu'il ne se lasse d'elle…

Un bruit inattendu le fit sursauter et revenir au présent. C'était Debra Lee qui s'activait à mettre de l'ordre dans la pièce en jetant les reliefs de cette interminable journée : gobelets de café vides, vieux papiers et monceaux de rapports informatiques inutiles, qui s'amoncelaient sur son bureau. Il était bien tard, pour que son assistante soit encore au bureau…

— Encore là ? Il y a des femmes de ménage pour ça.

— Je suis sûre que vous vous sentirez mieux de partir, tout à l'heure, en laissant un bureau bien rangé.

Debra Lee était la meilleure assistante qu'il ait jamais eue, mais quelquefois elle se montrait pesante.

— Laisse, ordonna-t-il. Et rentre chez toi.

Sourde à son conseil, elle ramassa le sachet de noix de macadamia qui traînait et demanda, étonnée :

— Vous allez manger ça ?

— Non.

Mark avait emporté ce truc dans ses bagages. *Je le chérirai toujours, comme un trésor*, avait-il dit à Jenna en plaisantant. Mais, maintenant, tout ce que ce sachet lui rappelait, c'était l'issue désastreuse de leur nuit d'amour.

— Je les jette, alors ? demanda Debra Lee.

— Non ! s'exclama-t-il avec une agressivité qui le surprit. Ça coûte une fortune !

Elle lui jeta un regard qui sous-entendait que, s'il avait envie d'en manger, il avait les moyens de s'en faire livrer des tonnes.

LA BRÛLURE D'UNE NUIT

Gêné, Mark enfouit les mains dans ses poches et se tourna vers la fenêtre. Depuis le temps, Debra le connaissait assez pour comprendre qu'il avait envie d'être seul. Alors qu'attendait-elle pour vider les lieux ?

Ah, les femmes ! Pour les hommes, elles étaient de purs mystères ! Et lui, pourquoi s'acharnait-il ? Si Jenna Rawlins ne voulait plus le voir, son amour-propre n'allait pas s'effondrer ! Il prit sa décision : si, ce soir, il n'y avait pas de message d'elle sur son répondeur, il tirerait un trait sur elle.

Soudain, son attention fut attirée par un profond soupir. Quelqu'un pleurait doucement, derrière lui. Il se retourna. Debra Lee, le visage enfoui dans une main, était effondrée sur son bureau. Il en fut tout retourné.

— Deb ? Je ne voulais pas te blesser, s'écria-t-il, rouge de honte, en s'approchant d'elle.

Elle secoua la tête et leva la main pour l'empêcher d'avancer davantage.

— Ça n'a rien à voir avec vous. Excusez-moi. La journée a été longue, c'est tout.

Ça n'était pas tout, c'était évident. Mark voyait bien qu'elle était triste, découragée et que quelque chose la minait. Lui qui détestait s'impliquer dans la vie des autres, il décida de faire une exception. Pour Deb. Parce qu'elle était la plus merveilleuse des personnes et des assistantes.

Il la prit par les épaules pour la conduire vers le canapé. Comme elle résistait un peu, il lui ordonna de s'asseoir. Puis il alla lui servir d'autorité deux doigts de whisky, avant de prendre place en face d'elle.

— Alors, qu'est-ce qui ne va pas ? Dis-moi. C'est Scott ? Si ce petit salaud t'a fait un sale coup, je le vire demain à la première heure.

— Scott n'y est pour rien.

— Si ce n'est pas lui, alors qui ? *Nom de Dieu !* Ce n'est pas à cause de moi, tout de même ?

— Vous n'y êtes pour rien non plus, répondit Debra en souriant à travers ses larmes. Quand vous êtes trop insupportable, est-ce que je me gêne pour vous le dire ?

— Jamais, acquiesça son patron, soulagé de la voir plaisanter.

Il ne pouvait supporter les femmes en pleurs. Ça le mettait mal à l'aise.

— C'est Alan, confessa son assistante.

Oh, non ! Pas encore un problème de couple.

— Qu'est-ce qui se passe avec Alan ?

L'union d'Alan et de Debra était pourtant l'un des rares mariages qui lui semblait réussi. Est-ce que cet imbécile l'aurait trompée ?…

Debra Lee essuya ses joues du revers de la main. Son patron lui tendit un paquet de Kleenex et elle le remercia d'un petit sourire timide et embarrassé. C'était une jolie femme, pas vraiment belle, mais qui portait ses rondeurs avec grâce et était tout à fait capable de rendre un homme heureux et fier de l'avoir à son bras. Mais, là, elle était complètement défaite.

— Je ne devrais pas vous en parler, s'excusa-t-elle, bouleversée. Je sais à quel point vous détestez vous retrouver mêlé aux problèmes des autres.

— Pas du tout, mentit Mark. C'est seulement que je ne suis pas très doué pour aider, dans ces cas-là.

— Ça, c'est bien vrai, reconnut-elle, sur un ton d'évidence qui le vexa.

— Alors, qu'est-ce qui se passe avec Alan ?

— Je ne sais pas.

— Ça n'a pas de sens. Si tu ne le sais pas, pourquoi tu pleures ?

— Nous sommes mariés depuis douze ans, Mark. Je connais

Alan comme si je l'avais fait. Or, en ce moment, je sens qu'il me cache quelque chose. Il ne me parle plus. Il se met en colère pour des broutilles. Tenez, il n'était pas à son travail, hier. Je le sais, car je suis allée au centre commercial pour ma pause-déjeuner et je l'ai vu, assis à une terrasse dans le hall central. Il m'a menti quand il est rentré à la maison.

Mark avait bien sa petite idée. Le sexe mâle était vraiment incorrigible.

— Deb, tu te doutes bien de ce qui se passe… Non ?

— Je sais qu'il n'a pas de liaison.

— Comment peux-tu en être sûre ? Les hommes sont parfois…

Elle se raidit et, dans un élan de vertueuse réprobation, s'exclama avec véhémence :

— Je connais mon mari ! Je sais qu'il me cache quelque chose de *grave*. Je le sens, ajouta-t-elle, plus calmement. J'aurais voulu vous demander une faveur, mais je n'ose pas.

— Qu'est-ce que tu veux me demander ?

— De lui parler pour découvrir ce qui ne va pas.

Saisi, Mark faillit tomber de sa chaise.

— Quoi ? Ah, non, alors ! Ça, pas question !

— Il a confiance en vous. Il vous aime bien.

— Il a des copains pour ça.

— Ses meilleurs amis sont mes frères. Et il ne voudra rien leur dire, de peur que je l'apprenne ou parce qu'il aura honte. Ça peut être n'importe quoi : des problèmes de boulot, des dettes de jeu, une maladie… Il pourrait avoir un cancer… Je ne sais pas quoi supposer.

« Il a une maîtresse, voilà la vérité ! » songea Mark. Mais ça, Debra Lee ne voudrait pas l'entendre. Alors, que faire ?

Debra Lee se leva en s'essuyant les yeux.

— Toutes mes excuses, dit-elle. Vous avez raison, je n'aurais jamais dû vous parler de tout ça, ni vous demander de vous en occuper. Je vous comprends. Vous aussi, vous venez de traverser une période difficile, n'est-ce pas ?

Mark s'était levé également. Elle le regarda dans les yeux.

— Ce que je viens de dire passe largement les limites de ce qu'une employée peut se permettre envers son patron. Excusez mon indiscrétion et oubliez ce que je viens de dire.

Il la regarda se diriger vers la porte, soulagé qu'elle n'ait pas insisté. Il se sentait lâche, mais n'avait aucune envie de fouiner dans la vie des autres, c'était trop déplaisant. Demain, lui et Debra feraient comme si cette conversation désagréable n'avait jamais eu lieu et, dans quelques jours, il lui demanderait éventuellement si elle avait découvert le secret d'Alan — à condition qu'elle ait l'air en forme et ne risque pas de s'écrouler en larmes dans ses bras.

En attendant, ça n'engageait à rien de l'encourager un peu.

— Deb ?

Elle se figea, la main sur la poignée de la porte, et se tourna vers lui.

— A quelle heure Alan sort-il du bureau, demain ?

Chapitre 6

Cinq semaines avaient passé. Dans son bureau, nauséeuse, abrutie et de mauvaise humeur, Jenna se creusait les méninges pour trouver le titre d'un article.

Une fille d'Ecosse retourne au pays… Organisez un mariage en kilt… Nuit de noces dans un château hanté… Les lieux d'épousailles favoris des fantômes…

Non. Vraiment, ça ne valait rien.

Comme Mollie Baxter, la conceptrice du magazine, était coincée à la maison avec une angine, et que chaque publication était considérée comme un travail collectif, Victoria les avait toutes enrôlées de force dans la quête de gros titres accrocheurs pour la prochaine édition de *MdR*. Jenna avait eu beau argumenter, dire qu'elle était nulle, qu'elle non plus ne se sentait pas très bien et qu'elle devait couver quelque chose, elle n'avait pas pu échapper à Victoria. Quand il s'agissait du journal, celle-ci se montrait intraitable.

Jenna se pencha sur l'article suivant en soupirant. C'était une chronique divertissante expliquant aux lectrices comment fabriquer dix cadeaux de mariage différents en recyclant du carton. Elle ne se montra pas plus inspirée. On aurait dit que son cerveau s'était mis en veille prolongée. Elle passa à un autre, qui évoquait la dernière tendance du moment : les tatouages assortis pour couples... Alors, là ! C'était le bouquet.

Et soudain, elle fut interrompue dans sa tâche par une nausée violente. Une espère de spasme terrible lui tordit brusquement l'estomac et lui donna l'impression atroce qu'elle allait vomir sur-le-champ. La veille, son père les avait traînés dans un grill pour dîner, et quelque chose ne passait pas.

Dieu merci, il ne lui restait plus qu'un seul article. Elle allait pouvoir rentrer à la maison, avaler un pansement gastrique et se coucher jusqu'au retour des garçons.

Bien mal en point, elle prit le dernier article — un court papier sur cinq nouveau moyens de contraception —, et se dépêcha de le lire en jetant quelques idées sur son bloc : *Zut, ma pilule... Au secours, mon pharmacien est parti en vacances !...*

Tout en réfléchissant, elle massait son estomac qui continuait à faire des siennes. Qu'est-ce qui pouvait bien provoquer un tel remue-ménage, ce matin ?

A peine s'était-elle posé la question que, cette fois, elle fut obligée de se précipiter dans les toilettes où elle tomba à genoux pour vomir.

Et tandis qu'elle essayait de recouvrer son souffle, une effrayante hypothèse la frappa comme un coup de massue : et si ce qu'elle avait mangé la veille n'était pour rien dans son malaise ? Et si, plus simplement, elle était... enceinte ? Après tout, les articles évoquaient souvent le cas d'une protection défectueuse...

« Ce n'est pas possible, ce serait tout même pas de chance ! » songea-t-elle. Il fallait absolument qu'elle vérifie. Tout de suite. Vite, elle retourna dans son bureau et fouilla furieusement dans son sac pour y prendre son agenda. Elle notait toujours avec précision ses dates de cycle. Avait-elle du retard ? Peut-être un ou deux jours, mais sûrement pas plus...

Hélas, la vérité était bien plus inquiétante. Car vérification faite, il ne s'agissait pas d'un retard de deux jours, mais de plus d'une semaine et demie.

Assommée, Jenna se mit en quête d'une autre explication. Elle était épuisée et stressée, en ce moment. Son père et ses frères s'opposaient à son projet de vivre seule et lui cherchaient sans cesse des noises. Et pour couronner le tout, Petey s'était battu à l'école avec un autre gamin et elle avait été convoquée à l'école. Forcément, cela avait des répercussions sur sa régularité.

Non ?

Jenna s'affaissa dans son siège, la tête dans les mains. « Je ne suis pas enceinte de lui, se répétait-elle, désespérée. Je ne suis pas enceinte du tout. » Pourtant, elle ne pouvait pas rester dans l'incertitude d'une chose si grave. Décidée à en avoir le cœur net, elle composa en tremblant le numéro de son gynécologue et supplia la standardiste de lui obtenir un rendez-vous le jour même. Puis, incapable de rester une seconde de plus dans l'expectative, elle courut à la pharmacie la plus proche pour acheter deux tests de grossesse.

Quand elle pénétra, quelques heures plus tard, dans le cabinet du médecin, un gros titre d'article clignotait dans sa tête :

Une imbécile d'Atlanta engrossée par un macho new-yorkais.

Sur le chemin du retour, Jenna, sous le choc du désastre qui venait de s'abattre sur elle, se demanda comment elle allait bien pouvoir annoncer la nouvelle à sa famille. Elle était bien enceinte. Et de six semaines — la période précise de sa rencontre avec Mark Bishop à New York. Lauren s'était complètement trompée sur son compte : elle savait encore s'amuser, la preuve ! Et, on peut dire que le résultat était à la hauteur de ses espérances !

Pourquoi fallait-il que ça soit tombé sur elle ? C'était profondément injuste. Et, cerise sur le gâteau, avec l'homme le plus arrogant, le plus insupportable et le moins fait pour être père qu'on puisse imaginer. Jenna n'arrivait pas y croire. Sans compter que cet individu sans vergogne, qui l'avait déjà soupçonnée des desseins les plus abjects, n'allait pas se gêner pour la traîner dans la boue quand il allait apprendre la bonne nouvelle.

Alors, tout en se garant devant la maison, Jenna prit une décision radicale : elle ne dirait rien à Mark Bishop. Bien sûr, elle allait garder l'enfant, mais elle tiendrait son père totalement à l'écart. Celui-ci n'avait-il pas déclaré, pendant l'interview, qu'il n'avait aucunement l'intention d'être père avant un bon moment ? Eh bien, elle se passerait de son aide pour le bien de tout le monde. Elle, elle les aimait les enfants, et elle était une bonne mère, bien assez solide et aimante pour élever un enfant de plus. D'ailleurs, la « contribution » de Mark Bishop à cette grossesse n'était qu'un épiphénomène qui s'évanouirait rapidement de sa mémoire. Au printemps prochain, à la naissance de son bébé, elle aurait déjà oublié cet homme.

Petey venait de projeter une fois de plus la balle hors du terrain, quand des éclats de voix le firent émerger en sursaut de son rêve. Il se retourna dans les draps, et cligna des yeux pour distinguer le lit de son frère dans la clarté de la lune. J.D. avait souvent tendance à parler en dormant. Il se livrait, dans son sommeil, à des batailles homériques contre les envahisseurs extraterrestres et se démenait toute la nuit en leur braillant d'obtempérer à ses ordres, ou en traînant ses prisonniers dans des geôles interstellaires. Pourtant, cette nuit, il semblait profondément assoupi et serrait contre son cœur le canon laser dont il ne se séparait jamais. Quel idiot, celui-là ! Comment pouvait-on avoir peur de cyclopes à deux têtes venus de l'espace ? Alors que tout le monde savait bien que le véritable danger, c'était les nombreux ennemis de Spiderman, qui, tapis dans l'ombre, n'attendaient que le moment propice pour frapper !

Au milieu de ses réflexions, Petey fut soudain interrompu par un éclat de voix de son oncle Trent. Il vérifia l'heure sur le réveil. Les gants blancs de Mickey Mouse indiquaient 23 heures. On pouvait dire que la discussion s'éternisait.

De temps en temps, il arrivait que sa mère invite ses oncles et son grand-père à dîner et qu'il s'ensuive une sorte de conseil familial. C'est pour ça qu'on les avait envoyés se coucher tôt, lui et son frère, ce qui ne dérangeait pas vraiment Petey. Qui avait envie d'entendre les adultes discuter d'un truc mortellement ennuyeux appelé « impôts sur le revenu » ? Ou de savoir si la toiture de la maison avait besoin d'être refaite ? Tout ça n'avait aucun intérêt. A côté, jouer avec J.D. à l'invasion des créatures de l'espace était presque divertissant.

Cependant, jusqu'à maintenant, jamais aucune dispute ne l'avait réveillé. Même quand oncle Trent participait aux réunions. Pourtant, il était capable de brailler plus fort que tous les membres de l'équipe junior de base-ball réunis. Alors, que se passait-il de si grave, ce soir, pour que le ton soit monté au point d'arracher Petey à ses rêves ?

Il décida d'aller jeter un coup d'œil. Sur la pointe des pieds, il traversa la chambre en essayant d'éviter les lames du plancher qui grinçaient. Il était presque arrivé à la porte quand la voix de J.D. ; le fit sauter au plafond.

— Qu'est-ce que tu fabriques ? murmura son frère depuis son lit.

— Je descends, répondit Petey sur le même ton. Rendors-toi.

— Il y a des Cyberlons dans la maison ? s'écria J.D., qui, à l'évocation de ses plus mortels ennemis, se dressa brusquement sur son séant pour s'emparer avec détermination de son canon laser.

— Ferme-la ! C'est maman qui discute avec les autres.

— Oh, se renfrogna J.D., déçu.

— Ça a l'air de chauffer. Je vais voir ce qui se passe.

— Je viens avec toi, décida son petit frère en se glissant, tout armé, hors de son lit.

Inutile d'essayer de persuader J.D. de retourner se coucher… Les garçons s'installèrent donc tous deux sur une des marches, au milieu, de l'escalier, leur observatoire habituel les jours de Pâques et de Noël. Assez près pour tout entendre sans se faire repérer pour autant.

— … ne comprends toujours pas comment tu as pu te retrouver dans une telle situation, ma petite fille, disait leur grand-père.

Il parlait d'une voix triste et Petey l'imagina en train de hocher la tête d'un air affligé.

— Je ne vais pas te faire un *dessin*. C'est arrivé, c'est tout, et on n'y peut plus rien. Je vais déménager, répondit sa mère qui avait l'air exaspérée.

Petey entendit une chaise racler le sol et son oncle Trent s'écria :

— « On n'y peut plus rien » ! Ça, c'est la meilleure ! Donne-moi donc le nom de ce salaud. Tu vas voir. Je vais l'obliger à t'épouser, moi, cette ordure.

— Quelle idée de génie. C'est sûr que ça va tout arranger, répondit calmement Jenna. Est-ce que tu pourrais arrêter un peu ton cinéma, Trent. Tu vas réveiller les garçons.

Petey et J.D. ; échangèrent un regard inquiet. Ce n'était pas le moment de se faire prendre.

— Ce bébé a le droit d'avoir un père, Jenna, déclara alors grand-père.

— Pas le sien, en tout cas, protesta-t-elle.

— Jen, arrête de faire ta tête de mule, intervint à son tour oncle Chris. Donne-moi le nom de cet homme. Je vais le rentrer dans la base de données du commissariat et, avec un peu de chance, je saurai tout sur lui en vingt-quatre heures : casier judiciaire, contraventions, comptes bancaires et tout le tintouin. Il ne pourra plus échapper à ses responsabilités.

— C'est moi, qui le fuis, pas l'inverse, lui rappela Jenna.

— N'empêche que ce serait bien de savoir qui est vraiment ce type. Imagine qu'il ait des antécédents criminels et que ça finisse par se retourner contre ton enfant ou…

— Stop ! J'en sais déjà bien assez sur son compte. Par exemple, qu'il ne souhaite pas du tout se retrouver avec un bébé sur les bras. C'est pourquoi j'ai pris la décision d'élever cet enfant seule.

A ces mots, Petey sursauta, abasourdi. *Quoi ?* Maman allait avoir un bébé ? Et son cadet, qui avait entendu la même chose, se pencha pour demander en chuchotant :

— Quel bébé ?

— Maman est enceinte, espèce de débile, répondit Petey.

— Mais, je croyais que papa était parti…, répliqua J.D., les yeux ronds.

— … Ça n'empêche que je vais lui casser la gueule, poursuivait Trent, hors de lui. Personne ne se conduit impunément comme ça avec ma petite sœur.

— Trent, c'est toi qui te conduis comme un primate, en ce moment. Arrête, ordonna grand-père.

— Ecoutez, reprit Jenna en soupirant, je suis fatiguée de parler de ça. J'apprécie votre sollicitude à tous mais je ne souhaite pas vous donner plus d'informations pour l'instant.

Il y a des choses que je préfère garder pour moi, tant que je n'ai pas clarifié la situation.

Il y eut un long silence, et quand sa maman reprit la parole, Petey eut l'impression que sa voix tremblait. Comme le jour où elle leur avait parlé du divorce pour la première fois.

— Je suis désolée de t'avoir causé un tel choc, papa. Mais maintenant que c'est arrivé, je dois faire avec. Même si je peux m'en tirer toute seule, je préférerais sentir que ma famille me soutient, qu'elle m'aime inconditionnellement et que ce bébé sera accueilli avec amour, lui aussi.

— Ma pauvre petite ! soupira grand-père. Pourquoi te montres-tu toujours si impulsive ? On dirait que tu es perpétuellement insatisfaite. Tu aurais pu choisir un homme bien, gentil, qui aurait fait un bon père pour tes fils.

Le silence retomba. Puis tous les membres de la famille se remirent à parler en même temps.

— Tu sais bien qu'on te soutiendra quoi qu'il arrive, déclara oncle Chris.

— Moi, je pense quand même que ce type mériterait une bonne correction, maintint oncle Trent. Mais c'est toi qui décide, Jen.

— Je ne sais vraiment pas comment annoncer ça aux enfants, expliqua leur maman, préoccupée.

Voilà qu'on parlait d'eux maintenant...

Affolés, les garçons se hâtèrent de remonter l'escalier sur la pointe des pieds et sautèrent à toute vitesse dans leurs lits, au cas où leur mère décidait de les réveiller pour leur dire la nouvelle.

Mais comme le temps passait et qu'elle n'arrivait pas, Petey sentit les battements forcenés de son cœur s'apaiser peu à peu. Il fixait le plafond, les mains derrière la nuque, en réfléchissant. Qu'est-ce que la présence de ce bébé allait changer dans la maison ? Est-ce que maman était heureuse de ce qui lui arrivait ? Est-ce qu'elle n'aurait pas préféré avoir papa auprès d'elle, tout de même ?

Du coin de l'œil, il remarqua que son frère s'était tourné vers lui.

— Il faut que tu m'expliques. Je n'y comprends rien, Petey.

Petey préféra faire comme s'il n'avait rien entendu, espérant ainsi que J.D. le laisserait tranquille et retournerait à ses rêves de batailles galactiques. Mais le garçonnet n'était pas prêt à abdiquer.

— Petey ! insista son frère. Petey ! Explique-moi ce qui se passe, sinon je te désintègre avec mon canon laser.

Petey, qui se sentait un peu perdu aussi, se redressa sur un coude.

— Je te l'ai déjà dit, on va avoir un bébé.

— Mais je croyais qu'on devait avoir un chien.

— Eh bien, non. Ce sera un petit frère, à la place. Et le pire, c'est que ça pourrait être une fille, songea tout haut Petey, en faisant la grimace.

— Mais puisque papa n'est pas là, maman ne peut pas avoir d'enfants !

Petey jura dans sa barbe, comme grand-père quand il se plantait un hameçon dans le pouce à la pêche. Quel imbécile, ce frère ! S'il ne se retenait pas, il jetterait ce fichu canon laser par la fenêtre et J.D. avec.

— Quand on a ajouté un D à ton prénom, lança-t-il, c'était pour Débile pas pour David, ma parole !

— La vérité, c'est que tu n'y comprends rien non plus, voilà ! protesta son frère, furieux, en se laissant retomber sur le dos.

Il y avait un peu de vrai, reconnut Petey, en lui-même. Il savait qu'il fallait s'embrasser et dormir ensemble pour fabriquer un bébé, et aussi qu'on n'était pas obligés d'être mariés, mais quelques détails importants lui échappaient. Pourtant, il se serait fait tuer sur place plutôt que de l'avouer devant son frère.

— En tout cas, je sais une chose, chuchota-t-il. Maman va sacrément avoir besoin d'aide.

Chapitre 7

Alors que J.D. semblait avoir complètement oublié ce qui s'était passé cette nuit-là, Petey, qui n'avait pas cessé d'y penser, était resté sur des charbons ardents pendant deux jours. Qu'est-ce que sa mère attendait pour lui annoncer la nouvelle ? C'était *lui* l'homme de la famille. Son grand-père et ses oncles comptaient pour du beurre. C'était *lui* qui devait prendre les choses en main et aider sa mère, puisque son père était parti.

Surtout après ce qui s'était passé, la veille au soir.

En entrant dans la salle de bains pour faire sa toilette, il avait surpris sa maman effondrée sur le bord de la baignoire, en train de sangloter. Elle avait eu beau cacher son visage en pleurs et faire comme si de rien n'était en s'activant dans tous les sens, elle n'avait pu lui dissimuler ses yeux rougis. Pourtant, son frère et lui n'avaient pas commis de grosses bêtises, ces derniers temps. Ça devait être à cause du bébé.

Petey avait été choqué de voir sa mère si triste. Ça l'avait complètement désarçonné. Aussi avait-il obtempéré sans rien dire quand elle avait exigé que son frère et lui se lavent bien les dents et les oreilles. Et quand J.D. avait commencé à couiner parce que son pyjama ne lui plaisait pas, il l'avait fait taire en le menaçant à voix basse de faire disparaître son canon laser. Avec J.D., ce genre de menace marchait toujours.

Or, ce matin-là, Petey obtint par hasard la réponse à toutes ses interrogations.

Il était entré dans la chambre de sa mère, demander s'il pouvait remplacer les céréales du petit déjeuner par une part de pizza. Comme elle se préparait pour le bureau en farfouillant dans son placard, Petey s'était installé au bord de son lit, afin de saisir le moment propice pour faire sa demande. Un dossier traînait sur le couvre-lit. Il y avait jeté un coup d'œil et avait aperçu un tas de photos d'hommes qu'il s'était amusé à étaler autour de lui. Bien qu'il soit bon en lecture, le garçonnet n'avait pas compris grand-chose à tout ce qui était écrit, mais il avait admiré les superbateaux, les jets et les chevaux magnifiques. Ce dossier devait être en rapport avec l'article dont sa mère leur avait parlé.

— Tu vas les interviewer tous, maman ? avait-il demandé. Je croyais que c'était fini.

— Non, malheureusement, avait répondu sa mère en sortant la tête du placard. Ta tante Vic a profité honteusement d'un de mes moments de faiblesse et m'a convaincue de faire une nouvelle tentative. Ne dérange pas tout, Petey. Je dois rapporter ce dossier au bureau.

— Qu'est-ce que ce mot veut dire ? s'était-il enquis en lui tendant la page de titre.

Sa mère s'était assise à côté de lui. Elle sortait de la douche et sentait si bon que, s'il n'avait pas été trop grand pour ça, il se serait lové contre elle pour humer le parfum de fleurs qu'elle exhalait.

— « Beaux partis », avait-elle articulé lentement en pointant chaque mot : « Les dix plus beaux partis du Sud des Etats-Unis » — c'est le titre de l'article.

— Qu'est-ce que ça signifie, « beaux partis » ?

— Eh bien, avait-elle expliqué, en l'occurrence, cela veut dire : « disponibles », que ce sont des célibataires. Ceux que toutes les pauvres idiotes comme moi rêvent d'épouser. Tu vois ?

Elle s'était tournée vers lui, minaudant avec force battements de cils pour le faire rire.

— Toi, tu peux y arriver sans problème, à te faire épouser par un beau parti, avait affirmé Petey, pour la rassurer. Tu es très jolie, et pas idiote du tout.

Et, soudain, il lui était venu une idée. Ces hommes avaient l'air très riches et ils ressemblaient tous à des vedettes de cinéma. C'était le genre de types qui faisaient craquer les femmes. Est-ce que l'un d'eux ne ferait pas un bon père ? Il avait examiné sa mère d'un œil critique en tâchant d'adopter leur point de vue. Evidemment, elle n'avait pas l'air d'une star de ciné mais elle était tout de même drôlement belle.

— Je ne suis pas si maligne non plus, tu sais, avait répondu sa mère en hochant tristement la tête. J'ai manqué de jugeote, ces derniers temps.

Après avoir soupiré, elle avait brusquement sauté sur ses pieds.

— Allez, maintenant, du vent ! Tu vas finir par me mettre en retard. Il faut que je m'habille. La réponse est non, tu ne finiras pas la pizza.

— Je n'avais pas encore demandé ! s'était-il exclamé, surpris et désappointé.

— C'est inutile. Je sais tout ce qui se passe dans ta petite tête de brigand.

Plus tard, bien après son départ, alors que J.D. et lui attendaient que grand-père les conduise à l'école, Petey avait jeté un coup d'œil dans la chambre de sa mère et découvert le dossier oublié sur le lit. Maman avait raison : jusqu'à présent elle avait toujours su ce qu'il avait en tête ; mais, à partir d'aujourd'hui, ce serait différent. Il ne lui laisserait aucune chance de deviner !

Cet après-midi-là, il attendit impatiemment que Mme Weatherby, la baby-sitter qui les gardait après l'école, lui et son frère, les ramène à la maison. Il avait déjà expliqué son plan à J.D. et tous deux guettaient l'instant propice. A ce moment de la journée, leur grand-père bricolait toujours dans le garage et, une fois plongé dans sa menuiserie, rien ni personne ne l'intéressait plus. Ça leur donnerait le temps dont ils avaient besoin pour régler le problème de leur mère.

Les deux garçons, qui n'avaient toujours pas eu le droit de finir la pizza, avaient avalé leur goûter en vitesse et s'étaient rués dans l'escalier en annonçant qu'ils allaient jouer dans leur chambre. Mais dès que la voie avait été libre, ils s'étaient glissés dans la chambre de leur mère. Il leur fallait se dépêcher : dans une heure, elle serait de retour.

Petey fonça vers le lit.

— On n'a pas le droit de jouer dans la chambre de maman, murmura J.D. On va se faire attraper.

— Et alors ? Tu ne t'es jamais fait attraper, peut-être ? rétorqua son aîné. De toute façon, on n'est pas là pour jouer, mais pour une chose sérieuse.

Toute la journée, il avait fébrilement répété son plan dans sa tête. Il était maintenant au comble de la nervosité.

— J'aime pas ça. Si grand-père nous trouve…, insista son frère.

— Il ne va pas nous trouver. Il est dans le garage et croit qu'on est en train de jouer.

— Et s'il remonte pour voir ? Tu imagines ? Ou s'il veut aller aux toilettes ?

Pendant que J.D. ; argumentait, Petey avait retiré les photos de leur enveloppe et les avait étalées sur le dessus-de-lit. Il jeta un regard sévère à son cadet.

— C'est pour ça que tu vas faire le guet à la porte. Arrête de te conduire comme une femmelette. Tu veux aider maman à trouver un mari, oui ou non ?

— Je ne vois pas en quoi ça va l'aider qu'on lui en trouve un, répliqua J.D.

— Regarde ces hommes, expliqua Petey. Maman les trouve beaux, ils sont riches, ils ont de belles voitures… et plein de trucs géniaux. C'est exactement ce qu'il faut à maman. Ils pourraient la rendre heureuse et l'aider pour le bébé.

— Pourquoi elle ne prend pas une baby-sitter, comme Mme Weatherby ?

— Parce que ce dont elle a besoin, c'est d'un homme.

— Comment tu le sais ?

— Grand-père a dit que le bébé avait besoin d'un père. On va bien en trouver un qui lui plaira, quand même. Tout ce qu'on a à faire, c'est leur apprendre qu'elle est célibataire.

J.D. parcourut des yeux les clichés que Petey avait alignés soigneusement sur deux rangs.

— Et si c'est elle qui ne leur plaît pas ?

Cette question perturba légèrement Petey.

— Et pourquoi ça, rétorqua-t-il ? Elle est jolie, elle cuisine bien et elle sent très bon. On leur dira pas qu'elle se met en colère quand on ne range pas sa chambre.

— On n'a qu'à pas leur dire non plus qu'elle aime pas le catch.

Son aîné acquiesça.

— Alors, lequel on appelle ?

Il aurait parié que son frère choisirait le blond qui posait devant une fusée sur son pas de tir. C'était probablement un astronaute.

— Lui, s'exclama le petit en désignant l'homme en question. Il a des belles dents, il plaira sûrement à maman.

Mais Petey négligea ce choix et sélectionna, à la place, un homme souriant, portant un Stetson, et qu'entouraient de superbes chevaux. Voilà qui correspondait mieux à ses goûts

— car après Spiderman, c'était les cow-boys qui avaient la deuxième place dans son panthéon personnel.

— Qu'est-ce que tu penses de celui-là ? demanda-t-il en affectant un air détaché. Il doit posséder un ranch. On pourrait monter à cheval et faire des feux de camp.

— Je croyais qu'on cherchait un homme pour maman, rétorqua son cadet, méfiant. Elle n'est pas comme toi, elle se fiche pas mal des chevaux.

— C'est vrai, mais elle dit toujours qu'elle est heureuse si on est heureux. Et réfléchis, un astronaute doit passer beaucoup de temps dans l'espace. Comment est-ce qu'il pourrait l'aider à s'occuper du bébé ?

— Tu as raison, soupira son frère. D'accord, appelle le cow-boy.

Sitôt dit, sitôt fait. Petey sauta sur le téléphone, la photo à la main, en essayant de dissimuler son excitation. Il savait se servir de l'appareil, car sa mère leur en avait montré le maniement pour qu'ils puissent l'appeler s'ils s'égaraient. Il tapa donc les chiffres qui étaient inscrits derrière la photo et épela le nom : *John Sim-m-ons. John Simmons.* Ce n'était pas trop difficile.

Après deux sonneries, on décrocha et Petey tomba sur une dame dont la voix ressemblait beaucoup à la standardiste du bureau de sa maman. Il fut très déçu. Lui qui espérait aboutir dans un ranch et entendre des hennissements, dans le lointain…

— Puis-je parler à John Simmons, s'il vous plaît ? demanda-t-il en essayant de prendre une voix d'adulte.

— Je suis désolée, M. Simmons n'est pas disponible pour le moment.

— Savez-vous quand je pourrai le joindre ? ajouta Petey qui avait bien écouté les conversations des grands.

— M. Simmons sera absent plusieurs semaines. Il est en voyage d'affaires en Australie. Si c'est un appel urgent, je peux…

— Oui. Euh… ou plutôt non ! lança Petey en raccrochant brutalement.

Dépité, il se tourna vers J.D. pour lui expliquer la situation. Dès qu'il comprit de quoi il retournait, celui-ci lui tendit la photographie de l'astronaute.

— Maintenant, c'est son tour.

Mais Petey n'avait pas envie d'abandonner si vite ses rêves de Far West.

— Pourquoi on n'attend pas quelques semaines ? ON rappellera.

— Mais tu as dit qu'on devait lui trouver un mari tout de suite. Ça ne peut pas attendre. Appelle l'astronaute.

Petey céda. Au fond, ce *Terry Boyd* était plutôt bel homme et J.D. avait raison : il avait de belles dents. Petey composa donc le numéro — et ce fut de nouveau une femme qui répondit. Néanmoins, cette fois, on n'entendait pas des bruits de bureau mais un fond de musique, de rires et de clapotis, comme si une assemblée nombreuse se divertissait autour d'une piscine.

— Je voudrais parler à Terry Boyd, s'il vous plaît.

— De la part de qui ?

— Petey Rawlins.

La femme avait dû placer sa main sur le récepteur, car le bruit à l'arrière-plan fut assourdi.

— C'est pourquoi ?

— Vous êtes sa mère ? s'enquit Petey.

— Vous rigolez ! se récria son interlocutrice en éclatant de rire.

— Pas du tout, madame, répondit Petey, poliment pour ne pas la froisser. Est-ce que vous êtes sa fille ?

— Pas du tout. Quoiqu'on l'accuse souvent de prendre ses maîtresses au berceau, plaisanta-t-elle, avant de changer de ton. Ecoute, je sais que tu n'es qu'un gamin. Qu'est-ce que tu lui veux ? Parce qu'en ce moment, Terry s'éclate dans le Jacuzzi et il n'a sûrement pas envie de venir s'amuser au téléphone avec un mioche. Il préfère s'amuser avec moi, si tu vois ce que je veux dire.

Petey n'avait aucune idée de ce que cette dame sous-entendait, mais peu importait.

— J'appelle pour ma mère.

— Qu'est-ce qu'elle lui veut, ta mère ?

— Je voudrais savoir s'il voudrait l'épouser.

Clic.

Elle avait coupé la communication… Abasourdi, Petey fixa le téléphone pendant plusieurs secondes, puis tenta d'expliquer la situation à son frère. Qu'est-ce qui avait bien pu énerver cette femme au point qu'elle lui raccroche au nez ? Il s'était pourtant montré très correct…

— Tu t'es débrouillé comme un manche, oui ! pesta son frère tout en se grattant la tête avec son canon. Rappelle et excuse-toi.

— Je ne vais pas rappeler, il a déjà une petite amie, répondit Petey, préoccupé.

— Qu'est-ce que ça fait ? Il peut quand même se marier avec maman, rétorqua J.D. Regarde, le mari de Mme Weatherby, il a bien une copine.

— C'est pour ça que Mme Weatherby ne vit plus avec lui, imbécile ! On ne peut pas avoir les deux.

Petey soupira. Trouver un mari à sa mère était une entreprise beaucoup plus compliquée qu'il ne l'avait supposé. Inquiet de voir que ses efforts risquaient de tourner court, il se remit à feuilleter fébrilement les photos. Il en restait huit.

— Choisissons quelqu'un d'autre.

Les deux gamins élirent un homme brun qui possédait un yacht magnifique. Il avait l'air bien bronzé et la perspective d'aller tous les jours à la plage leur paraissait séduisante. Son nom était difficile à épeler : *Ric-ky Cas-ten-ello.*

— Va pour Ricky Castenello, conclut Petey en tapant les chiffres sur le clavier.

— Ne lui dis pas tout de suite que maman a besoin d'un mari. Commence par quelque chose de sympa. Comme ça, il nous aura à la bonne, conseilla son petit frère.

Cette fois, le téléphone n'eut même pas le temps de sonner.

— Ouais, répondit un homme impatiemment.

Petey se tortilla, mal à l'aise. Il ne s'attendait pas à ce que son interlocuteur se montre aussi bourru.

— Vous êtes Ricky Caste…

— Ouais, qui le demande ?

Petey avait beau se creuser la cervelle pour trouver une phrase intelligente, rien ne sortait. Il restait figé et sentait le récepteur glisser dans sa main moite. Il jeta un coup d'œil au gros titre que sa mère lui avait lu le matin même.

— Etes-vous le plus beau par… Heu, êtes-vous le plus beau parieur du Sud des Etats-Unis ?

— Qui est à l'appareil, Bon Dieu ? J'ai déjà dit que je ne ferai aucune déclaration à la presse. Si vous osez évoquer mes dettes de jeu, ou mes problèmes avec le fisc, je vous colle mes avocats aux fesses. Compris ? répondit l'homme furieux en raccrochant violemment.

— Qu'est-ce qu'il a dit ? demanda J.D.

— J'ai pas compris, répondit Petey, perplexe. Quelque chose au sujet de ses fesses qui collaient. En tout cas, ce n'est pas du tout l'homme qu'il faut pour maman.

— Alors, qu'est-ce qu'on fait, maintenant ?

Petey ne savait plus que penser. Rien ne se déroulait selon ses prévisions. Comme J.D. arborait son air de « Je te l'avais bien dit », Petey prit son air détaché et saisit au hasard une photo. Elle représentait un homme brun, photographié dans un environnement sobre — ni fusée, ni yacht, ni haras… rien d'amusant. Au dos du cliché, on lisait : Orlando. Ça, Petey connaissait bien ! Disney World ! Leurs dernières vacances en famille… J.D. avait même collé un poster du Space Mountain dans leur chambre. L'homme vivait sûrement par là-bas, en Floride.

— Essayons encore, proposa-t-il.

— Pourquoi ? Je trouve qu'il a l'air trop sérieux.

— Il habite Orlando. Imagine, on pourrait aller tous les jours à Disney World.

— T'as raison. Appelle-le, décida sur-le-champ J.D., alléché.

Mark Bi-shop, épela Petey, en priant pour que ce soit enfin le bon candidat. Puis il appuya nerveusement sur les touches. S'il échouait ce coup-ci, il n'y aurait plus rien à faire.

Professionnellement, Mark Bishop pouvait être satisfait de sa journée. Alors qu'elle semblait piétiner, après des semaines de pourparlers stériles, l'acquisition du groupe de presse Castleman s'était débloquée soudain et avançait à grands pas. Le bureau de Boston avait obtenu un accord dans la négociation épineuse qui l'opposait aux livreurs, et les fiers-à-bras de la section financière — qui clamaient que les comptes d'Atlanta comportaient des irrégularités —, venaient de rentrer bredouilles, après avoir pourtant épluché les livres, les bordereaux et les factures pendant deux interminables semaines.

Même Deb semblait plus épanouie.

Mark avait forcé la main à son mari et, après un sérieux tête-à-tête, entre hommes, celui-ci avait enfin avoué la vérité. *Non*, il n'entretenait pas de liaison, mais il venait de perdre son emploi et ne se sentait pas le courage de l'avouer à sa femme. Mark avait été tellement soulagé qu'il ne s'agisse pas d'une aventure extraconjugale qu'il avait supporté stoïquement que Debra Lee le serre dans ses bras et sanglote sur son épaule pendant dix bonnes minutes.

Maintenant, Alan s'était mis en quête d'un travail et, même si leur situation était difficile, Deb ne se sentait plus impuissante et pouvait l'épauler. Enfin, Mark avait retrouvé son assistante.

Il alla se verser un verre de whisky. Cet alcool avait au moins cent ans d'âge. C'était un vrai nectar qu'il réservait pour les grandes occasions. L'obscurité envahissait lentement les buildings alentour. Bientôt, le signal du départ allait retentir, provoquant l'habituel branlebas dans tout le bâtiment.

Les mains derrière la nuque, il s'installa confortablement dans son siège. A travers la porte, il entendait Deb répondre au téléphone avec son efficacité coutumière, d'un ton à la fois chaleureux et professionnel. Après cinq minutes de vacarme, de bruits de tiroirs, de claquement de portes, de cliquètement de clés, tous les employés se souhaitèrent le bonsoir, levèrent le camp et le silence retomba.

Mark aurait dû rentrer, lui aussi, mais il n'était pas fatigué. Il se sentait au contraire ragaillardi. Ça devait être l'influence du scotch.

— Deb, cria-t-il, tu ne rentres pas ?

— Dans quelques minutes.

— Tu veux boire un verre ?

— Je n'ai pas le temps, répondit-elle. On emmène les enfants au restaurant et au cinéma. C'est la première sortie qu'on s'accorde depuis des semaines.

— Où en est Alan ?

— Vous savez ce que c'est. A son niveau de compétence, il y a pénurie de postes et ça prend un temps fou pour obtenir des contacts sérieux, mais il a plusieurs convocations pour des entretiens la semaine prochaine et je suis en train de mettre à jour son C.V., expliqua-t-elle en lui adressant un sourire optimiste. On continue à se battre.

Mark n'avait jamais douté que son assistante soit une épouse remarquable. S'il était possible d'aider Alan à traverser le désert sans qu'il y laisse son estime de lui-même, elle trouverait le moyen d'y parvenir. Quel sentiment cela procurait-il, se demanda-t-il alors, rêveur, d'avoir auprès de soi une compagne si aimante, si attentionnée ? Au fond, il n'en savait rien. Ses parents ne s'étaient jamais soutenus l'un l'autre. Bien au contraire, ils s'étaient ingéniés à s'entredéchirer. Quant à lui, il n'avait jamais rencontré ce genre de femme sur son chemin…

— Et vous ? Qu'avez-vous prévu pour ce soir ? lui demanda-t-elle.

— Il se trouve que Shel est en ville, répondit-il après avoir siroté une gorgée de whisky. Je vais peut-être lui proposer de dîner avec moi.

— Shelby Elaine ?

— Oui. Je ne te l'ai pas dit ? Nous avons eu une longue discussion, il y a quelques semaines.

— Vous songez à renouer ? demanda Deb, étonnée.

— Non, répondit-il avec un petit rire. Même si j'étais le dernier célibataire sur terre, elle refuserait de me reprendre. Mais au moins j'ai pu la convaincre que je n'étais pas le démon incarné. Et puis, il faut dissoudre les liens entre nos entreprises, expliqua-t-il en lui montrant un dossier au nom de Shelby posé sur son bureau.

— C'est vrai qu'en l'occurrence ce n'est pas facile de rester associés.

— Oui. Ce ne serait pas une bonne idée.

— Et puis elle est un peu imprévisible, non ? Elle vous a giflé, traité de noms d'oiseaux…

— Ne m'en parle plus, coupa-t-il en soupirant. J'ai décidé d'oublier cet incident.

Ce n'était pas le seul souvenir de New York que Mark aurait souhaité effacer de sa mémoire. Il avait tenté de se persuader qu'au fil du temps, il finirait aussi par oublier Jenna Rawlins. Au fond, ils n'avaient partagé que quelques heures de conversation et un délicieux intermède sensuel — non, torride. En ce qui le concernait, son travail suffisait à lui apporter toutes les gratifications dont il avait besoin et à occuper son temps. Il n'avait besoin de rien d'autre. Ni de personne.

Pourtant… Pourtant, à certains moments, son esprit dérivait malgré lui et revenait hanter la suite du Belasco. Malgré lui, il croyait sentir sous ses doigts la peau satinée de Jenna, la douceur affolante de sa bouche, les rondeurs de son corps dont chaque ondulation provoquait en lui des élans impérieux. Mon Dieu… Il se rappelait chaque seconde passée dans ce lit avec elle. Comme sa respiration s'accélérait quand il la touchait. Comme elle frissonnait à la moindre caresse. Toutes ces images devenaient de jour en jour plus obsédantes.

Jetant un coup d'œil au calendrier, il constata que six semaines s'étaient déjà écoulées. Est-ce que dans un mois et demi il aurait enfin réussi à l'oublier ? La voix de Deb interrompit ses réflexions.

— Vous êtes incroyable. Les femmes vous pardonnent tout.

— Pas toutes, répondit-il avec une grimace, avant d'avaler une nouvelle lampée de whisky qui lui brûla la gorge.

Comme le téléphone sonnait, Deb retourna dans son bureau pour répondre, tandis qu'il restait assis, pensif. Quelques secondes plus tard, il entendit son assistante mettre l'appel en attente.

— Un certain Petey vous demande, l'informa-t-elle, quand elle eut réussi à attirer son attention. On dirait un gosse.

— Je ne connais pas d'enfant, répondit Mark.

— Je lui demande de laisser un message ?

— Non, je vais le prendre, décida-t-il en appuyant sur le bouton du téléphone. Mark Bishop à l'appareil.

— Bonjour, monsieur Bishop, répondit une voix de petit garçon. Excusez-moi de vous déranger, mais j'aimerais discuter quelques minutes avec vous.

Il arrivait que des écoliers se présentent à sa porte pour vendre des billets de tombola ou divers objets afin de financer l'achat d'ordinateurs ou un voyage de classe, mais, d'habitude, les écoles n'organisaient jamais ce genre de quête par téléphone.

— Et pourquoi donc ?

— Eh bien, d'abord, j'aimerais savoir si vous êtes toujours un beau parti ?

Cette question le fit sourire.

— Je pense qu'on peut dire ça.

— On a parlé de vous dans le journal.

— Oui. Il y a déjà quelque temps.

— Vous n'êtes toujours pas marié ?

— Non.

— Vous avez une petite amie ?

— Pas pour l'instant.

Il entendit soudain une autre voix, étouffée mais insistante. C'était vraiment intriguant. Qu'est-ce que tout cela voulait dire ?

— Est-ce que vous avez eu des ennuis avec la police ? reprit enfin le garçonnet.

— Mais dis donc, mon petit bonhomme, c'est une farce ?

Pourtant cela ne ressemblait guère aux blagues téléphoniques qu'il pratiquait quand il était gamin…

— Oh non, monsieur, c'est très sérieux. En fait… mon frère et moi — son nom c'est J.D. —, on pense que notre maman pourrait aimer vous rencontrer. Et que, peut-être, ça vous plairait aussi de ne plus rester… un beau parti. Célibataire, je veux dire.

Mark fit signe à Debra Lee, qui avait passé la tête dans son bureau, de s'en aller et lui intima l'ordre silencieux de retourner chez elle. Il entendait la respiration du gamin à l'autre bout du fil. On aurait dit que celui-ci avait pris conscience de la gravité de sa proposition et souhaitait lui laisser le temps d'y réfléchir.

— Si j'ai bien compris, déclara-t-il, gentiment, tu me demandes d'épouser ta mère ?

— Euh, oui.

— Et pourquoi je ferais ça ?

— Euh… Parce qu'elle est très jolie. Vous savez, elle se lave tous les jours.

— Ça, c'est un bon argument.

— Elle cuisine très bien, aussi. On mange tout ce qu'elle prépare. Sauf les asperges, bien sûr. *Personne* n'aime ces trucs-là. Et, elle a beau essayer de les faire passer en les mélangeant à une sauce, ça ne marche pas.

Mark faillit éclater de rire, mais l'enfant semblait tellement sincère et déterminé à le persuader qu'il se retint.

— Je suis bien de ton avis, j'ai horreur des asperges.

— Elle aime les animaux aussi, sauf les serpents. Vous pourrez avoir un animal à la maison, si ça vous fait plaisir.

— Et ton père ? Où est-il ? demanda Mark, reprenant son sérieux, après s'être éclairci la gorge.

— Ils ont divorcé. Grand-père dit que maman a autant besoin de mon père que Custer des Indiens. Je ne sais pas très bien qui est ce Custer, mais je pense que ça doit vouloir dire qu'il ne reviendra jamais.

Le garçon s'était exprimé avec détachement, pourtant Mark se sentit touché au cœur. Comment ces gosses s'étaient-ils procuré son numéro ? Et pourquoi l'avaient-ils choisi, lui plutôt qu'un autre ? Il n'en savait fichtre rien. Mais il les sentait sincères et poussés par le désir de rendre leur maman heureuse.

— Ce n'est pas facile de vivre sans son papa, reprit-il doucement.

Il entendit de nouveau des bruits de voix étouffés, et attendit la suite.

— Mon frère veut savoir si vous habitez près de Disney World, reprit Petey.

— Ah ! C'est pour ça que vous m'avez appelé ? A cause de la proximité du parc ?

— Heu… ça compte, avoua le petit garçon. On a d'abord appelé plein de types qui avaient l'air super, mais aucun n'a voulu me parler. Alors, on s'est rabattus sur vous.

— Merci beaucoup ! s'exclama Mark, amusé.

— On ne réclamera pas d'aller tous les jours à Disney World, rassurez-vous, reprit naïvement le gamin avant qu'il ait pu ajouter un mot. On ne vous embêtera pas. Promis. Et on est d'accord pour avoir un nouveau papa.

C'était le moment d'interrompre cette conversation le plus délicatement possible, décida Mark. Cela lui crevait le cœur de détruire le rêve de ce gosse, mais il n'avait nullement l'intention de le bercer plus longtemps d'illusions.

— Ecoute, Petey, j'aimerais bien t'aider… Je pense que tu devrais laisser ta mère se trouver elle-même un mari.

— Elle ne le fera jamais, affirma le gosse d'une voix désolée. Grand-père dit toujours que vouloir l'obliger à faire quelque chose qu'elle refuse, c'est comme se gratter l'oreille avec le coude. Elle est trop entêtée. Et puis elle travaille tout le temps, elle n'a pas le temps de chercher. C'est pour ça qu'on s'en charge.

Mark se sentit empêtré. A cet instant, il regretta même amèrement d'avoir pris cet appel. Pourtant, il n'avait pas le cœur de raccrocher au nez du petit.

— Qu'est-ce qu'elle fait comme métier ?

— Elle compte.

— Tu veux dire qu'elle est comptable ?

— Ouais, elle aide tante Vic et tante Lauren au magazine.

— Quel magazine ?

— Un truc sur les mariages, les robes de mariées... Vous voyez.

— *Mariages de Rêve ?* murmura alors Mark, le visage fermé, en finissant son whisky d'un trait.

— Ouais, c'est ça.

— Quel est le nom de ta mère, Petey ? demanda-t-il, le cœur battant.

— Maman.

— Non, je veux dire son prénom. Comment les gens l'appellent ?

— Jenna.

Cette fois, Mark sauta sur ses pieds et les glaçons giclèrent sur son pantalon. Bon sang ! Il était tellement saisi qu'il en avait le vertige.

— Tu es le fils de Jenna Rawlins.

— Oui, et J.D. aussi.

Clignant des yeux comme s'il émergeait d'une transe, Mark alors reposa son verre sur le bureau et ramassa les glaçons machinalement. Mais par quel incroyable hasard les fils de Jenna étaient-ils remontés jusqu'à lui ? Ils avaient dû tomber sur l'article du journal. A moins qu'il n'ait entendu Jenna citer son nom ? Non, cette hypothèse paraissait douteuse.

Ma foi, songea-t-il aussitôt, si elle s'apercevait que ses fils jouaient les entremetteurs, ça allait chauffer pour leur matricule. Et si, en plus, elle apprenait qu'ils l'avaient contacté, *lui*, ils n'échapperaient pas à la peine capitale.

Il ferma les paupières et se serra la racine du nez entre deux doigts pour réfléchir. Tout ça lui tournait la tête.

— Ecoute, Petey, dit-il en essayant de raisonner froidement. C'est vraiment adorable de votre part de vouloir aider votre maman, mais elle n'acceptera jamais de m'épouser. Maintenant, promets-moi de n'appeler personne d'autre sans lui en parler auparavant.

— Mais elle a besoin d'un mari, répondit Petey, visiblement très ennuyé. Sinon, comment elle va donner un papa à son bébé ?

— Je te demande pardon ?

— Oui, elle se prépare pour le bébé.

Quoi ! A cette nouvelle, Mark crut qu'il succombait à une attaque.

— On va avoir un nouveau petit frère ou une petite sœur, précisa Petey.

— C'est impossible ! déclara Mark d'un ton péremptoire.

C'était impossible, totalement absurde. Ces gamins se moquaient de lui.

— J'suis pas un menteur ! s'écria alors l'enfant. Grand-père aussi dit que…

— Je me fiche de ce que dit ton grand-père !

Qu'il aille au diable celui-là ! Sonné, Mark s'efforça de rassembler ses idées. Il avait impérativement besoin d'informations précises, et ce le plus vite possible.

— Comment se fait-il que ta mère soit enceinte ? demanda-t-il alors d'une voix sourde.

Il était dans un tel état de choc qu'il avait réussi à affoler le gosse. Cela se sentit quand celui-ci répondit :

— Je n'en sais rien, j'vous jure. Je ne sais pas *comment* c'est arrivé. On n'a rien voulu nous dire. Pas vrai, J.D., qu'on n'a rien voulu nous dire ?

— C'est bien, c'est bien, dit Mark, qui tentait de se ressaisir.

Il s'exprima plus sereinement pour apaiser le petit garçon.

— Tout va bien, n'aie pas peur, je suis juste surpris.

Voilà, il devait lui parler calmement et donner l'illusion

qu'il gardait son contrôle. Ce n'est pas parce que la situation lui échappait complètement qu'il devait terroriser ce gosse.

— Excuse-moi, dit-il quand il eut recouvré une voix normale. Quand arrive le terme ?

— Le quoi ?

— Quand arrive le bébé ? précisa-t-il en rongeant son frein.

— On ne sait pas. Elle ne nous a encore parlé de rien. Mais j'ai entendu Grand-père dire qu'au moment du Superbowl, tout le monde croira qu'elle cache le ballon sous sa robe.

Mark fit un rapide calcul mental. Le ciel lui tombait sur la tête…

— Il faut que j'y aille, monsieur, ma mère va rentrer et ça irait mal si elle nous pinçait en train de téléphoner dans sa chambre. Heu… La réponse est non, alors ?

— Attends une seconde, s'écria Mark, soudain affolé à l'idée que le gamin raccroche. Je n'ai pas dit non. Il faut que je réfléchisse.

— Pas longtemps. On ne peut pas trop attendre, hein.

— N'aie pas peur, je ne vous ferais pas lanterner. Mais n'appelle plus personne, dorénavant, tu veux bien ?

— D'accord. Vous devriez rencontrer maman, vous savez. Elle est super…

Mark respira profondément. Il sentait le sang lui cogner aux tempes et s'entendit à peine répondre :

— Petey, il n'y a rien qui me ferait plus plaisir.

Chapitre 8

Kathy Bigelow, un agent immobilier recommandé par Vic, rassemblait les derniers documents éparpillés sur la table de cuisine.

— Je vous rappellerai demain, affirma Jenna, essayant de se convaincre elle-même.

— Je pensais vraiment que l'une des maisons que nous avons visitées ce matin pourrait vous convenir. J'ai fait fausse route, je suis désolée.

— Moi aussi. J'aurais aimé trouver facilement la maison de mes rêves. Mais, rassurez-vous, dès que je la verrai, je la reconnaîtrai.

Kathy hésitait. Avec délicatesse elle finit par émettre une réserve :

— Sans vouloir vous offenser, je me demande si vous désirez vraiment acheter.

— Bien sûr. Pourquoi cette question ? s'étonna Jenna, abasourdie.

— Il y a longtemps que je pratique ce métier. D'habitude, je cerne bien les desiderata de mes clients. Je sais faire la différence entre les acheteurs sérieux et ceux qui ne font que caresser un projet d'acquisition. Je peux me tromper, pourtant, votre attitude m'a paru si ambiguë, que j'ai fini par me demander si vous…

— Ces maisons étaient parfaites, s'excusa vivement Jenna, seulement…

La jeune femme s'apprêtait à dire qu'aucune ne lui avait plu, quand elle s'interrompit, troublée. Et si Kathy avait raison ? Si ce n'était qu'un mensonge ? Etait-ce parce qu'elle redoutait inconsciemment de quitter le domicile de son père qu'elle avait trouvé des défauts à toutes ces maisons ? Est-ce qu'elle aurait peur ? Elle n'avait donc pas encore terrassé ses démons ?

Elle aspirait pourtant à se construire un foyer bien à elle, et c'était aussi primordial pour les garçons. Il ne fallait pas hésiter.

Comme son silence s'éternisait, et que Kathy, mal à l'aise, attendait la fin de son explication, Jenna lui prit gentiment le bras et, pour détendre l'atmosphère, se lança dans un grand discours.

— Au risque de paraître grandiloquente et ridicule, je dois vous avouer une chose : ces maisons m'ont paru très belles, mais aucune ne m'a *parlé*. Comment dire ? Je ne m'y voyais pas. Si je me décide à acheter, ce sera pour longtemps, et je souhaite trouver l'endroit idéal pour mes fils et moi. Il faut que nous nous y sentions bien. Ce n'est pas une question d'apparence. Comme je vous l'ai déjà dit, je *reconnaîtrai* immédiatement la maison de mes rêves. Vous comprenez ce que j'essaye de vous expliquer ? conclut-elle avec un grand sourire, espérant que Kathy n'allait pas la prendre pour une cinglée.

— Mais oui, parfaitement, affirma l'agent immobilier.

Elles discutèrent encore quelques minutes, puis Jenna la raccompagna. Au moment de prendre congé, l'agent immobilier eut une idée.

— J'ai dans mon catalogue une propriété ancienne, située à quelques kilomètres d'ici, et qui est en vente depuis un bon bout de temps parce qu'elle a besoin de gros travaux. Ce ne serait pas un problème pour vous, puisque votre famille est dans le bâtiment. Vos frères pourraient vous donner un coup de main. Est-ce que vous voulez la visiter ?

— C'est que j'aurais préféré les tenir à l'écart de cette affaire…, répondit Jenna, ennuyée.

Kathy la considéra avec étonnement. Comment une femme seule avec deux enfants, qui se lançait dans l'achat d'une maison, pouvait-elle faire la fine bouche quand on lui proposait l'aide de deux solides gaillards ? Surtout de vrais spécialistes ? Elle aurait dû sauter de joie.

— Ils sont pleins de bonne volonté, mais ils ont tendance à vouloir se mêler de tout, expliqua Jenna.

— Je vois. Je disais ça parce que la maison pourrait vous plaire. Elle est pleine de charme, il y a un jardin arboré, l'environnement est plaisant… Bref, c'est une affaire. Et elle est dans vos moyens parce que la façade a besoin d'un bon ravalement et que les propriétaires sont pressés.

— Vous avez raison, il faut que je la voie.

— Ecoutez, les propriétaires ont déménagé à San Francisco pour des raisons professionnelles et la maison est vide. Je pourrais vous prêter les clés pour que vous l'examiniez à votre aise. On ne sait jamais, celle-ci vous « parlera » peut-être.

— Merci de votre compréhension, répondit Jenna, séduite. C'est une très bonne idée.

— Marché conclu, déclara Kathy en la saluant d'un petit signe de la main.

Quand elle fut partie, Jenna, qui s'était sentie nauséeuse durant toute l'entrevue, se tint appuyée contre la porte un long moment. Son père assistait, ce matin-là, à la réunion mensuelle de son club de vétérans et elle était très contente d'avoir pu profiter de son absence et de celle de ses fils, pour inviter Kathy à la maison. Elle n'ignorait pas que sa démarche allait provoquer de nouvelles querelles, mais elle n'avait pas l'intention de reculer, même si l'ambiance familiale était déjà tendue depuis l'annonce de sa grossesse. Comment avait-elle pu imaginer, que ses proches la soutiendraient à cent pour cent ? C'était une hypothèse totalement irréaliste ! C'est à *deux cents pour cent* que les mâles de sa famille s'étaient mobilisés !

Par exemple, son père se tenait continuellement sur le qui-vive et, dès qu'elle amorçait un geste, il s'empressait de lui ôter des mains le moindre poids ou de saisir tout ce qui lui paraissait hors de sa portée. On aurait dit qu'elle était en cristal et risquait de se casser. Quand à son frère Trent, la veille, il avait profité de la démolition d'une vieille librairie pour récupérer deux caisses pleines de manuels de puériculture, qu'il avait fièrement rapportées à la maison. C'était une mine de conseils utiles pour les futures mamans prétendait-il. Ce qui aurait pu paraître sensé, sinon que les mères en question attendaient leurs marmots quand Eisenhower était encore en poste à la Maison Blanche. Les choses avaient bien changé depuis…

Même Christopher, son préféré, la rendait hystérique. Il avait téléphoné, l'autre nuit, au beau milieu d'une enquête criminelle, pour lui raconter qu'il venait de rencontrer un accoucheur renommé, qui serait ravi de bousculer son emploi du temps surchargé pour elle, et lui apprendre qu'il lui avait pris un rendez-vous. Sans même la consulter ! Vu le métier de son frère, Jenna ne voulait même pas songer aux circonstances qui l'avaient amenées à croiser ce médecin.

De l'extérieur, toutes ces attentions pouvaient paraître agréables et réconfortantes, mais elles étaient pesantes. Et Jenna, qu'elles étouffaient, trouvait qu'elles faisaient insulte à son intelligence. Sans compter que cette exaspérante sollicitude ne pouvait que s'amplifier au fur et à mesure de sa grossesse.

Ce n'était pas sa seule source de préoccupation. Il lui fallait aussi se décider à annoncer à ses fils la venue du bébé. Comment allaient-ils réagir ? Elle n'en avait pas la moindre idée.

Toujours appuyée contre la porte, Jenna entendit brusquement retentir la sonnette de l'entrée. Elle se redressa et ouvrit.

— Vous avez oublié quelque chose, Kathy ?

Mais ce n'était pas Kathy : c'était le fantôme de Mark Bishop…

Il se tenait sur le seuil, aussi beau que dans son souvenir, même si le sourire qu'il lui adressait n'avait rien de chaleureux. Persuadée de vivre une hallucination, elle se frotta les yeux, les rouvrit — il était toujours là. Et même, il parlait :

— Non, je n'ai rien oublié. Et vous ? déclara-t-il, en l'examinant des pieds à la tête.

— Mark… ? s'exclama-t-elle enfin, paniquée.

Sa grossesse n'était pas suffisamment avancée pour qu'il la devine, et rien dans sa tenue ne laissait supposer qu'elle était enceinte, mais Jenna ne s'en sentit pas moins rougir sous le regard d'acier que Mark Bishop faisait peser sur elle. Que faisait-il ici ? Comment l'avait-il retrouvée ? En tout cas, il ne s'était certainement pas déplacé de si loin pour lui rendre une visite de politesse. Surtout vu la façon dont leur dernière conversation téléphonique s'était terminée.

— Je suis… surprise, bredouilla-t-elle.

— Je n'en doute pas. Puis-je franchir le seuil de cette bicoque ?

— Je ne pense pas que ce soit une bonne idée.

— Moi, je pense que si, répliqua-t-il en arborant un air sombre.

— Nous n'avons rien à nous dire.

— Vraiment ? Et si je vous dis que vous cherchez à me cacher quelque chose qui me concerne ? Un enfant, par exemple…

A ces mots, Jenna fut saisie de frissons. Elle sentit son cœur s'emballer et se figea. Ainsi, il était au courant ! Comment ?

Allons, ce n'était pas le plus important. Maintenant, il lui fallait absolument découvrir ses intentions.

Elle s'écarta donc pour lui laisser le passage et, lui tournant le dos, prit la direction de la cuisine. Elle entendit la porte claquer derrière elle et des bruits de pas qui indiquaient qu'il marchait sur ses talons. Arrivée à destination, ne sachant que faire, elle saisit la cafetière pour se donner une contenance.

— Voulez-vous un café, ou du thé glacé ? proposa-t-elle à Mark qui restait debout dans une posture presque menaçante.

Comment pouvait-elle poser une question si frivole dans une situation aussi gênante et si peu banale ? C'était ridicule.

— Non, ce matin, j'ai eu mon content de café à l'aéroport, pendant que je me cassais la tête pour trouver la formule adéquate afin d'obtenir de vous les réponses qui me préoccupent.

Jenna l'observa. Vêtu d'un simple pantalon noir et d'un T-shirt vert, Mark n'en était pas moins très élégant et il se tenait dangereusement proche. Installé à moins de deux mètres d'elle, il s'appuyait en arrière, sur ses mains crispées, au bord du plan de travail, et la dévisageait toujours avec la même acuité.

Jenna avait souvent réfléchi à ce qui se passerait si elle le revoyait un jour, mais jamais elle n'aurait supposé ressentir ce besoin impérieux d'aller se blottir dans le creux de son cou pour sentir les battements de son cœur.

Mais il n'était pas venu pour ça. Ce qu'il voulait, c'était la vérité. Elle la lui devait bien, même si cet aveu la terrorisait.

— Oui, avoua-t-elle, je suis enceinte.

Il soutint son regard un bref instant, puis demanda d'une voix dont la douceur la surprit :

— Ce n'est pas exactement la question que je me pose.

Jenna avait compris.

— Oui, il est de vous.

— Je constate avec plaisir que vous ne vous embarrassez pas de faux-fuyants, répondit-il, d'un ton légèrement ironique.

— Nous nous sommes protégés, mais on n'est jamais totalement à l'abri. Décidément, vous et moi, c'était une erreur.

— Une erreur ? C'est comme ça que vous qualifiez ce qui s'est passé entre nous ?

— Une folie, si vous préférez. Nous avions tous deux besoin de réconfort, voilà tout. Alors, ne vous sentez pas obligé de faire comme si ça avait compté pour vous.

— Vous croyez savoir ce que je ressens mieux que moi, c'est ça ? Très bien. S'il en est ainsi, décrivez-moi donc les sentiments que j'ai éprouvés quand j'ai découvert que vous attendiez mon enfant ?

— Vous avez été surpris.

— Je trouve que c'est un peu court.

— Vous étiez en colère ?

— Peut-être, au début, avoua-t-il avec un haussement d'épaules.

— Vous espériez que j'allais…, avança-t-elle avec difficulté, tellement confuse qu'elle finit par baisser la tête. Que je me déciderais à…

Comme il s'approchait d'elle et lui relevait le menton pour la forcer à croiser son regard, Jenna sentit jaillir dans ses veines une sensation inconnue, qui lui fit peur.

— Je savais que, même si nous n'avions passé que quelques heures ensemble, vous garderiez le bébé, affirma-t-il doucement, avec une ombre de sourire.

Jenna acquiesça.

— Et puis quoi d'autre ? reprit-il en la lâchant sans cesser de la scruter de son regard acéré.

Autant tout dire, se décida Jenna, la bouche sèche.

— Ensuite, je pense que vous avez souhaité oublier toute cette histoire et faire comme si de rien n'était.

Mark préféra ne pas répondre et s'éloigna. Soudain, il tomba en arrêt devant le réfrigérateur et son étalage naïf d'aimants multicolores, de dessins d'enfants et de photos. Pointant un petit portrait de ses fils, il demanda :

— Petey et J.D. ?

— Oui, répondit la jeune femme étonnée, car elle ne se souvenait pas lui avoir dit leurs noms.

— C'est eux qui m'ont appelé pour me dire que vous étiez enceinte.

— Comment ça ? C'est impossible.

Mark lui raconta alors le coup de téléphone qu'il avait reçu la veille.

— Je ne comprends pas. Je ne leur ai jamais parlé de vous.

— Vous n'en avez pas eu besoin. Il paraît que vous avez à votre disposition toute une liste de beaux partis. J'espère que c'est pour votre travail au journal et que vous ne la réservez pas à votre usage personnel, répliqua-t-il, pince-sans-rire.

Le dossier ! Il était resté sur sa table de chevet. Jenna, qui se souvenait de la conversation qu'elle avait eue avec Petey la veille, commençait à comprendre.

— J'ai rapporté ce dossier à la maison, parce que je dois interviewer Rusty Delcruz, qui ouvre un nouveau complexe hôtelier aux Bahamas.

— J'ignore si vos fils se sont adressés à lui, mais tout ce que je sais, c'est que, pour ma part, je n'étais pas le premier à qui ils essayaient de vous refiler.

Au fur et à mesure que Mark lui expliquait l'affaire en détail, la jeune femme passa de l'horreur à l'embarras, puis à l'amusement pour finir dans l'inquiétude. Ainsi, ses fils étaient perturbés et s'inquiétaient de l'avenir ? Elle aurait dû leur parler du bébé plus tôt.

— Ne soyez pas trop sévère avec eux. Leur plan était très inventif et il ne faut jamais décourager la créativité, conseilla

Mark. En tout cas, eux, ils ont téléphoné — pas vous, ajouta-t-il, bras croisés, en reprenant soudain son sérieux. Pourquoi ? Quand comptiez-vous m'annoncer la nouvelle ?

— Jamais, avoua Jenna.

— Vous comptiez élever ce bébé toute seule ?

— Je ne suis pas toute seule. J'ai une famille qui me soutient.

— Vous savez très bien que ça n'a rien à voir. Ne jouez pas sur les mots, avec moi, répliqua-t-il en désignant son ventre. C'est mon enfant que vous attendez. Alors je crois que le moment est arrivé de se poser la vraie question. Qu'est-ce que nous allons faire ?

Jenna, qui sentait la tension monter entre eux, redressa fièrement le menton pour l'affronter.

— *Nous* n'allons rien faire du tout, car c'est *moi* qui vais accoucher au printemps. Et je serai une très bonne mère, rassurez-vous. Je suis très douée pour ça, quoi que vous puissiez en penser. Et surtout, ne vous inquiétez pas, je ne vous demanderai rien. Je n'attends rien de vous.

— Joli discours, très convaincant, railla-t-il, contrarié. Seulement, il y a un petit problème. Supposez que je dise non.

— Vous ne pouvez pas dire non.

— C'est ce que vous croyez, rétorqua-t-il. Je dis : non.

Jenna chancela sous le choc et elle se laissa tomber sur une chaise, anéantie.

— Que voulez-vous dire ?

— Que je ne me contenterai pas d'être un géniteur anonyme. Je ne peux pas rentrer à Orlando et faire comme si ce bébé n'existait pas.

— Mais si. Vous le pouvez. Il se passera très bien de vous.

— C'est un garçon ? repartit aussitôt Mark avec intérêt.

— Je ne sais pas, c'est encore trop tôt pour le dire. Je suis tellement habituée à n'avoir que des hommes autour de moi que je suppose que oui.

Semblant réaliser soudain que la situation n'était pas plus facile pour elle que pour que lui, Mark sembla se détendre. Il vint s'asseoir à côté d'elle et posa doucement la main sur ses doigts qui serraient convulsivement le bord de la table. Après un moment de lourd silence, Jenna releva les paupières et découvrit que, malgré son obscur éclat, le regard d'acier qu'il posait sur elle était attentif et plein de tendresse.

— De quoi avez-vous peur, Jenna ?

— De rien, affirma-t-elle en secouant la tête. Je le répète, vous ne devez pas vous sentir impliqué. Vous n'êtes pas responsable. Vous ne me devez rien. Rassurez-vous, je ne vous réclamerai pas d'argent. Et, ajouta-t-elle, à cause des horreurs qu'il lui avait dites la dernière fois qu'ils s'étaient parlé, vous n'avez pas à craindre que la nouvelle se répande et que votre réputation en souffre…

— Taisez-vous, ordonna-t-il en lui saisissant les mains. Je donnerai tout ce que j'ai pour retirer ce que j'ai dit ce jour-là. Ce n'était pas du tout ce que je pensais. Je dois avouer que vous êtes la première femme qui me fait perdre tous mes moyens, reconnut-il avec un petit rire.

Jenna aurait bien aimé en apprendre un peu plus là-dessus, mais, pour le moment, elle ne devait penser qu'au bien du bébé et s'assurer que Mark avait bien compris sa détermination.

— Ne me compliquez pas les choses, dit-elle en retirant ses mains. Je ne veux rien vous devoir.

— Pourquoi ? Parce que vous me croyez incapable de m'investir ?

— Non, tout simplement parce que vous n'en avez pas envie. Au cours de votre interview, vous vous êtes exprimé là-dessus sans aucune ambiguïté. J'ai tout noté dans mes tablettes. Vous avez dit que vous ne désiriez pas d'enfants. Je suis peut-être une journaliste de pacotille, mais c'était très clair et j'ai très bien saisi.

Gêné, Mark se passa la main dans les cheveux.

— Je n'envisageais pas d'avoir d'enfants avec Shelby, c'est vrai, mais cela ne signifie pas que je ne veux pas en avoir du tout. J'ai changé d'avis.

— Ou pas, répliqua Jenna, qui sentait bien que la gêne de Mark se transformait en irritation à mesure qu'elle lui résistait.

D'ailleurs, il changea brusquement de ton.

— J'ai certains droits sur ce bébé, affirma-t-il froidement. Et je n'aurais aucune difficulté à les faire valoir.

— Vous me combattriez devant un tribunal ? demanda Jenna, soudain blanche comme un linge.

— Ça n'arrivera pas, s'empressa-t-il alors de dire, comme s'il voulait s'en convaincre et regrettait déjà sa tentative d'intimidation. Mais, aussi, pourquoi, diable, êtes-vous si entêtée ?

— Et vous ? Admettez donc que vous n'avez aucune envie de cet enfant. En venant ici, je suis sûre que vous espériez de toutes vos forces que les enfants se trompaient, que je ne n'étais pas enceinte ! Ou que vous priiez le ciel pour que ce bébé soit celui de quelqu'un d'autre que vous !

Au lieu de répondre, Mark s'éloigna comme s'il ressentait le besoin de créer une distance entre eux.

— Arrêtez ! Ce qui est fait est fait. Personne ne peut rien y changer. Maintenant, il faut que vous et moi trouvions un arrangement, qui soit bon pour tout le monde. Une tutelle conjointe, par exemple.

— Ah oui ? Et pour combien de temps ? Un bébé a besoin de stabilité. Celui-ci vivra dans un foyer aimant, ici, avec moi et ma famille. Aujourd'hui, parce que vous vous sentez coupable, vous prétendez tenir un rôle actif dans son existence, mais que se passera-t-il quand vous changerez d'avis ? Vous ne pourrez pas entrer et sortir de la vie de cet enfant à votre guise ! assena-t-elle en soupirant, excédée. Ce ne serait juste ni pour lui ni pour moi.

Ils étaient séparés par la largeur de la table. Mark y posa les mains à plat et se pencha pour regarder Jenna au fond des yeux.

— Alors, faisons ce qui est juste : marions-nous.

L'épouser ? Epouser Mark Bishop ?... Totalement déconcertée, Jenna le considéra comme si elle découvrait un parfait inconnu. Il ne pouvait pas être sérieux. Une nuit de plaisir ne pouvait pas décider de l'engagement de toute une vie, c'était absurde !

— Vous dites n'importe quoi, murmura-t-elle quand elle fut un peu remise.

— Pourquoi ? Votre divorce a bien été prononcé, non ?

— Oui, mais…

— Alors, rien ne s'oppose légalement à notre mariage. On va se marier, Jenna, et donner une mère et un père à ce bébé. Un père qui ne passera pas son temps à entrer et sortir de sa vie, je vous le dis. Tous les deux, je suis sûr qu'on va former une bonne équipe.

— Une équipe… C'est une idée grotesque.

Jenna désigna le décor qui les entourait.

— Regardez autour de vous, Mark. Cette maison est le parfait exemple du style de vie d'une famille de la classe moyenne. Je ne pense pas qu'un banal pavillon de banlieue corresponde à vos habitudes, ni à vos aspirations.

— Vous avez raison. Je suis riche, j'en profite — et alors ? Personnellement, je n'y vois aucun mal. Est-ce que vous voulez m'écarter parce que je ne suis pas pauvre ? Vous avez quelque chose contre l'argent ?

En tant que mère célibataire, obligée de travailler pour élever ses enfants, Jenna ne dénigrait certainement pas l'argent — et il était évident que, dans ce domaine, Mark pouvait l'épauler.

Cela dit, elle ne comptait pas non plus sur la seule magie de l'argent pour faire son bonheur, loin de là.

— L'argent n'a pas que des avantages, murmura-t-elle. Il transforme les gens, et pas toujours en bien.

— Ce n'est pas une fatalité. Et puis, pour ce qui nous occupe, mon argent bénéficierait à notre bébé. Imaginez tout ce que je pourrai offrir à cet enfant : les meilleures études, la sécurité… Et vous, vous seriez enfin libre comme vous n'avez jamais osé rêver.

Jenna se rebiffa, blessée.

— Qu'est-ce que vous avez contre ma vie ? J'ai une vie magnifique, répliqua-t-elle, piquée au vif. J'ai une famille, des racines, je suis heureuse. Ça ne s'achète pas.

— Certes, concéda Mark. Si vous souhaitez élever cet enfant avec son grand-père, ses oncles… — dont vous ne cessez pourtant de dire qu'ils vous étouffent —, je retire mon offre. Mais réfléchissez.

Jenna se leva et se mit à arpenter nerveusement la cuisine.

— Est-ce que vous avez idée du nombre d'années que demande l'éducation d'un enfant ? Quand l'attrait de la nouveauté se sera envolé, comment assumerez-vous votre rôle de père ? A votre avis, comment allez-vous réagir quand vous serez confronté au quotidien : se lever la nuit, changer les couches, soigner les rhumes à répétition, toutes ces innombrables complications qui rendraient n'importe quel homme fou à lier.

— Comment voulez-vous que je le sache ? avoua Mark en haussant les épaules. Mais je suis sûr que vous regorgez d'idées et d'expérience, alors vous m'apprendrez. J'apprends vite, vous savez. Si vous me donnez ma chance, je risque de vous épater.

Jenna serra les dents de dépit.

— Soyez sérieux une minute, une seule.

— Qu'est-ce qui vous fait penser que je ne le suis pas ?

À vous entendre, on dirait que je passe mon temps à proposer le mariage à n'importe qui.

— Oh non ! Seulement aux pauvres gourdes envers qui vous vous sentez redevable parce que vous les avez… engrossées.

Au regard noir qu'il lui jeta, Jenna sentit qu'elle était allée trop loin.

— Vous croyez que c'est ainsi que je vous considère : une pauvre gourde que j'ai engrossée ? demanda-t-il durement. Une petite idiote qui s'est fait posséder ? Et pourquoi pas comme une intrigante qui cherche à mettre la main sur un beau parti, pendant qu'on y est ? Il s'est passé quelque chose entre nous, cette nuit-là, Jenna, et vous le savez aussi bien que moi. Nous n'avons pas agi inconsidérément. Ça n'avait rien à voir avec l'intrigue ou la bêtise. Nous avons vécu une vraie rencontre, intime, sincère, celle de deux êtres, et si vous ne vous étiez pas enfuie et si je n'avais pas tout foutu en l'air le lendemain avec ce fichu coup de fil, je suis sûr que nous aurions continué à…

Rouge de confusion, Jenna leva vivement la main pour le faire taire.

— Arrêtez ! Prendre du plaisir et tomber amoureux, ça n'a rien à voir !

Tendue, elle scrutait intensément le visage de Mark pour tenter de déchiffrer ses pensées, mais un silence pénible s'était de nouveau installé entre eux et, quand il croisa son regard, elle ne put rien y lire.

Jusqu'à ce que la vérité tombe :

— Qui a parlé de tomber amoureux ? déclara-t-il enfin, froidement.

— Vous ne m'aimez pas ? murmura Jenna, la bouche sèche.

— L'amour ! Je n'ai jamais cru à tout ce baratin romantique. Ça ne m'empêche pas de tenir à vous et au bébé.

Blessée, Jenna détourna les yeux et croisa les bras.

— Je ne veux pas d'un mariage sans amour. Quelle femme en voudrait ?

— Allons, nombre de mariages ne sont pas conclus sur les sentiments, argua Mark. Soyez raisonnable, nous pouvons tout à fait fonder une famille unie et trouver un modus vivendi sans qu'il soit question d'amour entre nous.

— C'est impossible, je ne peux pas. Pas seulement pour le bébé et moi, mais surtout à cause de Petey et J.D. Je dois les protéger. Ils commencent juste à s'habituer à l'absence de leur père. Je ne vais pas faire entrer dans ma vie un homme auquel ils s'attacheront forcément, et qui disparaîtra à son tour une fois qu'il sera lassé de nous ! Je ne peux pas leur imposer cette nouvelle déception ! Je ne peux pas le permettre. Pas une fois de plus.

— Je ne connais pas votre ex-mari, mais je peux affirmer par intuition que je ne lui ressemble pas, Jenna, répliqua Mark, sur un ton qui trahissait sa difficulté à garder son sang-froid. Moi, je ne prends jamais mes responsabilités à la légère et je n'ai pas l'habitude de fuir devant les difficultés.

— Vous ne pouvez pas en jurer.

— Il n'y a qu'une chose qui compte, affirma-t-il, désespérant presque de la convaincre, c'est que cet enfant a besoin d'un père…

— Ne dites pas ça ! s'exclama-t-elle, furieuse. Quand vous parlez ainsi, j'ai l'impression d'entendre mon propre père et mes frères. Moi, je sais que, parfois, on peut se passer d'un père. Il y a même des cas où…

Jenna s'interrompit d'elle-même. Elle n'avait aucune envie de s'étendre sur les relations de Jack avec ses fils, devant cet homme. Elle se sentait à cran et posa la main sur sa joue brûlante. Est-ce que la tension incroyable qui l'habitait était visible ?

— Jenna, écoutez-moi…

C'était la goutte qui fit déborder le vase. Hors d'elle, la jeune femme tapa du poing sur la table et s'écria :

— Il y a déjà trop longtemps que je vous écoute ! J'en ai plus qu'assez d'avoir sur le dos des hommes qui prétendent savoir mieux que moi ce qu'il me faut ! Je n'ai pas besoin d'avoir, en plus, un époux qui cherchera à m'imposer sa volonté. Je suis tout à fait capable de prendre mes décisions toute seule.

— Alors décidez-vous.

— Je l'ai déjà fait. C'est non.

Mark lui tourna le dos et, immobile, prit une grande inspiration avant de lui faire face et de déclarer tranquillement :

— Très bien. Procédons autrement. Si je comprends bien, votre principale objection à notre mariage, c'est que je ne vous aime pas, que vous n'êtes pas amoureuse de moi non plus, et que vous m'estimez peu fiable en tant que père. Ce qui est compréhensible puisque vous me connaissez à peine. Est-ce que j'ai bien cerné le problème ?

— Oui.

— Alors, voilà ce que je vais faire. Je vais demeurer en ville quelques semaines. J'ai du pain sur la planche à mes bureaux d'Atlanta pour un petit moment. Pendant que je suis là, nous allons en profiter pour mieux faire connaissance, sortir ensemble… On pourra même emmener vos enfants se promener pour qu'ils me rencontrent. J'ai bien envie de connaître deux lascars si déterminés à dénicher un mari à leur mère. Est-ce que ça vous va ?

— Je ne sais pas.

— Oublions momentanément le bébé. Faisons comme si nous étions juste un homme et une femme attirés l'un par l'autre. Je ne connais pas vraiment les règles à appliquer dans ce genre de circonstances, mais ça ne peut pas nuire de se fréquenter un peu, si ?

— Vous dites bien : comme un homme et une femme.

Pas comme deux amants, d'accord ? demanda Jenna, pesant prudemment le pour et le contre.

En souriant, Mark s'approcha presque à la toucher.

— Je mentirais si je prétendais que la perspective de refaire l'amour avec vous ne m'excite pas. Vous aussi, vous avez ressenti cette ardeur, ne le niez pas, et je ne demande pas mieux que de souffler sur les braises. Néanmoins, ajouta-t-il en soupirant, si cette idée vous déplaît, je suis prêt à me tenir tranquille.

Il caressa d'un doigt sa joue aussi douce qu'un pétale de rose, puis conclut :

— Jusqu'à ce que vous me suppliiez de vous faire l'amour.

Elle recula, baissa la tête.

— Ça ne marchera pas. Ce qui s'est passé à New York n'était qu'une jolie parenthèse. On ne peut pas fonder un avenir commun sur une simple passade.

— Est-ce que ça ne vaut pas le coup de tenter l'expérience ? demanda Mark en posant ses paumes sur le ventre de Jenna, qui en eut le souffle coupé. Dans l'état actuel des choses, nous n'avons qu'une seule certitude, dit-il en la caressant. Vous attendez mon enfant. Pour moi, c'est une raison suffisante d'essayer.

Jenna frissonna au souvenir de leur nuit d'amour. La proposition de Mark était une véritable folie. Ne le voyait-il donc pas ? Elle le regarda droit dans les yeux.

— Non.

— Alors, même si j'en suis désolé, déclara-t-il, le visage dur comme du granit, je vais rentrer chez moi et prendre les mesures juridiques qui s'imposent.

★
★ ★

Assis dans son bain, J.D., le grand policier intersidéral, atomisait son armée de Cyberlons en plastique du bout de son canon laser, et Jenna les voyait s'abîmer, les uns après les autres, à travers l'eau savonneuse, au milieu du fracas des combats et des cris de victoire. Petey, dont elle essorait les cheveux avec une serviette, leva les yeux au ciel. Il serrait dans sa menotte son propre jouet, un cuirassé que surmontait, on ne sait comment, une figurine de Spiderman. Toutes ces batailles interminables contre les Cyberlons étaient d'un monotone !

Jenna arrêta de frotter la tête de son aîné pour récupérer le savon qui flottait dans la baignoire et le déposer près de son plus jeune fils.

— J.D., calme-toi, et finis de te laver.

Malgré le jour de congé qu'elle s'était octroyé, elle avait mal au dos et se sentait exténuée. Chaque soir, donner un bain à ses fils tenait du défi. Elle n'avait jamais vu deux gamins aussi difficiles à tenir quand il s'agissait de faire leur toilette. Ils lui glissaient des mains comme des anguilles. En plus, ce soir, elle se sentait à bout de nerfs. Etait-ce dû à sa grossesse ?

Non, plutôt à la visite inattendue, et houleuse, de Mark…

Petey, qu'elle frictionnait un peu trop vigoureusement, arracha sa tête de la serviette.

— Pourquoi tu es énervée comme ça, maman ?

Jenna reprit plus doucement et lui sourit. Au fond, le moment n'était peut-être pas mal choisi pour aborder la question des appels téléphoniques.

— Est-ce que j'ai des raisons de l'être ?

— Non, pas du tout, déclara son aîné, tandis que J.D. haussait les épaules en guise de réponse.

Elle tira sur la serviette pour coincer Petey en face d'elle et le transperça du regard.

— Même quand j'apprends que vous téléphonez à de parfaits inconnus pour leur proposer de m'épouser ?

— C'est Petey qui en a eu l'idée ! s'exclama J.D., qui laissa tomber son canon de saisissement, dans une gerbe d'eau. Moi, je ne voulais pas.

— Espèce de rapporteur ! lança son frère furieux en se retournant vers la baignoire, avant d'adresser à sa mère un regard coupable. On voulait t'aider.

C'est fou comme il ressemblait à son père quand il prenait cette expression. Les garçons, soucieux de se défausser, se lancèrent, tous deux à la fois, dans d'obscures explications. Ils se querellaient tant et plus et n'hésitaient pas à prendre leur mère à témoin. Exaspérée, Jenna saisit brusquement le bras de Petey et foudroya J.D. du regard.

— Maintenant, ça suffit ! Je me fiche de savoir qui en a eu l'idée. Il ne fallait pas le faire, un point c'est tout !

Tout penaud, Petey baissa la tête, tandis que son frère, mal à l'aise, tapotait négligemment les Cyberlons du bout de son canon.

C'était déjà assez embarrassant comme ça d'avoir dû écouter Mark lui raconter sa propre version. Elle pouvait se passer de la leur. Qu'avaient bien pu s'imaginer les autres hommes qu'ils avaient contactés ? Au fond, elle avait tant de problèmes en tête que c'était le cadet de ses soucis. Mais les garçons méritaient d'être punis pour leur conduite et il fallait les menacer des pires châtiments s'ils s'avisaient de recommencer. Jenna les sermonna donc jusqu'à ce qu'elle sente que leur attention faiblissait. Tout en aidant Petey à enfiler son bas de pyjama, elle déclara alors :

— Je ne sais pas encore quelle sanction choisir. Je songe à vous priver de jeux vidéo pendant un an.

— Un an ! s'écria J.D. Ce n'est pas juste ! Pas une année entière ! Ce n'était même pas mon idée.

— Cafard ! riposta Petey, méprisant.

— Je me demande si je ne devrais pas vous mettre au pain sec et à l'eau pendant un mois, ça me faciliterait la vie.

A ces mots, J.D. eut un hoquet d'horreur, mais Petey lança à sa mère un regard aigu et comprit qu'elle n'était peut-être pas aussi fâchée qu'elle le prétendait. Jenna claqua soudain des doigts, comme s'il lui venait une idée.

— Que pensez-vous d'aider Grand-père à ranger le garage pendant tout le week-end ?

Ça, ce n'était même plus un châtiment, mais une sinécure. Les garçons savaient très bien que, si leur grand-père rangeait, ou plutôt *essayait* de ranger son garage, tous les week-ends, il s'en lassait très vite et finissait invariablement devant un match à la télé, ou alors, il se laissait détourner de sa tâche par quelque souvenir retrouvé au fond d'une boîte, répertoriée avec soin par son épouse défunte.

— Ce n'est pas une vraie punition…, commença J.D., tout contrit.

— Comme tu voudras, maman, le coupa Petey en décochant à son frère un regard menaçant.

— Bon, c'est réglé, décida Jenna. Et qu'aucun de vous deux ne s'avise de recommencer. Vous m'avez compris ? dit-elle en pointant l'index sur son aîné.

— Oui, maman, répondirent-ils en chœur.

Jenna aida Petey à passer sa veste de pyjama avant de demander :

— Comment êtes-vous au courant pour le bébé ?

— On était cachés en haut de l'escalier quand vous en avez discuté tous les quatre, avoua J.D. On entend très bien de là-haut. Quelquefois on…

Son frère s'empressa de l'interrompre de nouveau, en lui adressant des yeux un avertissement.

— C'était tout à fait par hasard. On n'écoute jamais d'habitude. On va toujours directement se coucher.

— Je n'en doute pas. Vous êtes de vrais petits anges, rétorqua Jenna, au grand soulagement de Petey. Je sais que j'aurais dû vous en parler plus tôt. Alors, qu'est-ce que ça vous fait d'avoir un nouveau petit frère, ou une petite sœur ?

— C'est O.K., répondit Petey en haussant les épaules.

— J'aurais préféré un chien, répliqua J.D., d'un air indifférent en reprenant le massacre des Cyberlons.

— Et toi, ça te plaît d'avoir ce bébé ? demanda Petey.

— Eh bien, au début, j'étais un peu surprise, je l'avoue, et puis je me suis souvenue à quel point j'étais heureuse de votre venue. Et maintenant je me réjouis d'attendre un nouvel enfant. Vous savez, ça ne changera pas les sentiments que j'éprouve pour vous et jamais je n'aimerai ce bébé plus que je vous aime, assura-t-elle avec conviction pour les tranquilliser.

— Ça ne pourrait pas être un garçon, pour qu'on puisse jouer à l'invasion des extraterrestres ? questionna J.D.

— Les filles aussi peuvent se révéler de redoutables ennemies des Cyberlons. Souviens-toi, de la Reine Persefa dans *Les Extraterrestres attaquent* ?

Après avoir réfléchi, le petit bonhomme lui adressa son irrésistible sourire brèche-dent, qui la faisait toujours fondre.

— Ouais, tu as raison, il y a des filles qui savent se battre.

C'est alors que Jenna se rendit compte que Petey restait coi, tête basse, et qu'il crispait les doigts sur la ficelle qui rattachait Spiderman au cuirassé. Elle connaissait assez son aîné pour savoir qu'une question importante le tourmentait.

— Est-ce que papa reviendra un jour ? demanda-t-il enfin.

Même J.D. se figea dans l'attente de sa réponse. Quand Jack

était parti, Jenna, qui pensait qu'il était impossible de mentir aux enfants très longtemps, leur avait expliqué brièvement les raisons des changements qui s'étaient opérés dans leurs existences. Et, à l'époque, il lui avait semblé que les garçons prenaient assez bien la chose. Cependant, aujourd'hui, elle avait la preuve que cela ne s'était pas passé aussi facilement qu'elle l'avait espéré. Surtout pour Petey, qui avait toujours été le plus proche de son père. Elle l'attira contre elle pour pouvoir embrasser ses deux fils du regard.

— Non, mon chéri, papa ne reviendra jamais.

— Est-ce que tu voudrais qu'il revienne ? questionna Petey.

— Non, répondit Jenna, franchement. Je ne crois pas que nous pourrions de nouveau être heureux ensemble. Pourtant, ça me ferait plaisir qu'il vienne vous voir, ton frère et toi. En attendant, on doit se serrer les coudes, tous les trois.

Son aîné la considéra tristement.

— Tu voudrais un autre mari ?

— Peut-être, un jour, éluda la jeune femme, qui n'avait aucune envie de répondre à cette question.

— Grand-père dit que pour toi, élever un enfant, toute seule, c'est comme vouloir faire passer un chameau dans le chas d'une aiguille.

Jenna savait bien que c'était une entreprise ardue, mais que son père exprime tant de doutes à son sujet la hérissa.

— C'est bien lui, ça ! Je vois que vous avez encore écouté aux portes.

— Non, répondit Petey.

— On l'a entendu dire ça au téléphone à oncle Christopher, admit J.D.

Comme Petey allait protester, elle lui posa un doigt sur les lèvres.

— Je sais, c'était tout à fait par hasard.

— Parfaitement !

— J'ai l'impression qu'il va falloir que je vous apprenne ce que c'est que le respect de l'intimité d'autrui, marmonna-t-elle, avant de préciser : Votre grand-père a toujours l'impression que je suis une petite fille, mais j'ai beaucoup plus de ressources qu'on ne se l'imagine dans cette maison.

Ensuite, elle donna une petite tape à Petey et ébouriffa les cheveux mouillés de J.D.

— Je ne m'en tire pas si mal que ça avec vous, non ?

— T'es une supermaman, acquiesça son cadet. C'est ce qu'on a expliqué aux messieurs qu'on a appelés. Je veux dire, que *Petey* a appelés, rectifia-t-il, pris sur le fait.

Jenna éclata de rire en voyant le regard assassin que celui-ci lui lançait.

— Heureusement que je n'ai pas entendu les bêtises que vous leur avez débitées.

Comme Petey était fin prêt pour le coucher, J.D. sauta hors de la baignoire pour que sa mère le sèche. Jenna frictionna rapidement le petit corps rose, tout chaud d'être resté si longtemps dans le bain, tandis que son autre fils bataillait pour arriver à étaler du dentifrice sur sa brosse à dents.

— Vous savez, Mark Bishop est venu me rendre visite ce matin, annonça-t-elle à la cantonade.

— Qui ? demanda J.D., d'un ton détaché, sans voir de qui elle parlait, alors que Petey, subitement très intéressé, se retournait brusquement.

— Le type d'Orlando, imbécile ! Disney World ! Je sais qui c'est, dit-il à sa mère. Il avait envie de te rencontrer. Comment tu l'as trouvé ?

— Pas mal, répondit-elle d'un air blasé. On va peut-être sortir un peu ensemble, pour voir si on peut se plaire.

Car, finalement, elle avait accepté... la détermination féroce de Mark avait eu raison de ses dernières réticences. Et, de toute façon, il ne lui laissait pas le choix : si elle s'entêtait à l'écarter, la justice lui donnerait tort — et elle ne tenait pas du tout à ce que sa grossesse se passe au tribunal. En revanche, ils avaient décidé de cacher à leur entourage que Mark était le père du bébé.

Evidemment, si quelqu'un risquait de faire le rapprochement en apprenant son état, c'était Lauren. Jenna espérait, du moins, que les membres de sa famille ne se douteraient de rien. Après tout, quand elle avait parlé de se rendre à New York pour une interview, elle n'avait jamais mentionné le nom de Mark Bishop. Et si celui-ci persévérait dans son intention de la fréquenter, personne n'avait à savoir *comment* il avait fait irruption dans sa vie. Au cas où ses fils ne réussissaient pas à garder secrets leurs appels téléphoniques et qu'on s'avise de la questionner là-dessus, elle refuserait d'en discuter. Quelle femme serait prête à avouer qu'elle avait rencontré son prétendant par l'entremise de ses enfants ?

Jenna tenta, un instant, d'imaginer Mark aux prises avec les hommes de sa famille. Ceux-ci pouvaient se révéler des protecteurs aussi ardents qu'affreusement indiscrets. Comment l'homme d'affaires allait-il réagir face aux inquisiteurs du clan McNab ? Et surtout, comment allait-elle s'accommoder de sa présence à lui ? Il fallait qu'elle soit insensée pour avoir accepté sa proposition… Il y avait tant de raisons pour que cela échoue. En plus, elle lui en voulait malgré elle de l'avoir menacée d'un procès pourtant très légitime. Et comment l'empêcher de profiter du trouble qui s'emparait d'elle, chaque fois qu'il l'approchait ? Pourquoi fallait-il que ces sacrés bonhommes, sous prétexte qu'ils étaient beaux garçons, arrivent aussi facilement à vous faire perdre la tête !

— Tu devrais l'inviter à la fête de tante Penny, dit Petey, qui avait terminé de se brosser les dents. Il rencontrerait toute la famille et apprendrait à nous connaître.

C'était vrai. Dans deux jours, tante Penny, la sœur aînée de son père, fêtait ses quatre-vingts ans et ses filles avaient invité tous les McNab du pays pour célébrer l'événement. Elles avaient organisé un barbecue monstre, agrémenté d'un spectacle, dans un des parcs de la ville. Comme la tribu possédait un sens aigu de la famille, des troupeaux entiers de cousins allaient migrer pour l'occasion et, avec cette foule, la journée promettait d'être longue et épuisante.

Jenna pouffa en imaginant Mark au beau milieu de ce chaos. Il était enfant unique et avait, sans nul doute, été couvé par ses parents. Elle se figurait très bien le genre de fêtes auxquelles il avait dû être convié dans son enfance : invitation sur bristol, petites réunions bien sages et participants triés sur le volet. On ne savait même pas ce que c'était qu'une *piñata* dans ce milieu.

Il pensait être préparé à la vie de famille ? Grand bien lui fasse ! On allait voir comment il réagirait au milieu des enfants criards, du punch renversé et des hot dogs caoutchouteux. Il y avait fort à parier qu'il prendrait ses jambes à son cou devant les hordes McNab et qu'il se réfugierait à l'aéroport le plus proche. Elle ne voulait rater, pour rien au monde, cette occasion de lui faire comprendre son erreur.

Elle sourit à son fils aîné et lui donna une petite chiquenaude sur le nez.

— Tu sais Petey, c'est une idée géniale de l'inviter à la fête de tante Penny.

Chapitre 9

Le matin du samedi, Kathy Bigelow déposa les clés chez Jenna. C'était le jour de la fête de tante Penny, mais la jeune femme était si impatiente de voir la maison qu'elle prétexta une course pour convaincre son père de la précéder à Bear Hollow Park avec les garçons, en lui assurant qu'elle les rejoindrait sans tarder. Même si elle détestait mentir, elle n'avait pas le courage de lui parler de son projet. Du moins, pas encore. Il lui semblait bien inutile de provoquer une nouvelle crise prématurément.

Comme elle l'avait expliqué à Kathy elle n'était pas à la recherche d'un palais, seulement d'un lieu qui possède ce petit *quelque chose* qu'elle reconnaîtrait immédiatement et qui lui donnerait la certitude qu'elle pouvait y fonder un foyer chaleureux pour les siens.

Armée des clés et de l'adresse, elle se mit en route et arriva rapidement à destination. Les bâtisses du quartier étaient anciennes et, si elles n'avaient rien de remarquable, au moins, elles ne sortaient pas du même moule et semblaient toutes attachantes. Çà et là, on apercevait des jardins aux arbres superbes, des allées un peu négligées, envahies par les herbes folles, et aussi des bicyclettes abandonnées et des filets de basket

155

aux portes des garages, qui témoignaient que de nombreux enfants vivaient et s'amusaient dans les parages.

Jenna sortit de la voiture et contempla la maison de style victorien, avec un petit pincement au cœur. Elle avait beaucoup de classe avec ses frontons incurvés, ses fenêtres à l'anglaise et son large porche. Malgré les colonnes qui s'élevaient de part et d'autre de l'entrée et ses cheminées identiques sur le toit en bardeaux, elle donnait une certaine impression d'asymétrie charmante. La façade, qui nécessitait beaucoup de travaux, était tout à fait charmante aussi.

Elle s'en approcha lentement et, comme elle l'avait fait pour toutes celles qu'elle avait visitées auparavant, essaya de s'imaginer en train de vivre ici. Elle tenta d'imaginer ses fils jouant devant, à l'ombre du grand magnolia, et elle-même plantant des azalées dans le jardin, aujourd'hui à l'abandon. Est-ce qu'ils allaient tous les trois pouvoir se bâtir une nouvelle vie, ici, avec le bébé ? N'était-ce pas une entreprise démesurée que d'acheter une maison en ce moment ? Les garçons ressentaient durement l'abandon de leur père, ils avaient besoin de sécurité et de stabilité — ils en avaient *tous* besoin. Cette maison allait-elle les leur procurer ? Etait-ce bien la *bonne maison* ? Et, si elle s'installait ici, est-ce que Mark y viendrait voir son fils ? Y poserait-il même un jour ses valises… ?

Non, ce n'était pas raisonnable de se laisser aller à de telles divagations. En l'état actuel des choses, l'implication de Mark demeurait une simple vue de l'esprit. Cela dit, Jenna sentait bien que quitter la maison de son père représenterait un moment charnière de son existence.

La porte d'entrée était massive. Jenna s'escrima quelques instants sur la serrure grippée, qui se montrait récalcitrante et soudain, elle se retrouva à l'intérieur. En face d'elle, un escalier impressionnant grimpait à l'étage et, de chaque côté du vestibule, deux larges ouvertures arrondies menaient l'une, à droite, dans une grande pièce en façade et l'autre, à gauche, dans une pièce plus petite, qui devait servir de bureau.

Elle parcourut les pièces du rez-de-chaussée, en prenant tout son temps, caressant du bout des doigts les lambris de bois de rose qui, malgré le manque d'entretien avaient gardé leur éclat. Elle aimait le bruit rassurant de ses pas sur les larges lames du plancher, qui craquaient sous ses pieds. Evidemment, ces pièces hautes de plafond ne seraient pas faciles à chauffer, mais les moulures qui les couronnaient étaient charmantes et chaque salle avait sa cheminée, qui promettait l'hiver une ambiance chaude et confortable.

La petite pièce qu'elle avait prise pour un simple bureau de dimensions modestes lui apparut sous un autre jour quand elle y pénétra et découvrit ses magnifiques étagères de bois massif et les bow-windows qui l'inondaient de lumière. Aussitôt, son cœur se mit à battre plus fort. Même si elle adorait son travail à *MdR*, elle avait toujours rêvé de s'installer à son compte et cet endroit semblait fait pour ça.

Malgré elle, en constatant qu'il y avait place pour deux bureaux, l'idée la traversa de nouveau qu'il lui serait possible de partager la pièce avec Mark. Chacun à sa table, en face l'un de l'autre, ils pourraient travailler tranquillement, sans se déranger. Il leur suffirait de lever les yeux pour communiquer en silence et jouir du bonheur d'être ensemble, tout simplement…

Sauf que cela n'arriverait pas, elle le savait bien, pourtant, alors pourquoi divaguait-elle ? Depuis le départ de Jack, elle s'était efforcée de garder les pieds sur terre et s'était interdit de penser aux hommes comme à des êtres fiables en amour. Et elle y était parvenue. Jusqu'à cette rencontre magique avec Mark.

Il fallait réagir, ne pas se laisser glisser sur cette pente dangereuse. Mark n'entrerait jamais dans le tableau. De toute façon, il devait détester ce genre de maison.

Transie, tout à coup, Jenna se frictionna vigoureusement les bras et retourna dans l'entrée où elle se mit à examiner l'escalier. Les marches légères dessinaient une courbe élégante jusqu'au palier du premier et, au début de la rampe de chêne, un oiseau, délicatement sculpté, qui semblait prêt à prendre son envol, appelait la main. Cela aurait pu être n'importe quelle espèce d'oiseaux, mais la jeune femme décida que c'était un phœnix renaissant de ses cendres. Pas simplement parce que l'idée lui semblait romantique, mais parce que cela lui paraissait une évidence.

« Bon, la maison est jolie, c'est sûr, songea-t-elle. Elle ressemble à une vieille lady un peu fanée. Ça ne veut pourtant pas dire qu'elle soit faite pour toi, que ce soit la bonne… »

Pourtant, dès qu'elle eut posé la main sur l'oiseau, chaud et accueillant sous sa paume, Jenna comprit qu'elle avait trouvé. Oui, oh oui. C'était bien la maison qu'elle attendait.

Le parc de Bear Hollow était idéal pour les grands rassemblements familiaux. Il possédait des kilomètres de sentiers ombragés pour la promenade, un joli lac où l'on pouvait canoter et de nombreux terrains pour les jeux de ballons. En plus, ce jour-là, la clarté du ciel bleu présageait une journée magnifique. Malheureusement, Jenna n'eut pas l'occasion de profiter des charmes du lieu car, dès son arrivée, alors qu'elle se rendait au pavillon où avait lieu le barbecue, elle fut enrégimentée de force par une des filles de tante Penny pour dresser les buffets. Il fallait reconnaître que les organisateurs avaient bien besoin de renfort. Alors que la jeune femme ordonnait sur les tables les couverts, les verres et les piles de serviettes en papier, Amanda, l'amie de Trent, et Louise, la petite cousine de Jenna, disposaient toutes sortes de récipients contenant des mets variés. Vers midi, tous les McNab à portée de voix allaient se rassembler pour le repas.

Un adolescent hirsute, que Jenna supposa être le fils de sa cousine Alice, lui tendit un saladier d'un geste péremptoire, avant de rejoindre, sans plus d'explication, la compétition de frisbee qui se disputait à proximité. Elle souleva le bord du papier d'aluminium et haussa les sourcils. Qu'est-ce que ça pouvait bien être ? Impossible de savoir si c'était du sucré ou du salé. Amanda s'exclama dans son dos :

— C'est fou ce qu'il y en a !

Jenna acquiesça en humant le plat et renchérit :

— Les femmes chez les McNab sont généralement de bonnes cuisinières et elles aiment à partager. On aura bien assez à manger pour nourrir cette horde affamée.

— Ce que je voulais dire, c'est que les McNab sont vraiment nombreux, précisa l'amie de Trent.

Amanda était tombée en arrêt devant les pelouses alentour, où se dispersaient, à perte de vue, les membres du clan : des vieux sur des chaises, occupés à rire et à cancaner, des hommes autour de glacières pleines de bières et de sodas en train de bavarder, des enfants excités qui hurlaient de rire aux facéties du clown qu'on avait engagé pour les occuper afin d'éviter aux adultes de devenir fous... Même en ignorant que cette partie du parc était réservée à la réunion d'une même parentèle, on décelait entre eux certains traits de ressemblance car ils partageaient des caractéristiques physiques. Ils n'étaient pas tous beaux, mais avaient tous un air de bonne santé, un teint frais, des silhouettes déliées, des cheveux brillants et légers, et ce que son père appelait, « la moue McNab » : une large bouche gourmande et expressive.

Christopher lui avait appris qu'Amanda et lui projetaient de se marier et, en voyant la stupéfaction de la jeune femme, Jenna comprit son inquiétude à l'idée de faire partie d'une telle tribu. C'était, d'ailleurs, la réaction qu'elle espérait de Mark quand il arriverait. *S'il arrivait…*

— Ils peuvent être parfois pesants, concéda Jenna. Mais en petit comité, ils sont inoffensifs. Rassure-toi, les environs d'Atlanta n'en comptent qu'une centaine.

Vu l'expression d'Amanda, elle aurait aussi bien pu dire un millier. Jenna lui serra la main affectueusement.

— Tu n'as rien à craindre, Christopher est l'un des plus sensés. Il ne te rendra folle que la *moitié* du temps.

— Très drôle, s'esclaffa la jeune femme. C'est exactement ce qu'il dit de toi.

Louise, que Jenna avait toujours considérée comme une râleuse, se mit à faire tout un cinéma en voyant une pauvre fourmi qui, pour son malheur, traçait un raccourci à travers une des tables.

— Je hais ces insectes, dit-elle en l'écrasant rageusement. Pourquoi ne pouvons-nous pas aller au restaurant et être servis, comme des gens civilisés ?

Jenna lui tendit un rouleau de nappe en plastique.

— Parce qu'il se trouve que tante Penny aime ce parc et que c'est son anniversaire. Alors c'est elle qui décide.

Louise désigna, non loin de là, deux hommes qui déchargeaient une grande cuve d'un camion.

— Ça aussi, c'est son idée, je présume ?

Jenna hocha la tête et expliqua à Amanda.

— C'est pour un jeu. Il faut viser une cible avec une balle et, si on réussit, ça fait tomber à l'eau le volontaire qui se tient sur la plate-forme. Tante Penny adore les animaux et…

— Elle est dingue des chats, coupa Louise. Tu connais ce genre de vieille qui vit avec un milliard de chats et qui parle à ses plants de tomates pour les faire pousser ? Eh bien, tu connais la tante Penny.

— Quatre, ce n'est pas tout à fait un milliard, répliqua Jenna en jetant à sa cousine le regard courroucé qu'elle réservait d'habitude à ses fils.

Elle se sentait obligée de défendre Tante Penny, une de ses parentes préférées.

— Notre tante fait partie de la Société protectrice des animaux dont elle est un membre très actif. Elle a décidé qu'en guise de cadeau d'anniversaire, chacun donnerait un dollar pour tenter sa chance et avoir le droit d'envoyer à l'eau le pauvre bougre qui acceptera de se dévouer. C'est un moyen formidable de récolter de l'argent pour une bonne cause.

Les manutentionnaires, entourés de nombreux adultes et de dizaines de gamins survoltés, manœuvraient pour installer le réservoir.

— Les enfants vont adorer ça, reprit-elle. J'ai entendu mon père demander à oncle Georges de se porter volontaire pour la plate-forme.

— J'aurais dû apporter mon chéquier, déclara Louise réjouie. Je donnerais bien un mois de salaire pour faire plonger ce vieux bouc à la flotte.

Sur ce point, Jenna ne pouvait qu'approuver. Oncle Georges avait l'odieuse habitude de déshabiller du regard toutes les femmes qui passaient à sa portée. Si c'était lui qui se retrouvait perché au-dessus de la cuve, elle allait, elle aussi, faire provision de monnaie. Elle se mit à ranger les assiettes pour faire un peu de place sur les tables.

Et soudain…

— Ouah ! s'exclama Amanda. De quelle branche de la famille *il* descend, celui-là ?

Jenna leva la tête. Suivant le regard de sa future belle-sœur en direction du parking, elle découvrit Mark Bishop. Il sortait de sa luxueuse voiture de sport, qui détonnait un peu parmi les minivans et les breaks. Dès qu'il l'aperçut, il se dirigea vers elle de cette démarche féline qui contribuait à sa grâce virile.

— Celui-là, ce n'est pas un McNab, décréta Louise dont l'estime pour les membres de sa famille était proportionnelle à leurs finances et qui déplorait que la plupart des McNab fassent partie de la classe moyenne.

En regardant Mark approcher, Jenna savoura la vision de sa silhouette déliée, ses cheveux bruns aux mèches rebelles, si douces sous les doigts… Voilà qu'elle retombait dans ce travers misérable qu'elle s'interdisait. Quand donc arrêterait-elle d'espérer et d'attendre en tremblant ce « quelque chose » qu'elle n'arrivait même pas définir ?

Il sourit et lui adressa un grand signe de la main.

— C'est la personne que j'attendais, confia-t-elle aux deux femmes, qui lui jetèrent un regard stupéfait.

Jenna était satisfaite d'avoir téléphoné la veille à Mark pour l'inviter à la fête. Elle désirait qu'il sorte rapidement de sa vie et cela semblait le moyen rêvé. A sa grande satisfaction, dès qu'il aurait posé un œil sur sa famille, il tournerait les talons définitivement. Mais il fallait reconnaître que ce n'était pas si désagréable d'avoir, aujourd'hui, un homme aussi séduisant à ses côtés. Cela clouerait le bec à toutes les mauvaises langues du clan MacNab, qui lui suggéraient de quitter rapidement l'état de divorcée, peu conforme, selon eux, aux traditions de la famille.

— Vous êtes venu.

— Je n'aurais raté ça pour rien au monde, répondit-il, d'un ton mi-figue mi-raisin, sans chercher à l'embrasser mais lui prenant le bras. Pardon d'être en retard.

Rien dans son comportement ne trahissait l'affrontement qui les avait opposés la veille et Jenna, qui se rongeait les sangs depuis qu'il s'était déclaré prêt à faire valoir ses droits devant un tribunal, décida de l'imiter. Elle lui prouverait qu'il n'était pas le seul à savoir sauvegarder les apparences en public. Elle le présenta donc à Louise et Amanda et, en moins de cinq minutes, grâce à ses manières impeccables, au don qu'il possédait de mettre ses interlocutrices à l'aise, et à son rire irrésistible, Mark les avait mises dans sa poche.

— Je peux vous donner un coup de main ? demanda-t-il, aimablement.

— D'abord, dites-moi donc ce que c'est que ça ? A votre avis, c'est un plat principal ou un dessert ? répondit Jenna en lui enfournant une bouchée du mets mystérieux.

Plein de bonne volonté, Mark mastiqua d'un air concentré pendant quelques secondes avant de conclure :

— C'est du poulet.

Il continua à mâcher quelques secondes et, après avoir affiné sa recherche, ajouta en grimaçant :

— Avec un drôle d'assaisonnement à... à la guimauve. Rassurez-moi, ce n'est pas ce qu'on va nous servir à midi ?

— Non, sauf si vous êtes dans les derniers à faire la queue, le rassura Jenna. Allez, vous avez mérité une bonne bière pour vous rincer la bouche. Et puis je suis sûre que vous brûlez d'être présenté à toute ma famille, ajouta-t-elle en se dirigeant vers le barbecue que deux de ses cousins étaient en train d'allumer, entourés d'une foule de spectateurs.

Comme elle s'en doutait, son père était parmi eux, à prodiguer des conseils dont personne n'avait que faire. Mark, qui marchait à son côté, lui lança un regard en coin.

— Qu'est-ce que vous leur avez dit ?

— Je leur ai raconté l'histoire des coups de téléphone. Que Petey et J.D. s'étaient mis en tête de me trouver un mari — il valait mieux éviter de mentir sur ce point car je ne pense pas que les garçons soient capables de garder un secret — et que, comme vous vous trouviez dans les parages, nous avions décidé de faire connaissance. J'ai expliqué que comme vous étiez tout seul ce week-end, j'avais eu pitié de vous et que je vous avais invité à la fête.

— Vous pensez qu'ils ont avalé ça ?

— Eh bien, on va bientôt le savoir, répondit Jenna.

Assis à une table de pique-nique, Petey contemplait son hamburger d'un air dégoûté. Sa mère préparait de gros steaks hachés, épais et bien juteux, mais celui-ci, c'était son cousin Larry qui l'avait cuit et il ressemblait à un frisbee cramé. Jamais il ne pourra manger ça, se dit-il en fixant son assiette avec perplexité. Que faire ? Autour de lui, circulaient de nombreux plats, mais il n'était pas du tout attiré par ces satanées salades de pommes de terre et tous ces œufs dégoûtants. Ce qu'il voulait, c'était un bon hamburger. Sa mère aurait mieux fait de s'intéresser à son pauvre fils affamé, au lieu de s'occuper des autres convives. Il sentit qu'on lui touchait l'épaule et entendit une voix dans son dos.

— Goûte donc celui-ci, proposa Mark Bishop, en échangeant son assiette contre la sienne avant que Petey ait eu le temps de dire ouf.

Le gamin observait attentivement Mark qui assaisonnait copieusement son hamburger raté d'une grosse giclée de ketchup. Après y avoir ajouté des feuilles de laitue, des rondelles de tomates et du fromage, l'homme mordit dedans à belles dents.

— Ce n'est pas bon, hein ? demanda le gamin en fronçant les sourcils.

— Comparé au poulet à la guimauve, c'est un délice, rétorqua Mark, négligemment.

Qu'est-ce qu'il voulait dire ? Ça devait être encore un truc d'adulte, se dit Petey en attaquant à son sandwich. Au fond, si tout se passait bien aujourd'hui, c'était grâce à lui. Ç'avait été une très bonne idée de téléphoner à ce Mark Bishop. Il avait une supervoiture, même si ce n'était qu'une location, et les jacasseries perpétuelles de J.D. sur les Cyberlons n'avaient pas trop l'air de l'énerver. En plus, il semblait plaire à son grand-père et à ses oncles. Enfin peut-être pas à oncle Christopher. Mais lui, c'était un policier et il se méfiait de tout le monde.

Sa mère, une assiette presque vide à la main, finit enfin par arriver à leur table et prit place près d'oncle Christopher. Elle lui sourit.

— Si j'avais su que je devrais m'occuper de la cuisine, j'aurais apporté un tablier. Comment sont ces hamburgers ?

— Fameux, répondit Mark en adressant un clin d'œil à Petey.

— Merci de vous être occupé des garçons.

— Ce n'est rien.

— Maman, déclara J.D., Mark connaît le capitaine Treadway. Tu te rends compte ! Je veux me lever de table.

— Est-ce que je peux me lever de table ? rectifia instinctivement sa mère, avant de hocher la tête.

Le petit quitta aussitôt sa place et se dépêcha de rejoindre le coin du pavillon où le clown, un petit singe sur son épaule, continuait son numéro.

— Vous lui avez dit que vous connaissiez le capitaine Treadway ? demanda sa mère, incrédule.

Elle savait bien que le capitaine était une grande star et que peu de gens avaient la chance de rencontrer des vedettes de télé.

— Un des derniers épisodes des *Guerriers de l'espace* a été tourné à Orlando, expliqua Mark. Je l'ai rencontré à une réception. Je dois dire qu'il m'a paru beaucoup plus intéressé par le bar que par la traque des Cyberlons.

Petey, qui se considérait comme un grand garçon, trop vieux pour croire encore aux aventures spatiales du capitaine Treadway, tira Mark par la manche.

— Il ne faut pas le dire à J.D. Pour lui, toutes ces histoires sont vraies.

— Lui dire ça, pour qu'il pense que je suis un traître à la Fédération, jamais ! répliqua Mark, feignant la terreur.

Les deux complices se mirent à rire et Petey remarqua que sa mère leur jetait un drôle de regard.

Petit à petit, les participants à la fête retournaient aux activités qu'ils avaient délaissées pour déjeuner. Petey qui redoutait d'être embrigadé dans une partie de base-ball, car il n'était pas doué et détestait ça, désirait se rendre du côté du bassin pour assister au tir à la cible. Ça, au moins, c'était drôle et tout le monde attendait avec impatience le début du jeu. Il jeta un coup d'œil à son oncle Chris qui terminait son soda, main dans la main avec Amanda, et demanda :

— Tu vas prendre ton tour au-dessus de la cuve ?

— Pas question.

— L'argent recueilli ira à une bonne cause, renchérit sa maman.

Mark, qui était assis à côté de Petey, déclara à son oncle :

— Vous n'avez qu'à donner un chèque. Comme ça vous éviterez de vous mouiller.

Petey sentit que la suggestion ne plaisait pas beaucoup à sa mère, qui se retourna et toisa Mark Bishop.

— Bien sûr, on peut toujours tout résoudre avec l'argent. Mais tante Penny estime que ça a plus de sens et donne de meilleurs résultats si chacun s'implique personnellement, expliqua-t-elle calmement.

Elle n'avait pas l'air irritée mais Petey, qui la connaissait bien, savait qu'elle l'était. Il jeta un coup d'œil à Mark qui continuait, imperturbable, à manger son hamburger. On voyait bien que celui-là ne connaissait pas sa mère aussi bien que lui.

Maintenant, le clown faisait le tour des tables et se promenait avec un énorme serpent autour du cou. Visiblement, personne ne semblait prêt à s'approcher de la bête pour la caresser. Ce n'était pas comme tout à l'heure avec le petit singe. Le clown s'arrêta derrière la maman de Petey.

— Salut les copains. Je vous présente mon ami, Cricket. Cricket, dis bonjour à la jolie dame, déclara le saltimbanque, et, avant que Jenna ait pu réagir, il fit passer les deux extrémités du reptile par-dessus sa tête et le lui déposa sur les épaules.

Petey vit sa mère se figer et blêmir et se sentit très mal à l'aise. Il savait qu'elle était terrorisée par les serpents, même par les tout petits qu'on trouvait au fond du jardin.

— Cricket est un python de Birmanie, expliqua le clown à sa maman tétanisée. Vous pouvez le caresser, il est très gentil.

Petey qui voyait que sa mère avait du mal à respirer, ne savait comment lui venir en aide. C'était son rôle de la protéger. Oui, mais comment faire ? Le serpent était presque aussi gros que lui et il en avait un petit peu peur lui aussi. Il dévisagea le clown en se demandant si tout le monde allait se mettre en colère s'il se dressait et se jetait sur… Soudain, Mark Bishop se leva brusquement, fit le tour de la table et s'approcha de sa mère.

— Ça vous ennuie si je le regarde de plus près. Vous permettez ?

Et, sans attendre sa réponse, Mark saisit le reptile et l'écarta d'elle. Sa maman n'avait répondu que par un timide hochement de tête, mais Petey voyait bien qu'elle était soulagée. Mark exécuta tout un numéro avec le serpent. Il le caressa, l'enroula autour de son bras puis finalement le rendit à son propriétaire, qui s'éloigna en direction d'un groupe de cousines McNab, complètement idiotes, qui se mirent à grimacer et à hurler à l'approche de la bête.

— Ça va ? demanda Mark à sa mère, en se penchant si bas que personne, excepté Petey ne put entendre ce qu'il lui disait.

Sa maman avait l'air d'avoir recouvré ses esprits, maintenant, et elle lui demanda.

— Comment avez-vous deviné ma phobie ?

Mark jeta un regard à Petey.

— Quand votre fils m'a questionné pour savoir si je pouvais vous convenir comme mari, il m'a appris que vous aimiez tous les animaux, sauf les reptiles. De toute façon, c'était facile à deviner : vous êtes devenue blanche comme un linge quand cet imbécile vous l'a posé autour du cou.

Sa mère rit nerveusement et remercia Mark qui n'avait pas l'air de prendre au sérieux l'exploit qu'il venait d'accomplir. Petey en fut très impressionné. Au fond, ça serait bien agréable d'avoir un tel homme pour prendre soin d'elle mieux qu'il ne pouvait le faire.

Même si ce n'était pas son papa, au moins, cet homme avait le mérite d'être présent.

Après le repas, Mark fut enrôlé de force par une bande de vieux McNab pour jouer aux fers à cheval. Il détestait ce jeu qu'il trouvait soporifique et qu'il n'avait pas pratiqué depuis sa dernière colo. Ce truc ne requérait aucune adresse particulière, c'est pourquoi il trouva particulièrement vexant de se faire ratatiner par des vieillards cacochymes qui paraissaient à peine capables de *soulever* un fer à cheval. Quand il lança pour la deuxième fois, son fer atterrit si loin de la cible que tous ces vieux schnoque faillirent s'étouffer de rire. L'oncle de Jenna, Toddy, lui donna une grande claque dans le dos.

— Mon petit gars, un cheval se débrouillerait mieux que vous.

Mark sourit jaune, espérant que Jenna allait enfin arriver à sa rescousse. Mais elle l'avait abandonné pour aller papoter avec un groupe de femmes. Elle cherchait sûrement à l'éviter. Même si, jusqu'à présent, elle s'était montrée aimable, il sentait bien qu'elle n'était pas du tout déterminée à accepter sa demande en mariage. Il fallait qu'il se montre prudent. Si la Jenna se sentait acculée, elle risquait de réagir violemment et, dans l'état de nerfs où elle se trouvait, surchargée de soucis, de craquer.

Il observa les alentours pour voir s'il l'apercevait et découvrit Lauren Hoffman qui descendait de voiture. Il fallait s'y attendre. Les trois associées de *MdR* étaient des amies d'enfance, elles avaient grandi dans le même quartier et Lauren et Vic connaissaient bien les McNab. Il savait qu'elles étaient conviées à venir faire un tour à la fête. Il remarqua que la photographe, après avoir salué certains membres du clan, parlait avec Trent.

Ça pouvait se révéler dangereux. Lauren n'était peut-être pas au courant pour le bébé, mais Jenna l'avait averti que la photographe avait compris ce qui s'était passé à New York. Est-ce qu'elle était capable d'aller tout raconter à Trent ?

L'esprit ailleurs, Mark continua à jouer avec les anciens, sans réussir à se concentrer sur ce qu'il faisait. Tout en réfléchissant, il cherchait à se rassurer, persuadé qu'il s'inquiétait inutilement. Les hommes de la famille de Jenna étaient très protecteurs envers elle, certes, ce qui était normal, mais ils ne s'en étaient pas moins montrés cordiaux avec lui.

A l'exception peut-être de Christopher, dont les longs silences et les regards soupçonneux pouvaient s'expliquer par la déformation professionnelle. Trent, en revanche, était plus facile à manier. Même si c'était un grand costaud, il n'était pas bien redoutable et n'impressionnait pas le moins du monde Mark, habitué aux coups fourrés et aux luttes sans merci du milieu des affaires.

Quand, dix minutes plus tard, Lauren s'éloigna de Trent pour aller saluer William McNab, le frère de Jenna lui adressa un regard dégoûté et marcha droit dans sa direction. Mark décida de faire comme si de rien n'était. « Garde ton calme, mon vieux », s'admonesta-t-il en s'éloignant du jeu pour aller se servir une bière dans une glacière. Pendant que l'homme s'approchait de lui, il but quelques gorgées, puis il le salua d'un petit signe de tête.

— Vous vous amusez bien ? demanda Trent McNab.

— Il fait beau, la bière est fraîche, tout le monde est sympa, répondit Mark en embrassant tous les environs du regard. Que demander de plus ?

— Vous ne devez pas être très habitué à ce genre de sauteries, non ?

— A quoi ? Aux pique-niques ou aux réunions de familles ?

— Aux deux. Ce n'est pas vraiment pas votre tasse de thé, si ?

Mark considéra Trent attentivement. Ce type remâchait ses griefs, mais ne semblait pas prêt à sortir ce qu'il avait sur le cœur. Il dégageait une agressivité manifeste.

— C'est vrai que je me sens plus à l'aise dans un bureau, si c'est ce que vous vouliez m'entendre dire, répondit-il railleur. Mais je sais me tenir en société.

Trent désigna de la tête un vieux, englouti dans sa chaise pliante.

— Si j'étais vous, j'éviterais de me faire coincer par oncle Fred, sinon il va vous bassiner indéfiniment avec la guerre. Et tante Wanda, elle aussi, est à fuir, ajouta-t-il en pointant une vieille dame coquette, qui s'éventait avec son chapeau de paille. Elle est férue d'astrologie et ne sera contente que quand elle vous aura raconté en détail l'atroce futur qui vous guette.

— C'est bon à savoir, répondit Mark qui préférait que la conversation garde un tour léger. Quoique, ça pourrait m'être utile de connaître un peu mon avenir.

Un silence pesant s'installa. Mark remarqua que Trent se balançait d'avant en arrière. On ne pouvait pas dire que la subtilité était son fort. De plus en plus irrité, il avala une gorgée de bière et se tourna vers le frère de Jenna.

— Vous ai-je déplu en quoi que ce soit ?

— Non, répondit Trent, un peu gêné. Pourquoi ? C'était votre intention ?

— Pas que je sache.

— Très bien, alors.

— Vous avez l'air préoccupé.

— Je viens de parler avec une vieille amie de la famille : Lauren Hoffman.

« Enfin ! pensa Mark. Allez crache le morceau, mon vieux. »

— J'ai remarqué qu'elle était là.

— Oui, c'est une amie très proche de ma sœur. Elles sont très solidaires, vous savez.

— C'est agréable d'avoir des amies sur qui on peut compter.

— Ouais. Elle m'a raconté quelque chose d'instructif. Que vous vous étiez rencontrés à New York, Jenna et vous, et que vous étiez celui qu'elle était allée interviewer, il y a quelques semaines.

— C'est vrai. Jenna et moi avons passé quelques heures ensemble et nous nous sommes très bien entendus.

Trent McNab serra les mâchoires et resta un moment muet avant de demander :

— Pour information c'était avant ou après que votre fiancée vous ait envoyé sa bague à la figure ? C'est pour mes tablettes.

— Pour vos tablettes ? répliqua Mark qui sentait son pouls s'accélérer et savait qu'il devait se montrer prudent. Je me demande ce qui me vaut un pareil interrogatoire ?

— Pas besoin de monter sur vos grands chevaux, déclara Trent en faisant de la main un geste d'apaisement. On discute, c'est tout. Ça a dû vous faire un coup qu'une femme de la classe de Shelby Winston vous plaque ?

— Shelby n'est pas une femme ordinaire, c'est un fait.

— Ma sœur non plus.

— Voilà, au moins, un point sur lequel nous sommes d'accord, concéda Mark aimablement.

— On dirait que vous êtes passé drôlement vite de la fille du sénateur Wiston à ma sœur, non ? reprit Trent, qui semblait décidé à plonger dans le vif du sujet. Je ne crois pas que j'aime beaucoup l'idée…

— Trent McNab ! s'exclama dans son dos la voix haut perchée de tante Wanda, la pythie de la famille, qui l'entraîna énergiquement en le tirant par le bras. J'ai eu un sombre pressentiment à ton sujet la nuit dernière. Il faut absolument que je t'avertisse.

Comme la vieille dame se lançait dans de sinistres prédictions, pleines de conjectures mystérieuses, qui ne pouvaient souffrir la moindre interruption, Mark en profita pour s'esquiver, espérant qu'il n'aurait pas à repousser d'autres attaques d'ici à la fin de la journée. Il en venait presque à plaindre le pauvre Trent qui supportait son épreuve avec résignation en hochant la tête, de temps en temps, pour prouver à sa tante qu'il l'écoutait.

— Vous n'êtes pas obligé de le faire, répéta Jenna pour la troisième fois.

— Si, si. Tout à l'heure, vous avez été très claire. Grâce à vous, j'ai compris la différence entre le dévouement charitable et le froid pouvoir de l'argent, répliqua Mark.

— Ce n'est pas une raison pour participer à ce jeu.

Jenna et Petey se tenaient tous deux devant la cuve que Mark s'apprêtait à gravir. Sa décision soudaine avait été en partie motivée par les incitations des hommes de la tribu McNab, mais, surtout, par l'expression de Jenna quand elle lui avait exprimé sa façon de penser sur sa manière de remplir ses obligations charitables.

— Rassurez-vous, reprit-il en souriant, j'ai vu les membres de votre famille jouer au base-ball. Ils seraient incapables de toucher un éléphant.

— Méfie-toi, oncle Christopher tire très bien, l'informa Petey. C'est lui qui me fait travailler mes swings.

— C'est mon jour de chance, répondit Mark, qui se disait qu'après avoir échappé, sans dommage, aux attaques de Trent, il avait des raisons de croire en sa bonne étoile.

Dès que Petey, qui rejoignait le poste de tir, ne fut plus à portée d'oreille, Jenna se tourna vers lui.

— Avouez que vous faites ça exprès pour m'embêter.

— Je fais quoi ?

— Vous faites exprès de vous montrer charmant. Je suis sûre que vous cherchez à prouver quelque chose.

— Et qu'est-ce que je cherche à prouver, d'après vous ?

— Que vous avez votre place dans mon univers.

— J'ignorais que je venais d'une autre planète, s'esclaffa Mark. J'ai *déjà* assisté à ce genre de réunions, vous savez. Je me suis même rendu, une fois, au pique-nique de mes employés.

— Et ça vous a plu ?

— Et bien en fait, non, avoua-t-il, après avoir hésité à mentir. Mais c'était seulement parce que je n'avais personne comme vous, auprès de moi, pour m'aider à passer du bon temps.

— Je me fiche que vous ayez…, commença Jenna, qui s'interrompit brusquement en lui lançant un regard noir. Très bien. Pensez ce que vous voulez. *Faites* comme vous voulez. Mais quand vous vous retrouverez trempé comme une soupe, ne venez pas vous plaindre.

Comme elle s'éloignait, il la rattrapa par un bras, qu'il serra doucement, comme s'il testait ses muscles.

— Vous vous croyez capable de me faire tomber dans ce bassin ?

— Vous m'avez sauvée de ce monstre, alors, même si cette perspective me réjouirait, je laisse ce soin au reste de la famille.

— Ce n'était qu'un clown inoffensif, répliqua Mark, comme s'il n'avait pas compris qu'elle parlait du serpent.

Jenna se mit à rire, d'un rire léger et cristallin.

— Puisque vous vous sentez une dette envers moi, ça devrait faire avancer les choses en ma faveur, non ? reprit-il, charmeur.

— Pas le moins du monde. Croyez-moi, ça ne vous servira à rien, répliqua-t-elle, sans se laisser attendrir.

Mark eut un profond soupir d'exaspération. Pourtant, en la regardant, il comprit soudain ce que les publicitaires recherchaient en dépensant des montagnes de dollars pour vendre des produits de beauté. Dans la lumière de l'après-midi, Jenna était resplendissante. Sa peau avait la douceur veloutée d'une rose. Cette pensée avait surgi aux confins de son esprit sans qu'il puisse la refouler et il sentait le désir bouillonner dans ses veines. Il aurait voulu prolonger ce moment pour l'éternité et oublier ces jeux idiots, cette parentèle bruyante et ces hamburgers cramés.

Pendant qu'il ôtait ses chaussures et ses chaussettes, Jenna le quitta pour rejoindre les autres. Il gravit la courte échelle qui menait au bord de la cuve et fut soulagé de constater que l'eau n'était pas très profonde. S'il avait la malchance de tomber sur un McNab plus adroit que les autres, ce ne serait pas tragique. Heureusement, la journée tirait à sa fin. Il lui tardait que ça se termine.

Mark avait été sincère avec Jenna. Il n'était pas habitué

à ce genre de réjouissances, à ces rassemblements joyeux et décontractés entre vieilles connaissances, toujours contentes de se revoir. Ici, personne n'avait d'arrière-pensées, de plan de carrière, de besoin de paraître. La famille de Jenna se composait de gens simples et travailleurs, avec, pour mettre un peu de sel, quelques originaux. Il devait avoir l'air d'un extraterrestre au milieu de ce monde tranquille et il se rendait bien compte qu'elle aurait préféré le voir ailleurs.

Quand il lui avait proposé d'essayer de mieux se connaître, tous les deux, elle n'avait donné son accord qu'à contrecœur et semblait totalement pessimiste sur l'issue de l'expérience. C'est sûr qu'en voyant tous ces gosses avec leurs parents, Mark avait touché du doigt qu'avoir des enfants n'était pas une sinécure... Mais si c'était une entreprise impossible, pourquoi tant de gens s'obstinaient-ils à en avoir ? « Il me faut un peu de temps pour m'adapter, c'est tout », songea-t-il.

Trent McNab qui, heureusement, depuis qu'il s'était fait alpaguer par tante Wanda ne lui avait plus cherché de poux dans la tête, prit position pour tirer le premier.

« Allez, mon vieux. Montre-nous ce que tu as dans le ventre », pensa-t-il.

Une demi-douzaine de jets plus tard, Mark était toujours assis au sec et commençait à s'ennuyer ferme, quand Trent, déçu, haussa les épaules et se replia vers les glacières pour se consoler d'une bière.

D'autres tireurs se mirent en lice, dont le père de Jenna et même Petey et J.D. Mais aucun ne réussit à le faire choir. Comme ceux qui l'avaient précédé, Mark se mit à faire des pitreries pour provoquer ses adversaires. Ça ne fit que rendre les jets plus agressifs. Il était peut-être temps de laisser son tour à quelqu'un d'autre, parce qu'il commençait à trouver le temps long. C'est alors que Christopher prit place sur la plate-forme de tir. S'il s'était aussi entretenu avec Lauren Hoffman, le policier lui avait sûrement tiré les vers du nez, car il était sans doute plus doué pour ça que son frère. Depuis le début, le policier n'avait cessé de le fusiller du regard et il n'avait pas dissimulé son dépit quand ses neveux avaient préféré s'asseoir auprès de l'invité de leur mère, plutôt qu'à côté de lui.

Mark jeta un regard en direction de Jenna et vit qu'elle avait l'air réjoui. C'était mauvais signe.

Autant affronter le combat.

Il décida donc de rester en place et se mit à encourager son adversaire :

— Allez-y, inspecteur, dégommez-moi et vous aurez droit à un beignet.

Il vit Jenna interloquée. Chris ne se laissa pas démonter aussi facilement et esquissa juste un petit sourire. Il lança la première balle trop à gauche et Mark commença à se détendre. Les hommes du clan McNab étaient vraiment de piètres tireurs.

— Est-ce que vous ne *voyez* pas la cible, inspecteur ? cria-t-il en lançant à Jenna un regard de terreur feinte, accompagné d'un grand geste de la main.

Elle lui retourna un large sourire qu'il eut à peine le temps d'entrevoir, car déjà la balle suivante arrivait droit sur lui. Aussitôt, il sentit le perchoir céder sous ses pieds et se retrouva brutalement plongé dans une eau si froide qu'il en fut saisi.

Tandis qu'il émergeait ruisselant en se retenant au bord de la cuve, il entendit les applaudissements et les sifflets des spectateurs qui se réjouissaient de sa chute. Ouvrant les yeux, il vit Jenna s'approcher avec une serviette de bain qu'elle lui tendit, la mine satisfaite, à sa sortie du bassin.

— Je parie que votre frère était prêt à dépenser tout son salaire pour le plaisir de me descendre, dit Mark en s'essuyant la figure.

— J'ai essayé de vous prévenir, répondit-elle l'air entendu.

— Si Trent ne m'aime pas, Christopher, lui, ne cache pas non plus ses sentiments.

— Vous vous conduisez tous comme des gorilles, à toujours vouloir impressionner vos congénères.

Mark arrêta de se sécher les cheveux et lui décocha un regard acéré.

— Y a-t-il encore un de vos parents dont je doive me méfier ?

— Vous le découvrirez tout seul, lança-t-elle par-dessus son épaule en s'éloignant. En fait, c'est des femmes McNab qu'il faut vous garder.

Quelques instants plus tard, voyant Christopher s'approcher de lui, Mark se dit qu'il avait intérêt à mettre le frère de Jenna dans sa poche s'il voulait marquer des points avec elle.

— Joli coup, déclara-t-il.

A la vue de Mark tout trempé, le policier eut un sourire amusé.

— Ça va ?

— Une bonne heure au soleil et on n'en parlera plus.

Alors que Chris s'éloignait, Mark l'interpella. Il se retourna l'air interrogatif.

— Vous savez, je n'ai pas l'intention de faire du mal à votre sœur.

— Heureusement pour vous, répondit Christopher, parce que si c'était le cas, je vous taillerais en pièces. Et ce n'est pas votre fric ou vos relations qui m'arrêteraient. Pour votre gouverne, sachez que je ne passe pas mon temps à manger des beignets, je pratique aussi la musculation. Pigé ?

— Oui, je crois.

Satisfait, le policier fit un petit signe de tête et prit congé.

Une heure plus tard, les vêtements de Mark étaient encore humides, mais il n'était plus frigorifié. Il devait avoir l'air d'une épave, mais il n'y avait pas d'autres dégâts à déplorer.

La fête était terminée et la plupart des gens étaient retournés chez eux, après moult baisers et embrassades entre cousins. Devant tant d'effusions, Mark s'était senti un peu mal à l'aise. Les démonstrations d'affection en public étaient une des choses qui ne se faisaient pas dans la famille Bishop et il pouvait compter sur les doigts d'une main le nombre de fois où il avait vu ses parents s'embrasser.

Jenna était restée pour aider au rangement. Quand l'heure fut venue de rentrer, il l'accompagna à sa voiture, portant J.D., profondément endormi, dans ses bras. Petey, épuisé, les précédait en traînant les pieds. Comme la tête du petit ballotait contre son épaule, Mark le souleva, afin de lui trouver une position plus confortable. De tels moments devaient faire partie des plaisirs que procurait la paternité. Que ressentait-on quand on portait ainsi son propre enfant ? Si seulement Jenna pouvait entendre raison.

— Il n'est pas trop lourd ? demanda la jeune femme, qui le surveillait du coin de l'œil.

— Non, ça va.

Ils arrivèrent au minivan, où Mark installa le gamin dans son siège, puis il tint son canon laser pendant que Jenna bouclait la ceinture, ce qui avait l'air d'un vrai casse-tête chinois. Pendant ce temps, Petey, à moitié endormi, escaladait l'autre côté de la banquette. Alors que sa mère finissait de le sangler, J.D. ouvrit les yeux et, découvrant Mark, lui décocha un sourire à faire fondre un iceberg.

— Tu viendras nous voir demain ?

— Bien sûr.

Le petit se rendormit aussitôt. Après avoir jeté un coup d'œil à son aîné pour vérifier qu'il était bien attaché, Jenna claqua la portière et s'appuya contre le battant et, ne sachant comment se dire au revoir, ils restèrent face à face, sans mot dire, le temps de quelques battements de cœur. Elle était si près qu'il aurait pu compter les taches de rousseur sur son nez.

— C'était une belle journée, finit-il par dire pour briser le silence.

— Très belle, soupira-t-elle, heureuse.

— J'aime bien votre famille.

— Vous avez vraiment été très fair-play.

— Pourquoi avez-vous l'air si surprise ? Je possède quelques qualités, vous savez.

— Dont la modestie, je suppose, ironisa Jenna.

— Votre fils trouve que je suis supercool, répondit Mark en désignant J.D.

— Il est jeune et facilement impressionnable. Il suffit d'avoir rencontré le capitaine Treadway pour obtenir tous ses suffrages. Ce n'est pas le cas du reste de la famille, comme vous avez pu le constater. Ils sont beaucoup plus coriaces.

— J'avais remarqué, répondit-il. J'ai cru que votre frère Christopher allait m'obliger à donner mes empreintes.

La chose était-elle plausible ? A voir la réaction de Jenna, on pouvait se le demander. Mark se mit à rire.

— Je plaisante.

Jenna rit de bon cœur avec lui et parut se détendre. Comme la brise au parfum de miel avait rabattu quelques mèches châtain doré contre ses tempes, il les saisit délicatement et les remit en place. Son doigt dessina alors doucement la courbe de sa joue, sans que la jeune femme ne réagisse. Seule sa peau rosit légèrement.

— Vous avez pris le soleil, déclara-t-il.

Jenna acquiesça et lui lança un regard nerveux, qui trahissait sa méfiance. Mark était exténué. Cette journée avait été aussi usante qu'une négociation, vingt-quatre heures de rang, avec le groupe Castleman. Est-ce qu'il n'avait pas droit à une petite récompense ? Son envie impérieuse ne souffrait aucun retard. Avide de poser sa bouche sur les lèvres douces et fermes de Jenna, il l'attira contre lui et constata qu'elle ne résistait pas. Elle semblait même souhaiter qu'il aille plus loin. *Juste un baiser, un seul baiser.*

— Maman, où est mon canon ? pleurnicha soudain J.D. effrayé, à l'intérieur de la voiture.

— Ici, mon gars, répondit Mark en posant le jouet dans les bras tendus du garçonnet.

Croisant le regard de Jenna, il comprit à son petit sourire contrit qu'il avait raté l'occasion de l'embrasser. Il avait beau regimber, il savait, aussi bien qu'elle, que le moment était passé et qu'il fallait s'y résigner. Il posa de nouveau la main sur sa joue, puis la laissa lentement retomber.

— On se téléphone, dit-il en s'éloignant rapidement avant de changer d'avis.

Chapitre 10

Deux jours plus tard, Jenna rêvait toujours à cette promesse de baiser qui n'avait pu aboutir. Les trois associées étaient réunies dans le bureau de Vic et Jenna avait beau s'efforcer de se concentrer sur ce que racontaient ses amies, chaque fois qu'il se produisait un blanc dans la conversation, elle retombait dans sa rêverie et revivait ces quelques heures dans le parc en privilégiant évidemment le dernier épisode près de la voiture. A sa décharge, ce n'était pas tout les jours qu'un homme superbe, qui plus est père de votre enfant, vous mettait la tête à l'envers rien qu'en vous prenant dans ses bras.

Evidemment, comme la jeune femme ne voulait pas du tout que Mark Bishop squatte sa vie, ce baiser représentait pour elle un problème épineux. C'était exactement le genre de tentation qu'il fallait qu'elle évite. Pourquoi se compliquer l'existence et compter sur un homme qui, aujourd'hui, considérait peut-être la paternité comme un agréable divertissement, mais qui s'en lasserait inévitablement, avant même que la première page du « Livre de bébé » soit complétée. Si un jour elle se remariait, elle aurait besoin d'un homme solide, pas de quelqu'un qui n'avait qu'à se pencher sur elle pour lui mettre la tête à l'envers.

— Alors, on est d'accord ? demanda Vic.

Jenna retomba sur terre. Elle se souvenait vaguement que la

181

discussion tournait autour d'un nouvel annonceur du journal : Treasures, un fabricant de prêt-à-porter, spécialiste des tenues de mariage. Victoria leur avait expliqué en détail que son président, Avery Lundquist, était prêt à engager une campagne publicitaire de dimension nationale pour promouvoir ses nouveaux modèles, dont *MdR* serait la vitrine idéale.

— Tout à fait, tu as parfaitement raison, Vic, répondit la jeune femme avec d'autant plus de conviction qu'elle n'avait rien écouté.

— Elle n'a pas entendu un mot de tout ce que tu as raconté, elle était dans la lune, dénonça Lauren.

— Tant pis, c'est trop tard, répliqua Victoria d'un ton neutre. Il faut qu'on y aille.

Inquiète, car elle se demandait ce qu'elle avait bien pu cautionner, Jenna, se rassit résignée.

— C'est vrai, je n'écoutais pas, avoua-t-elle. Alors, où est-ce qu'on doit aller ?

Comme toujours, Vic était montée sur ressorts. Elle était déjà arrivée à la porte, quand elle se retourna pour répondre.

— C'est trop tard, je ne vais pas recommencer de zéro. En bref : Avery donne une fête ce soir pour lancer sa nouvelle campagne, et on est toutes invitées.

— Oh, très bien, répondit Jenna, soulagée.

Elle n'aimait guère les réceptions d'entreprise, mais quelquefois il fallait savoir se dévouer pour le bien du magazine. Elle avait juste le temps de plonger au fond de son armoire pour déterrer son unique robe de cocktail.

— Avery ? releva Lauren, d'un ton inquisiteur. Depuis quand l'appelles-tu par son prénom ?

— Depuis quelque temps, répondit Vic, qui, contrairement à son habitude, préférait rester dans le flou. Après tout, cet homme désire investir un énorme budget dans notre prochain numéro. Ça devrait te réjouir, ajouta-t-elle en s'adressant à

Jenna. Depuis le temps que tu nous harcèles pour que nous recrutions de plus gros annonceurs.

— Pas obligatoirement plus gros, précisa Jenna. Seulement un peu plus réguliers dans le paiement de leurs factures.

— Avery Lundquist est plein aux as. Il est charmant, ce qui ne gâte rien, il a beaucoup de relations, et son implication dans *MdR* va mettre le journal en lumière. C'est tout bonus pour nous.

— Tu es sûre qu'il ne s'intéresse pas à autre chose qu'à *MdR* ? C'est ce que tu cherches ? demanda Lauren.

— Je ne suis pas encore fixée, répondit Victoria. Quoi qu'il en soit, ce soir, promettez-moi d'en mettre plein la vue. Je veux que vous soyez éblouissantes. Bien sûr, nous devons avoir l'air professionnel, mais aussi sophistiqué. Pour ne pas dire sexy, ajouta-t-elle en adressant à Jenna un regard d'avertissement. Toi, tu n'as pas intérêt à me ressortir cette insipide petite chose bleue que tu arbores chaque fois qu'on sort.

— Je suis comptable, protesta la jeune femme. Ce n'est pas mon rôle d'attirer les regards.

— Eh bien, tu vas t'y mettre, répliqua Vic d'un ton sans appel. Notre contrat avec Treasures peut nous propulser sur les devants de la scène. Il y aura beaucoup de gens qui comptent à cette soirée.

— Dommage que ce ne soit pas un déjeuner d'affaires, déclara Lauren, après avoir adressé un clin d'œil à Jenna. Cette demoiselle possède un ensemble rouge qui fait beaucoup d'effet sur les hommes.

De retour dans son bureau, Jenna se creusa la tête pour trouver comment obéir aux directives de Victoria avec un budget aussi serré que le sien. A cause de ses fonctions au journal, son amie se rendait à d'innombrables réceptions et possédait donc une garde-robe bien fournie, mais ce n'était pas son cas. C'était complètement idiot de dépenser une fortune pour un vêtement dont elle n'aurait que faire par la suite. Si seulement elle pouvait avoir assez de cran pour résister aux pressions de Vic.

Elle ramassa une pile de messages en se demandant si elle pourrait partir du bureau à temps pour faire un petit tour à la boutique du coin. Quelle plaie que de devoir sortir ce soir. Elle qui n'aspirait qu'à une chose, s'asseoir au calme avec un papier et un crayon pour réfléchir au plan de financement de sa future maison.

Sa secrétaire l'avertit que Mark Bishop était au téléphone. Il tombait bien, celui-là ! Elle décrocha et le salua de son ton le plus professionnel.

— Vous avez l'air en colère, constata-t-il.

— C'est vrai.

— C'est à cause de moi ? demanda-t-il, sans se formaliser.

— Non, à cause du travail. Vous, vous n'êtes qu'exaspérant, comme les moustiques qui m'enquiquinent la nuit dans mon lit.

— Votre lit, Jenna ? murmura-t-il, d'une voix grave qui la remua, je n'ose penser que c'est une invitation. Vous savez que c'est le seul endroit où je rêve d'être.

Le rouge lui monta aux joues. Heureusement qu'il ne pouvait pas la voir.

— Aviez-vous d'autres raisons de m'appeler, a part pour dire des obscénités ?

— Eh bien, oui, dit-il en éclatant d'un rire qui la toucha au cœur. Je sais que je m'y prends un peu tard, mais voudriez-vous sortir avec moi, ce soir ?

— Je ne peux pas. Je suis prise.

— Vous sortez avec un homme ? demanda-t-il, sans dissimuler sa déception.

— Je dois me rendre à un cocktail pour le magazine et je

suis sûre que je vais m'y ennuyer à mourir. Vous connaissez, comme moi, ce genre de réceptions où il faut absolument se montrer. Je vous parie qu'en plus il n'y aura même pas de tir à la cible.

— Laissez tomber, alors, insista Mark. J'ai quelque chose de beaucoup mieux à vous proposer.

— Je ne peux pas. Je me suis engagée.

— Demain, alors ? insista-t-il, après avoir lâché un profond soupir.

— Si je dis non, vous allez croire que je vous évite.

— Tout à fait, et je redoublerai d'efforts.

— Dans ce cas… c'est d'accord. Demain soir, retrouvez-moi donc chez Peppino. J'y serai avec les garçons. C'est le jour où ils font deux pizzas pour le prix d'une.

— Ce n'est pas tout à fait ainsi que j'envisageais les choses.

Comme si elle ne s'en doutait pas… Jenna sourit malicieusement.

— Vous désiriez partager mon existence trépidante, c'est l'occasion propice. J'ai promis cette sortie à J.D. et Petey il y a plus d'une semaine et je ne veux pas les décevoir.

— D'accord, je passerai vous prendre, déclara-t-il, résigné.

Quand il eut raccroché, Jenna commença à réfléchir à leur sortie du lendemain. Dans l'ambiance animée de la fête de tante Penelope, ils n'avaient pas connu de réelle intimité. Malgré le bruit et la foule des gamins, ce dîner à la pizzeria représenterait son premier vrai rendez-vous avec Mark. Qu'allaient-ils bien pouvoir se dire ? Tous deux avaient brûlé les étapes. Ils étaient déjà à mille lieues des sujets de conversation réservés à ce genre de circonstances.

Jenna posa la main sur son ventre. Ils pourraient toujours

parler du bébé… Mais s'il lui prenait l'envie de l'embrasser de nouveau ? Non, elle ne le laisserait pas faire.

Jenna réalisa qu'elle avait posé inconsciemment le doigt sur sa lèvre inférieure, comme pour l'empêcher de poser sa bouche sur la sienne. Imbécile…

Il était déjà tard quand elle quitta enfin le bureau. A son arrivée à la boutique, c'était presque l'heure de la fermeture et elle se laissa convaincre par le vendeur pressé d'acheter la première robe qu'elle avait essayée en quatrième vitesse. A son arrivée chez elle, la maison était complètement sens dessus dessous. Elle avait oublié que ses frères venaient charger la camionnette de son père, pour leur départ, le lendemain matin, en Caroline-du-Nord. Les trois hommes partaient pour leur expédition annuelle au chalet des McNab.

Depuis quatre générations, la bâtisse de deux pièces, construite en rondins, servaient de repli à la famille pour les week-ends et les vacances et chaque automne, son père et ses frères se rendaient là-haut pour la fermeture d'hiver. Maintenant que sa mère était morte, c'est à elle qu'incombait de s'assurer qu'ils montaient au chalet avec assez de nourriture et de vêtements chauds pour passer un séjour confortable.

Pendant que les garçons traînassaient sur les restes qu'elle leur avait réchauffés en guise de dîner, Jenna se dépêcha d'empaqueter des boîtes de conserve et de vérifier que le paquetage de son père contenait suffisamment de lainages. Tandis que celui-ci se lançait dans une grande discussion avec Chris pour savoir si, oui non, il était possible d'augmenter le chargement de la camionnette, Trent en profita pour chiper des cookies au chocolat qu'elle venait de poser sur la table de la cuisine.

La jeune femme donna une tape sur la main de son frère.

— Ôte tes doigts de là ! C'est pour le voyage.

— Pourquoi on ne peut pas y aller aussi ? protesta Petey depuis la salle à manger.

C'était la quinzième fois qu'il posait la question.

— Parce que tu vas à l'école, répliqua pour la quinzième fois Jenna.

Dans une heure, elle devait être à la réception et elle n'avait pas encore pris sa douche.

— Et puis toi et ton frère devez prendre soin des femmes de la maison, expliqua son père en décoiffant son petit-fils d'un geste affectueux.

— Il n'y a que maman, s'étonna Petey, se demandant si son grand-père ne devenait pas sénile.

— Oui, mais elle est plus difficile à manier qu'une demi-douzaine de femelles, rétorqua William McNab en s'aventurant dans la cuisine.

— Très drôle, répliqua Jenna, piquée.

Elle s'essuya les mains avec un torchon et, pointant un doigt menaçant, l'avertit :

— Ne t'avise pas de me rapporter des poissons à nettoyer. Si tu les pêches, tu les nettoies, compris ?

— Nous n'allons pas là-bas pour pêcher, déclara son père outré. On va besogner comme des esclaves toute la sainte journée.

— Oui, c'est ça. Alors comment se fait-il que vous embarquiez des bières et tout votre attirail de pêche, hein ?

Jenna n'eut pas la réponse, car le téléphone se mit à sonner. Pendant que son père allait répondre, elle s'enfuit à l'étage pour prendre une douche rapide. Plus que trente-cinq minutes pour terminer son maquillage et sa coiffure avant de filer à la soirée. Après avoir déballé la petite robe sans manches, au dos nus, ornée de perles noires, elle sauta dedans et se contempla dans le miroir. De face, le col montant était particulièrement flatteur et mettait son cou en valeur. La robe était très collante mais ne la grossissait pas. Au contraire, elle la grandissait et on ne pouvait pas deviner son état. Mais, de dos, c'était une autre histoire. Qu'est-ce qui lui avait pris ? Même si elle était pressée, elle aurait dû se rendre compte en l'essayant que les découpes de la robe découvraient généreusement ses reins. C'était le vêtement le plus osé qu'elle ait jamais porté. De toute façon, c'était trop tard pour en changer. Vic désirait qu'elle ait l'air élégant, professionnel et sexy… Elle allait être servie. Maintenant, elle n'avait plus qu'à la porter avec chic.

Jenna enfila ses talons, redressa les épaules et sourit à son reflet dans le miroir. « Forcé et trop exagéré », jugea-t-elle en rectifiant sa mimique.

Apprêtée, elle retourna dans le salon. Les derniers bagages s'amoncelaient sur le canapé, tandis que les hommes discutaient de l'heure du départ.

— Ouah ! s'exclama Christopher quand elle le dépassa.

— Je prends ça comme un compliment, répliqua Jenna en se penchant sur le sac de son père pour prendre sa paire de lunettes de rechange et la placer en sécurité dans un autre compartiment.

— On a volé le dos de ta robe, taquina Trent.

— Toi, ne commence pas, dit-elle en lui adressant un regard d'avertissement. Et toi non plus, papa, ajouta-t-elle en découvrant l'expression de son père. Ce que je porte ne vous regarde pas.

— Je me fiche de ce que tu portes, rétorqua-t-il. Qui est cette Kathy Bigelow ?

Oh non ! Il aurait mieux valu qu'il lui fasse une scène à cause de la robe. Ce n'était vraiment pas le moment de se lancer dans une querelle à propos de ses projets immobiliers. Mais, il n'y avait pas moyen d'y échapper.

— C'est mon agent immobilier.

Trent et Christopher se figèrent.

— Ton agent immobilier ? Pourquoi faire ? demanda son père, stupéfait.

— On a déjà parlé de tout ça, papa, déclara Jenna prudemment. C'est elle qui vient de téléphoner ?

— Elle voulait savoir ce que tu pensais de la maison, répondit-il en hochant la tête. Si je comprends bien, tu t'es déjà mis en quête d'un logement. Nous n'en avions jamais parlé de *ça*.

— Tu penses toujours à déménager ? demanda Trent.

— Jen, c'est de la folie, renchérit Christopher, incrédule.

— Arrêtez tous ! s'exclama Jenna. On ne va pas discuter de ça, maintenant. Je n'en ai pas le temps, ni vous non plus. Et c'est inutile parce que j'ai déjà pris ma décision.

— Eh bien, tu vas en changer, répliqua son père sèchement. Il n'y a aucune raison pour que tu déménages. Les garçons sont heureux ici et j'adore les avoir auprès de moi. Pourquoi veux-tu tout gâcher ?

Jenna lança un coup d'œil rapide en direction de la salle à manger. Ses fils ne semblaient pas s'intéresser à la conversation.

— Papa, reprit-elle à voix basse, tu sais très bien pourquoi je veux mon propre domicile. Je dois retrouver mon indépendance et les garçons ont besoin d'un chez-soi, un endroit qui leur appartienne et où ils ne sentent pas en visite.

— Dieu du ciel ! grommela William McNab, blessé. Ils sont ma chair et mon sang, comment pourraient-ils se sentir « en visite » chez moi ?

— Arrête de jouer les idiots. Tu sais très bien ce que je veux dire.

— Pas du tout. De toute façon, la réponse est non. Tu ne déménageras pas.

Christopher tressaillit et Trent regarda son père bouche bée. Même ses frères comprenaient qu'il avait été trop loin.

Contrôlant sa colère, Jenna s'approcha de lui et le serra dans ses bras. Elle l'embrassa sur la joue et déclara d'une voix douce :

— Je t'adore, papa, et je ne veux pas te faire de peine, mais ce n'est pas toi qui décide, c'est moi. Et je *vais* déménager.

Sous le choc, le vieil homme resta tétanisé pendant un long moment, comme si une réaction en chaîne se déroulait dans son cerveau. On aurait dit qu'il était en train d'avaler du verre pilé. Finalement, il s'écarta brusquement de Jenna, se dirigea droit sur le canapé, saisit son paquetage et le jeta par-dessus son épaule.

— Fais donc comme tu l'entends, déclara-t-il à Jenna. Les garçons, finissons de charger la camionnette.

La réception avait lieu dans une des résidences les plus anciennes, les plus vastes et les plus considérables d'Atlanta. Relique pleine de charme et de mélancolie d'un passé englouti, Misthaven avait été, autrefois, une plantation de style géorgien, entourée d'une multitude de magnolias, de pêchers et d'immenses chênes aux troncs moussus. Mais le progrès était passé par là.

Maintenant, la vieille demeure se dressait au centre du Misthaven Country Club. Tous ses beaux arbres avaient été abattus pour faire place à un trente-six trous de championnat et le seul endroit où l'on pouvait encore s'asseoir pour siroter paisiblement une liqueur de menthe était le patio qui dominait les courts de tennis.

Quand les trois femmes pénétrèrent dans la salle de bal, Jenna réalisa tout de suite que Vic n'avait pas exagéré. Avery Lundquist avait vraiment beaucoup d'argent. Ce soir, tous les moyens possibles avaient été réunis pour rendre à Misthaven sa splendeur passée. Partout on ne voyait que fleurs et fontaines de champagne, les serveurs s'empressaient à la ronde, proposant une incroyable variété de petits-fours artistiquement décorés, tandis qu'à l'une des extrémités de la salle un orchestre au grand complet invitait à la danse. D'étranges couples travestis en personnages célèbres, parmi lesquels on pouvait reconnaître Antoine et Cléopâtre, Roméo et Juliette et même Bonnie et Clyde, déambulaient dans la salle.

— Qu'est-ce que c'est que ça ? questionna Lauren, étonnée, en se penchant vers Victoria.

— Je crois que c'est le sujet de la soirée : « Les amoureux à travers l'histoire », répondit Vic après avoir consulté son invitation. Avery projette de lancer une ligne nuptiale sur ce thème, pour les couples qui cherchent l'originalité. A ton avis, c'est avec Lancelot que se promène Guenièvre, ou avec Arthur ? demanda-t-elle en montrant un couple en costume médiéval, alors que leur hôte s'approchait pour les accueillir.

Indéniablement séduit par Victoria, Avery Lundquist la serra dans ses bras avec fougue sans se soucier de froisser sa magnifique robe de satin rouge. Vic lui présenta Jenna et Lauren, mais Avery ne pouvait détacher ses yeux d'elle, et, comme il se désintéressait totalement des deux autres femmes, elles s'avancèrent dans la pièce où la photographe, profitant du passage d'un serveur, subtilisa deux coupes de champagne. Elle soumit la salle à un examen attentif.

— Je crois que je vais avoir besoin de boire, déclara-t-elle, en tendant un verre à Jenna qui observait de loin Avery Lundquist.

Bien qu'il soit très beau, il ne ressemblait pas du tout au genre d'homme qui plaisait à son amie, ce qui ne l'empêchait pas de rire à toutes les reparties de Vic.

— J'ai l'impression que Victoria désirait que nous soyons là pour éviter de se retrouver seule avec Lundquist. On devrait se lancer à son secours, tu ne crois pas ?

— Elle n'a qu'à mariner un peu dans son jus, répondit Lauren, indifférente. Tu devrais boire, la soirée risque d'être longue.

Jenna fit la grimace et se débarrassa rapidement du verre sur une table proche. Maintenant qu'elle était enceinte, plus question de boire de l'alcool.

— Ça ne me dit rien, répondit-elle. Toi et Vic semblez vous trouver dans votre élément, ici, mais moi je déteste ces pince-fesses.

— Tu vas très bien t'en tirer, la rassura Lauren. Qu'est-ce que je dis ? Avec cette robe, tu vas faire beaucoup mieux que ça. Vise donc un de ces types, Jen. Cette réception est pleine de ressources, il faut les explorer.

— Je constate que Brad est toujours tenu à l'écart.

— Je fais juste une petite pause, répondit Lauren en haussant les épaules. Alors, voyons, lequel de ces éminents notables d'Atlanta brûlerait de te rencontrer ?

Les deux femmes se mirent à scruter l'immense pièce. Lauren avait raison. La crème d'Atlanta était réunie ce soir : le maire entouré de sa clique, des politiciens locaux qui tournaient en rond autour de la salle, comme des oiseaux de proie, pour serrer des mains en racontant des blagues afin de se gagner des électeurs, des banquiers, des journalistes… Avery Lundquist avait vraiment peaufiné sa liste d'invités.

— Je n'ai pas besoin que tu me serves d'entremetteuse. Je suis capable de me débrouiller toute seule, rétorqua Jenna, d'un ton sec, avant de rectifier aussitôt : De toute façon, ça ne m'intéresse pas.

— Je me méfie de tes choix, répliqua Lauren.

— Qu'est-ce que tu veux dire ?

— J'ai été un peu surprise de découvrir Mark Bishop au pique-nique des McNab. J'ignorais qu'il était dans le coin, répondit Lauren regardant Jenna droit dans les yeux. Tu ne m'avais pas dit que vous sortiez ensemble.

— On ne sort pas ensemble. Enfin, on est juste… amis.

— Tu devrais vérifier le sens de ce mot dans le dictionnaire. Les amis ne sont pas supposés coucher ensemble, surtout quand ils ne se connaissent que depuis quelques heures.

Jenna trembla un peu en imaginant ce que Laurent dirait si elle apprenait le résultat de ces quelques heures-là.

— Il me semble que c'est toi qui m'as poussée à être audacieuse. Tu disais que j'avais besoin de m'amuser.

— Oui, et depuis quand tu suis mes conseils ? se renfrogna Lauren.

L'orchestre débuta une valse et quelques danseurs, parmi lesquels se trouvaient Vic au bras d'Avery Lundquist, se mirent à tournoyer sur la piste. Leur amie leur adressa un sourire éblouissant, qui semblait sincère. Au fond, ces deux-là formaient un beau couple, se dit Jenna, alors qu'une blonde magnifique, en robe de satin bleu électrique, la dépassait pour se rendre sur la piste de danse. Elle donnait le bras à un homme en smoking qui lui murmurait quelque chose à l'oreille et elle se mit à rire à gorge déployée. Jenna, saisie, eut un hoquet de surprise. Elle avala une grande bouffée d'air.

— Oh, mon Dieu !

— Qu'est-ce qui se passe ?

La photographe jaugea l'homme que considérait son amie d'un coup d'œil approbateur, avant de s'exclamer :

— Mais, attends une minute… ce n'est pas ?

Oui, c'était lui, sans aucun doute, même si Jenna était trop foudroyée pour répondre. L'homme qui valsait avec la belle blonde n'était autre que Mark Bishop.

Ce pincement de jalousie qui lui serrait le cœur en voyant cette blonde dans les bras de Mark était totalement déplacé. « Folle que tu es », se tança Jenna. Cet homme avait le droit d'agir à sa guise puisqu'elle avait refusé de sortir avec lui. C'était légitime qu'il recherche ailleurs une compagnie féminine. Est-ce que c'était ici qu'il avait proposé de l'emmener, tout à l'heure ? Qu'est-ce qu'il lui avait dit, au juste ?

Elle tâcha d'abord de se remémorer leur conversation, puis décida de ne plus y penser. Tout cela n'avait aucune importance. Il était là, elle était là aussi et ils n'étaient pas ensemble, voilà tout. Elle n'était pas jalouse, pas du tout, juste un petit peu mal à l'aise.

— Qui est cette blonde tapageuse ? demanda Lauren. Est-ce qu'il sait que tu es présente ?

Jenna secoua la tête. Elle n'en savait rien. Lauren était vraiment rosse, cette femme n'était pas tapageuse, au contraire. Même si elle avait largement dépassé la trentaine, ses traits délicats et son corps souple comme un roseau avaient beaucoup d'allure. Avec Mark, si grand et élégant en smoking, elle formait un couple magnifique.

Encore flageolante, Jenna constata avec soulagement que son cavalier l'entraînait à l'autre bout de la piste. Elle risquait inévitablement de croiser Mark d'ici à la fin de la soirée, pourtant il valait mieux que ce ne soit pas tout de suite. Pas avant que la rougeur qui lui brûlait la nuque se soit apaisée. Jenna ressentait le besoin urgent de respirer un peu d'air frais et profita de l'inattention de Lauren pour s'engouffrer dans une porte-fenêtre qui donnait sur le patio.

Mark capta le regard de Catherine Mevane en la guidant habilement loin d'un couple de valseurs maladroits qui s'agitaient pour camoufler leur inexpérience.

— Qu'est-ce que tu en dis, Cath ? Rappelle-toi que tu me dois un service.

— Pour ton aide dans la fusion avec Doolittle ? rétorqua celle-ci d'un ton léger. Il me semble que je t'ai déjà rendu ce petit coup de main au centuple.

— Alors, fais-le pour me faire plaisir. En souvenir du bon vieux temps.

Etonnée, Catherine considéra Mark avec attention. Cette faveur était donc si importante pour lui qu'il était prêt à mettre en balance les liens qui les avaient unis jadis. Bien sûr, ils avaient été associés autrefois, et amants, mais c'était du passé.

— Tu es amoureux d'elle ? questionna-t-elle, méfiante.

— Qu'est-ce que tu vas chercher ? Pas du tout, répliqua Mark, indigné. Elle est mariée.

— Je n'ai pas l'impression que tu t'arrêtes à ce genre de détail, répondit Catherine avec un haussement d'épaules.

— Par principe, je ne couche jamais avec les femmes qui travaillent pour moi. C'est source de problèmes. D'ailleurs, Deb est folle de son mari, expliqua Mark, qui se souvenait du ton déprimé de Debra Lee quand il avait appelé son bureau d'Orlando le matin même.

Elle avait l'air au trente-sixième dessous et il avait préféré ne pas lui demander pourquoi. C'est elle qui lui avait tout déballé : l'entretient le plus prometteur d'Alan avait tourné court, le poste étant déjà attribué. Mark s'était efforcé de lui remonter le moral en employant des formules de consolation qu'il maîtrisait mal et s'était bien rendu compte que c'était peine perdue. Alors, en tombant sur Catherine Mevane, à son arrivée à la réception, il avait eu une idée. Cathy était à même d'employer les talents d'Alan Goodson. Elle possédait une chaîne de centres de reprographie qui avait ses bureaux à Orlando.

— Tu es sûr qu'il est bon ? reprit-elle, tandis qu'il lui faisait décrire un large cercle.

— Je me suis entretenu avec son ancien patron et j'ai vérifié son curriculum. C'est un as dans son domaine, mais l'entreprise où il travaillait a déposé son bilan.

— Alors, pourquoi tu ne lui proposes pas un poste ?

— Je ne peux pas l'engager. Deb prendrait ça pour de la charité et elle me boufferait tout cru.

— Qu'est-ce que tu attends de moi exactement ?

— Tout ce que je te demande, c'est d'organiser un entretien d'embauche avec ton service informatique. Alan est brillant, il sait se vendre. S'il fait l'affaire, tu n'as qu'à l'engager.

— C'est tout ?

— C'est tout. Je n'ai aucune motivation cachée dans cette affaire, Cath. Je veux seulement que tu donnes une chance à ce type et toi, tu me regardes comme si j'essayais de vendre du sable à un bédouin.

Les yeux brillants, Catherine rit plus longtemps que la repartie ne le méritait. Elle lui adressa un sourire déchirant, où la tristesse le disputait au regret.

— Tu sais, heureusement que je suis très amoureuse de mon mari. Si tu t'étais montré aussi gentil quand nous étions amants, j'aurais pu faire n'importe quoi pour toi.

Préoccupé, Mark comprit qu'il valait mieux éviter de revenir sur le passé.

— Je ne suis pas gentil, je suis rationnel. Deb est la meilleure assistante que je n'ai jamais eue. Tant que son mari ne sera pas remis en selle, elle sera incapable de se donner à cent pour cent au bureau.

— Tu es un homme rationnel, ça c'est vrai ! Et je devrais le savoir, acquiesça Catherine. Dis-moi, puis-je te demander quelque chose, à mon tour, Mark ?

— Tout ce que tu veux.

— Nous avons cessé de nous voir, il y a quatre ans, parce que tu refusais de t'engager corps et âme comme je le souhaitais.

Or, tu m'as avoué que tu étais venu ici tout seul. Est-ce que tu es toujours en quête de l'inaccessible ?

— Ce que je recherche n'est pas inaccessible, répliqua Mark avec conviction. C'est juste un peu difficile à trouver.

— Comment un type aussi brillant que toi peut-il être aussi stupide ?

— Sois contente de ne pas m'avoir épousé, alors. Imagine l'état de frustration dans lequel tu te trouverais aujourd'hui.

Avant que Catherine ait pu répliquer, la valse prit fin et son mari, qui était apparu à son côté, comme par enchantement, l'enleva. Visiblement, ils étaient fous l'un de l'autre.

Mark quitta la piste de danse et parcourut la pièce des yeux avec ennui. Qu'est-ce qu'il fabriquait ici ? Avec Jenna auprès de lui, cette soirée aurait été supportable et il se serait même peut-être amusé, mais là, il se sentait seul. Tous ces gens étaient en représentation, ils ne cherchaient qu'à faire leur cour et à se faire admirer. L'homme d'affaires, qui avait assisté tant de fois à ce genre de réception, se lassait de plus en plus vite de ces petits jeux mondains.

En contemplant la foule, il se remémora soudain la fête des McNab, dans le parc où la brise, qui remuait les branches, transportait des senteurs de fleurs sauvages et d'herbe fraîchement coupée. Cet après-midi-là, personne ne se forçait à rire. Et à la fin de la journée, alors qu'il tenait Jenna dans ses bras, comme le parc lui avait semblé calme et paisible. Ils avaient été si prêts de s'embrasser sur le parking.

L'orchestre se mit à jouer quelques notes rapides qui le tirèrent de sa rêverie. Avery Lundquist montait sur scène pour accueillir ses invités. Il commença par les remercier de leur présence mais, comme son speech se transformait en un pesant discours d'autopromotion, le public captif se mit à piaffer.

Pas question d'en entendre plus. Mark se fraya un chemin à travers la foule et s'échappa discrètement par une des portes-fenêtres pour respirer l'air frais et revigorant de la nuit. Il espérait se retrouver seul, mais s'aperçut tout de suite que ce n'était pas le cas. Noyée dans l'ombre du patio, il discernait une femme dont la silhouette se détachait sur la blancheur de la colonne où elle s'appuyait. Le décolleté de sa courte robe noire descendait très bas dans le dos et il voyait se dessiner la ligne étroite de sa colonne vertébrale. L'allure de cette inconnue et son port de tête si gracieux avaient quelque chose d'étrangement familier.

Mark se mit à l'examiner plus attentivement.

Soudain, il sentit son souffle s'accélérer. Il avait dû, malgré lui, émettre un son léger car elle tourna la tête dans sa direction.

— Jenna ? lança-t-il, dès qu'il eut recouvré ses esprits.

Sans bouger, durant quelques secondes, ils se firent face, échangeant un intense regard. Quand, Jenna, éperdue, se mit à battre des paupières comme si elle se réveillait d'un rêve, Mark traversa à grands pas les arches de lumière sur le sol du patio.

— Mon Dieu ! C'est *vous*. Que vous êtes belle.

C'était la vérité. Nimbés par les rayons de la lune, les cheveux de la jeune femme se trouvaient ravivés d'un halo argenté qui irradiait sur la peau laiteuse de son dos. Comment ses seins pouvaient-ils se dresser aussi fermement ? Il était pourtant impossible de porter un soutien-gorge sous cette robe affolante. Mark aurait bien aimé élucider, sur l'heure, ce mystérieux phénomène.

Visiblement, son compliment avait embarrassé Jenna, qu'il voyait rosir dans la pénombre.

— Merci, répondit-elle enfin. Je ne viens pas souvent à ce genre de sauteries, vous savez, mais, cette fois, Vic a beaucoup insisté parce que Lundquist est un nouvel annonceur du journal. Vous aussi, vous êtes magnifique en smoking. Au fait, qu'est-ce que vous faites là ?

— Lundquist m'a invité parce qu'il espère que mes journaux publieront des articles sur sa nouvelle ligne de vêtements, de la pub gratuite, en quelque sorte. Si j'avais été à Orlando, je n'aurais sûrement pas fait le voyage, mais comme j'étais déjà sur place, j'ai décidé de venir faire un petit tour et j'ai retrouvé des vieilles connaissances.

— La femme avec laquelle vous dansiez, par exemple ?

Mark, qui aurait apprécié qu'elle se montre un peu jalouse de l'avoir vu danser avec une autre, lui lança un regard aigu.

— Catherine Mevane est une vieille amie.

— Elle est très jolie.

— C'est vrai, répondit-il, prenant un malin plaisir à rester dans le vague.

— Vous alliez très bien ensemble. Je veux dire… quand vous dansiez la valse.

— M'accorderez-vous une danse quand l'orchestre reprendra ?

— Pas avec ces chaussures, c'est impossible.

Une rafale d'applaudissements s'échappa de la salle de bal et ils se retournèrent d'un même mouvement vers les portes-fenêtres, pour regarder ce qui se passait. Sur la scène, Avery présentait les mannequins qui avaient déambulé dans la salle deux par deux. Un sombre Heathcliff, à l'air redoutable, tout droit sorti des *Hauts de Hurlevent*, salua le public, au côté d'une charmante Cathy. Puis arriva un couple de rêve, vêtu à la mode des années folles.

— Qui cela peut-il bien être ? questionna Mark.

Jenna haussa les épaules, car elle n'en savait rien. Lundquist annonça alors au public :

— Jay Gatsby et Daisy !

— Ça, c'est le bouquet ! marmonna Mark.

— Vous n'aimez pas ce concept ? lui demanda-t-elle avec un regard en coin. Moi, je trouve que cette idée des amoureux à travers l'Histoire n'est pas bête. C'est même très frappant.

— Ça, pour être frappant, c'est frappant, rétorqua Mark,

pince-sans-rire. Lundquist aurait dû y réfléchir à deux fois avant de lancer cette trouvaille. Ce qu'il cherche à vendre ce sont des vêtements de mariage. Est-ce que vous vous rendez compte que la plupart de ces amoureux ont vécu des destins tragiques ? Ils ont été maudits, se sont torturés ou... Si je ne me trompe, Gatsby a bien fini assassiné dans sa piscine. Selon vous, c'est un exemple de félicité conjugale ?

— Vous êtes un affreux cynique, le réprimanda Jenna, alors qu'un nouveau couple traversait la porte-fenêtre pour se rendre sur la scène. Qu'est-ce que vous dites d'eux ? Pour moi, Scarlett O'Hara et Rhett Butler incarnent l'amour absolu.

— Ah bon ? Ils ont terminé ensemble ? Je l'ignorais, déclara Mark, sceptique en se tournant vers elle.

— Naturellement.

— Pas du tout. Pas dans le *Autant en emporte le vent* que je connais, en tous cas.

— Mais si. Ils vont se retrouver, c'est certain.

— Je ne vois pas ce qui vous fait croire ça.

— Est-ce que vous avez lu le livre, *au moins* ?

— Non.

— Et combien de fois avez-vous vu le film ?

— Une fois. Combien de fois voudriez que je voie un film ? s'étonna Mark.

Jenna secoua la tête, découragée. Cet homme était un cas désespéré.

— Quelqu'un qui ne succombe pas au charme de *Autant en emporte le vent* n'est pas digne de confiance, affirma-t-elle.

— Si je comprends bien, vous êtes fan ?

— Pas tant que ça. Au fond, c'est un peu surestimé. Scarlett est trop insupportable. Moi, je me suis toujours identifiée à Melanie, avec qui je me trouve beaucoup de points communs.

— Qu'est-ce que vous racontez ? Cette pauvre Melanie se confond avec le papier peint. Elle n'a rien à voir avec vous.

Gênée qu'il la flatte ainsi, Jenna lui lança un regard timide et reporta son attention sur la scène. Son joli profil s'était un peu assombri, tandis qu'elle observait Rhett et Scarlett en train de saluer le public.

— Je dois admettre qu'ils ne pourront jamais s'entendre, concéda-t-elle enfin. Mais je suis sûre qu'ils sont faits l'un pour l'autre. Pour moi, il est évident qu'à la fin, Scarlett réalise que ce gringalet d'Ashley n'est pas l'homme qu'il lui faut. Qu'elle ne sera jamais heureuse tant qu'elle n'aura pas reconquis Rhett.

— Là, je suis d'accord avec vous. Rhett a l'argent, le pouvoir et la puissance sexuelle. Tout ce dont Scarlett a le plus grand besoin.

— Vous êtes un vrai macho. Vous ne possédez pas une once de romantisme, rétorqua-t-elle, acerbe. Vous croyez que c'est ça, le fond de l'histoire ? Pas du tout. Qu'est-ce que Rhett pourrait lui apporter qu'elle n'ait déjà ? Vous n'avez rien compris à la passion qui les lie. Ils sont le miroir l'un de l'autre, ce sont deux âmes sœurs, enchaînées par l'amour, le sexe et l'intellect.

— Quel fatras d'inepties ! s'exclama Mark, méprisant. Rhett est plus beau qu'Ashley le joli cœur, voilà tout. Il a du charisme et, quand il fait l'amour à Scarlett, il l'envoie au septième ciel.

— On voit bien que vous êtes célibataire, soupira Jenna d'un air accablé.

Ce n'était qu'une petite pique enrobée d'un sourire ravageur qui lui fit battre le cœur. Il aurait tant voulu qu'elle garde toujours cette expression charmante quand elle le regardait. Comment arrivait-elle à le troubler autant, sans même s'en rendre compte ?

— Je croyais qu'on discutait de Scarlett et de Rhett mais, si vous préférez qu'on parle de nous, je suis votre homme.

— Oh, laissez tomber, dit-elle en tournant le dos à la fenêtre et en reprenant sa place contre la colonne.

Mark se retourna également et lui fit face. Il posa la main au-dessus de sa tête et se pencha sur elle.

— Vous savez, beaucoup de femmes que je connais ont le même problème que Scarlett. Elles poursuivent aveuglément un fantôme, pendant des années, alors que l'homme qui correspond parfaitement à leurs attentes se trouve juste sous leur nez. Mais, elles ne peuvent pas, ou… ne veulent pas le voir.

— Je suppose que c'est à moi que vous faites allusion, répliqua Jenna, avec un air de défi. Si je comprends bien, mon homme idéal, ce serait vous ? N'êtes-vous pas épuisé de traîner un ego aussi écrasant ? demanda-t-elle avec un sourire malicieux.

— Pas plus que vous de porter cette armure qui vous protège, rétorqua Mark du tac au tac.

Il commençait à se demander s'il était si judicieux d'utiliser *Autant en emporte le vent* comme métaphore de leurs rapports. Mais, qu'est-ce qu'un homme comme lui connaissait à toutes ces niaiseries ?

La jeune femme semblait blessée. Elle avait baissé la tête. Mark l'obligea à redresser son menton volontaire et constata qu'elle était tendue comme un arc.

— Jenna, vous devriez cesser de vous débattre contre l'évidence, murmura-t-il doucement.

Elle le foudroya sur place, mais ça ne l'arrêta pas.

— Vous savez bien que nous sommes faits l'un pour l'autre, comme Rhett et Scarlett, mais sans leur accent ridicule.

— Ce que je sais, c'est qu'il se passe quelque chose entre nous sur… un *certain* plan. Et je dois avouer que cela peut être très… agréable. Mais il n'y a pas que la sexualité dans le mariage.

— Pour moi, c'est un bon début. Et, franchement, ce n'était pas seulement très agréable, ma chère, ajouta-t-il, empruntant le ton de Rhett Butler. C'était exceptionnel.

— Une fois de plus, vous vous surestimez, mon cher, déclara-t-elle, d'un air excédé.

— Je ne me surestime pas du tout, rétorqua Mark, retrouvant soudain son sérieux. Souvenez-vous, quand je vous ai touchée ici, vous haletiez, ajouta-t-il en lui effleurant la gorge du bout des doigts, avant de laisser glisser sa paume sur la peau douce de ses seins.

Affolée, Jenna ne réagissait pas. Elle semblait même incapable de respirer.

— Et quand je vous ai embrassée là, vous gémissiez, insista-t-il en enfouissant son visage dans son cou pour poser les lèvres sous son oreille.

Elle s'était parfumée et les effluves qu'il respirait lui faisaient perdre la tête.

— Et quand j'ai pris votre bouche, vous n'aviez pas l'air si effarouchée, que je sache, déclara-t-il en la regardant droit dans les yeux.

— C'est vrai, concéda-t-elle, dans un souffle, tremblant de tous ses membres.

— Pourquoi avez-vous peur de retenter l'expérience, Jenna ? Ce serait si bon, si bon…

— Je ne pense pas que ce soit…

Dans la pure clarté de la lune, sa bouche était si attirante que Mark n'eut pas le courage de résister à la tentation et il l'attira à lui. Jenna réalisa soudain qu'elle était heureuse dans ses bras. Et même, bien plus que ça.

— Ne réfléchissez plus. Abandonnez-vous. Vous me détesterez plus tard, si vous voulez, mais je dois vous embrasser.

Il déposa sur ses lèvres un baiser délicat qui ressemblait à une invite, espérant que son propre désir l'inciterait à y répondre.

Et c'est ce qu'il advint. Jenna entrouvrit les lèvres en gémissant et sa langue vint au contact de la sienne. Sa respiration s'accéléra et elle l'embrassa à son tour avec tant de ferveur qu'il eut l'impression qu'elle languissait après ce baiser depuis aussi longtemps que lui.

Comme elle s'accrochait désespérément à Mark en pressant ses seins contre son torse, il glissa la main dans sa robe pour caresser doucement le tendre renflement jusqu'à se qu'elle accentue la pression contre sa paume et qu'il saisisse le téton dur et gonflé pour ne plus le lâcher.

— Mark…

Elle haletait. Mais brusquement, Mark sentit la situation changer du tout au tout. Jenna se raidit entre ses bras et les portes du paradis se fermèrent à lui tandis que la jeune femme s'arrachait à son baiser. Elle lui jeta un regard éperdu.

— Mark, c'est impossible. Nous ne pouvons nous conduire ainsi… en public.

Vraiment ? Ce n'aurait pourtant pas été la première fois que Mark ferait l'amour ailleurs que dans un lit. D'ailleurs, il aurait suffi d'une seconde de plus pour que Jenna aussi succombe à leur désir fou. Mais, Mark le savait : malgré ce qui s'était passé à New York, elle était une femme de principes. La séduire maintenant n'aurait servi qu'à détruire la fragile confiance qui commençait à s'établir entre eux et à la rendre malheureuse.

Il ne voulait pas la perdre.

Il se redressa donc, la libéra de son étreinte et se recula pour la laisser rajuster sa robe. Il contempla le charmant spectacle sans chercher à camoufler son admiration, ni feindre un repentir qu'il ne ressentait pas. Quand elle eut finit et se tourna vers lui, il constata que son corps se rebellait contre son esprit. On lisait dans ses yeux la honte, le regret et le désir mêlés. Tous ces sentiments contradictoires qui la déchiraient et la mettaient à la torture.

— Rentrons, s'il vous plaît, supplia-t-elle.

Mark acquiesça. Il se pencha très bas pour effleurer de ses

lèvres le bout des doigts de la jeune femme et, refoulant la lancinante convoitise qui brûlait toujours dans ses veines, dit en souriant :

— Bonne nuit, Scarlett.

Chapitre 11

Le lendemain, Jenna, suant sang et eau sur le bilan et les fiches de paye mensuelles, était en proie à une migraine tenace. Dieu merci, cette tâche horriblement fastidieuse occupait totalement son esprit et lui permettait d'oublier parents envahissants, grossesse accidentelle et embrassades au clair de lune. Mieux valait éviter de songer à ces étreintes envoûtantes aux effets dévastateurs, car ça ne lui valait rien.

Il était déjà tard dans l'après-midi quand Victoria débarqua dans son bureau. Même si Jenna savait qu'elle viendrait tôt ou tard lui demander des comptes pour son départ prématuré de la soirée, il était évident que son amie avait autre chose en tête.

— Pourquoi ne m'as-tu pas dit que tu sortais avec Mark Bishop ? demanda Vic, de but en blanc, dès qu'elle eut franchi la porte.

La jeune femme prit le temps de refermer son programme comptable et feignit de réfléchir quelques secondes. Soudain, elle claqua des doigts.

— Ah ! Je sais. Parce que ce ne sont pas tes affaires.

— Ne sois pas ridicule, répliqua Vic en balayant négligemment cet argument pour se diriger droit sur son bureau. Si tu t'imagines pouvoir sortir avec un des dix plus grands séducteurs du Sud des Etats-Unis sans avoir à donner d'explications, tu te trompes, ma petite.

— Et on peut savoir pourquoi ? rétorqua Jenna.

— Nous parlons bien de Mark Bishop, le milliardaire qui vient, comme par hasard, de rompre avec la fille d'un sénateur célèbre dans des circonstances mystérieuses et embrouillées.

— Ecoute, Vic, il n'y a rien…

— Lauren et toi n'avez cessé de clamer haut et fort qu'il était aussi romantique qu'Attila. Et voilà que tu sors avec lui ? Hier soir, Lauren s'est montrée particulièrement récalcitrante quand j'ai essayé de lui tirer les vers du nez. Alors, je viens aux renseignements. Et tu as intérêt à me fournir des explications satisfaisantes. Allez, je t'écoute. Tu sais que je ne m'en irai pas tant que tu ne m'auras pas tout raconté.

Jenna savait bien que c'était la vérité mais elle tenta quand même de louvoyer.

— Qu'est-ce qui te fait croire que nous sortons ensemble ?

— Tout simplement parce qu'il me l'a dit. J'ai failli avaler mon petit-four de travers quand il a lâché cette bombe.

— Quand lui as-tu parlé ? demanda Jenna en se raidissant.

— Pendant la réception, il m'a même appris que vous vous voyez ce soir.

— Il dîne à la pizzeria avec les garçons et moi. Je ne vois pas ce qu'il y a de sentimental, là-dedans.

— Au contraire, c'est une preuve d'intimité. Qu'est-ce qui se passe vraiment ? J'ai essayé d'en savoir plus mais il a refusé de me livrer d'autres détails, expliqua Vic en posant une fesse sur le bord du bureau.

Il était impossible de lui échapper. Résignée, Jenna soupira profondément en se reculant dans son fauteuil. Elle commença à débiter l'histoire expurgée que Mark et elle avaient mise au point. Passant sous silence l'épisode new-yorkais et sa grossesse, elle raconta à Victoria comment J.D. et Petey s'étaient mis en tête de lui trouver un mari. Elle avait récité cette fable si souvent, ces derniers temps, que cela lui était devenu facile.

— Tu es contente ? conclut-elle.

— Non. Je suis sûre que tu me caches quelque chose.

— Je ne te cache rien. Bon, maintenant, il faut que je me remette au travail.

— Il a dit quelque chose qui m'a fait soupçonner qu'il y avait bien plus, là-dessous, qu'une simple rencontre fortuite, déclara Vic en tapotant son menton d'un air songeur.

— Qu'est-ce qu'il a dit ? demanda Jenna curieuse, sans pouvoir cacher son émotion.

— Il se trouve que Tony Landon était présent à la fête, reprit Vic sur le ton de la confidence, et quand j'ai mentionné à Mark qu'il y avait deux ans que j'essayais d'obtenir une interview de lui, tu sais ce qui s'est passé ? Ni une, ni deux, il s'est proposé de faire les présentations et a convaincu Landon de m'accorder un rendez-vous. Comme ça ! J'étais tellement sidérée que j'ai failli tomber à la renverse. Et quand je l'ai remercié, tu sais ce qu'il m'a répondu avec un clin d'œil ? « Vous n'avez qu'à le dire à Jenna. Ça parlera peut-être en ma faveur. »

C'était tout à fait lui, songea la jeune femme amusée. Surprenant le sourire qui se dessinait sur ses lèvres, Vic demanda, soupçonneuse :

— Je voudrais bien savoir pourquoi il tient tant à entrer dans tes bonnes grâces ?

— Parce que je représente une énigme pour lui. Je suis la première femme qu'il n'intéresse pas, répliqua Jenna en se rengorgeant.

— Pour l'amour du ciel, pourquoi ne t'intéresserais-tu pas à lui ? C'est un des dix hommes les plus…

— Arrête, Vic. Je ne veux plus discuter de ça, coupa Jenna.

— Très bien, soupira Victoria, désappointée. Parlons d'autre chose. Debra Lee a téléphoné. Elle était sur un petit nuage. Son mari semble avoir enfin décroché un job.

— C'est formidable ! se réjouit Jenna, qui comme Vic, s'était beaucoup inquiétée des déboires de leur amie. Il a trouvé quelque chose qui correspond à ses qualifications, j'espère ?

— Chef du développement d'une grande chaîne de reprographie, Mevane Corporation, je crois. Ça lui est tombé du ciel. Rien n'est encore conclu, mais j'ai l'impression que la pauvre Deb est rassurée.

— Mevane ? J'ai déjà entendu ce nom quelque part, dit Jenna, songeuse.

Ce nom lui disait quelque chose et elle sentait qu'elle avait la réponse sur le bout de la langue. Soudain, elle s'exclama :

— C'est l'entreprise de Catherine Mevane ?

— Je n'en ai pas la moindre idée, répondit Vic, indifférente. Pourquoi ?

— Parce que je l'ai vue danser avec Mark, à la réception.

— Voyez-vous ça, commenta Victoria dont l'intérêt s'était réveillé. Comme le monde est petit. Je me demande si ça a quelque chose à voir avec l'entretien d'embauche d'Alan. Si c'est le cas, pourquoi Bishop n'en a-t-il rien dit ?

Jenna se posait également la question. Mark aurait pu lui en parler quand elle l'avait questionné au sujet de la femme blonde qui dansait avec lui. Ce n'était certainement pas une coïncidence, si, le lendemain du jour où il faisait valser Catherine Mevane, le mari de son assistante obtenait un entretien d'embauche dans sa compagnie. Si c'était lui le responsable, pourquoi ne s'était-il pas vanté de cette bonne action ? Il avait poussé Vic à lui chanter ses louanges pour avoir obtenu l'interview de Landon, alors que sortir leur amie d'une mauvaise passe était un moyen bien plus sûr d'attendrir son cœur. Mark Bishop serait-il généreux et désintéressé ? A moins qu'il ne soit bien plus redoutable et machiavélique qu'elle ne le pensait…

Mme Weatherby déposa Petey et J.D. au bureau un peu avant 17 heures. Ils étaient surexcités, bruyants et ne tenaient pas en place. Leur mère se promit d'avoir une discussion sérieuse avec la vieille dame, le plus tôt possible. C'était une baby-sitter dévouée, mais elle avait tendance à acheter la bonne conduite de ses fils à coup de sucreries. Mark tardait à passer les chercher et Jenna en arrivait à attendre sa venue avec impatience. Son travail était assommant et frustrant, son dos la faisait souffrir et les garçons étaient en train de la rendre folle.

— Alors, vous êtes tous prêts ? lança Mark en passant la porte.

J.D., qui courait autour de la pièce pour échapper à Petey, lui heurta violemment les jambes.

— Ne le laisse pas m'attraper ! s'exclama le gamin d'un ton mélodramatique en s'accrochant à ses genoux pour implorer son aide. Il veut me réduire en bouillie !

En effet, Petey, menaçant, le poursuivait en grognant d'un air sinistre pour imiter les Cyberlons. Mark, représentant le dernier rempart de son frère avant sa complète annihilation, il se jeta sur lui et l'homme d'affaires, déjà déséquilibré par J.D., se retrouva encerclé de toutes parts. Il lança un regard suppliant à Jenna, tout étonnée de le découvrir si vulnérable. Mark semblait incapable de maîtriser la fougue des deux solides gaillards, très déterminés à l'entraîner dans leurs jeux.

— Voilà le résultat quand ils mangent du sucre après l'école, déclara Jenna, imperturbable, en prenant son sac dans un tiroir.

Ah, bien sûr ! fut la réponse muette qu'il lui adressa. Il avait l'air si désemparé qu'elle faillit presque s'apitoyer sur son sort. Ce soir, ses fils menaçaient d'être exténuants. Quand ils étaient dans cet état, *elle-même* était tentée de prendre la poudre d'escampette. Mais puisque Mark avait déclaré vouloir expérimenter les différentes facettes de la vie de famille, il allait être servi. Ce soir il aurait droit à un panorama complet, dressé par deux petits experts.

Jenna fit le tour du bureau. Les jambes de Mark étaient phagocytées par deux excroissances monstrueuses. Elle déclara comme si de rien n'était :

— Je suis prête. Partons à la pizzeria.

Comme les feulements de Petey et les hurlements de terreur de son cadet faisaient un tel vacarme qu'on n'entendait plus rien, elle dégaina son arme secrète :

— Les garçons ! A vos marques !

Les deux gamins abandonnèrent Mark sur-le-champ, détalèrent et se mirent à faire la course dans le couloir afin d'arriver en tête à l'ascenseur et appuyer sur le bouton. Leur mère les regarda faire avec un petit sourire satisfait.

— Ils sont tout le temps comme ça ? demanda Mark effaré, en rajustant le pan de sa chemise kaki dans son pantalon.

L'homme d'affaires n'avait pas l'air content et il fit grise mine en découvrant une tache sur son pantalon. Pas facile de rester élégant avec ces petits voyous.

— Non. D'habitude, ils sont pires, lança-t-elle, avec un sourire angélique, avant de se diriger vers la porte.

La bière et les pizzas chez Peppino n'étaient pas les meilleures d'Atlanta, mais sa salle de jeux intérieure offrait un immense avantage pour les parents. Après avoir dévoré leurs portions de pizza et bu leurs sodas, Petey et J.D. s'échappèrent de table vers la piscine à balles, abandonnant Mark et leur mère, face à face. Les garçons partis, Jenna reporta son attention vers lui.

— Ça ne vous ennuie pas si je vous pose quelques questions ?

— On dirait votre frère Christopher. Mais ça ne fait rien, allez-y, répondit-il conciliant.

— Vous étiez vraiment fils unique ?

— Oui.

— Vous n'avez jamais eu l'occasion de frayer avec des enfants ?

— Non.

Comme Jenna fronçait les sourcils à sa réponse, Mark demanda surpris :

— Où voulez-vous en venir ?

— Je vous ai bien observés tous les trois pendant que vous leur racontiez l'histoire du cambrioleur coincé dans le conduit d'aération. Vous les avez… captivés.

— Ce n'est pas surprenant, expliqua Mark, content mais un peu embarrassé. C'est une très bonne histoire. Il est normal qu'elle amuse des gosses.

— Non. Ce n'était pas seulement ça, répondit Jenna qui désirait être sincère avec lui et estimait qu'il méritait un compliment. Vous vous comportez de façon très naturelle avec eux, avoua-t-elle, un peu gênée, avant de le regarder droit dans les yeux : beaucoup mieux que je ne m'y attendais.

— Merci.

Ils restèrent assis en silence pendant un long moment. Il y avait un tel vacarme dans la salle que, quand Mark voulut parler, il dut se pencher pour être audible.

— Vous savez, ça conforterait mon amour-propre si vous arrêtiez d'avoir l'air stupéfaite chaque fois que je réussis quelque chose de bien.

— Excusez-moi, répondit Jenna gênée, rougissant comme une tomate. Je suis méfiante de nature, c'est pour ça.

Il lui lança un petit sourire ironique avant de se lever.

— Vous désirez quelque chose ? demanda-t-il en désignant les gobelets vides.

Comme elle secouait la tête, il ajouta :

— Alors restez ici et profitez-en pour vous repentir en m'attendant.

Jenna le regarda s'éloigner vers le comptoir. Cet homme possédait toutes les qualités que recherchaient les femmes. Il était beau, puissant et sûr de lui.

Mais par-dessus tout, et c'est ce qui primait pour elle et le rendait digne d'admiration, il se souciait du bonheur de ses employés, ne se prenait pas trop au sérieux et se débrouillait pas si mal que ça avec les enfants. Beaucoup mieux qu'elle ne l'aurait imaginé, en tout cas. Et sans doute bien plus qu'il ne l'avait jamais soupçonné.

Pourtant, même si elle se sentait envahie d'une voluptueuse langueur chaque fois qu'il la prenait dans ses bras et, qu'au moindre contact, il l'électrisait, Jenna s'obstinait à penser qu'il n'était pas fait pour elle. Mark avait beau dire et faire, la seule chose qui les unissait était sa grossesse — et il était de notoriété publique que c'était la pire base pour construire une union solide.

Pas besoin de chercher loin pour trouver des couples qui s'étaient mariés pour les mêmes raisons, pleins d'espoir et de bonnes intentions, et qui n'en avaient pas moins terminé au tribunal. Pourquoi Mark et elle échapperaient-ils au sort commun ? Dans ce cas, qu'adviendrait-il d'elle ? Quels nouveaux ravages s'abattraient sur sa famille ?

Comme Mark revenait à la table, Jenna se redressa en soupirant. Cette fois, c'est auprès d'elle qu'il s'assit, coudes sur la table, face au banc vide. Il s'était procuré une bière et la grimace qu'il fit en avalant la première gorgée prouvait bien qu'il n'était pas habitué à en boire de si piètre qualité. Ensuite, il tourna la tête pour la regarder et elle se dit qu'il était beaucoup trop proche à son goût. Cette dangereuse proximité l'empêchait de garder la tête froide.

— A mon tour de poser des questions. A quoi ressemblait votre mari ?

Elle baissa les yeux sur ses mains crispées pour tenter de trouver une réponse satisfaisante. Elle n'était pas vraiment gênée par cette question. Il y avait belle lurette qu'évoquer son mariage avec Jack Rawlins, ainsi que leur divorce, ne la perturbait plus. Elle prit une profonde inspiration et déclara en le regardant en face :

— Est-ce que vous souhaitez entendre la réponse que je vous aurais donnée au moment de mon mariage, ou celle que je vous aurais faite, il y a un an, quand le divorce a été prononcé ?

— Je désirerais savoir ce qui vous a donné envie de l'épouser.

Elle lui expliqua toutes les petites choses qui l'avaient attirée chez Jack et surtout la façon qu'il avait de lui faire sentir qu'elle était exceptionnelle. C'était un rêveur, plein d'humour et d'audace, qui l'avait encouragée à s'émanciper de sa famille, ce qu'elle n'avait jamais osé faire auparavant.

— Je dois reconnaître que ce qui a le plus *pesé* dans la balance, c'est que toute ma famille détestait Jack Rawlins. Alors pour moi, il était le fruit défendu, conclut-elle, avec un petit sourire contrit.

— Pourquoi vous sentez-vous tellement oppressée par votre famille ? demanda Mark en fronçant les sourcils. Ils se montrent très protecteurs envers vous, c'est un fait, mais ce n'est pas obligatoirement négatif.

— Ce n'est peut-être pas négatif, c'est seulement terriblement pesant. Vous êtes fils unique, vous n'avez aucune idée de ce que ça peut représenter d'être le bébé de la famille. Surtout quand vous êtes la seule fille, tout ce que vous dites ou faites est sujet à discussion. On ne vous prend jamais au sérieux.

Elle se rendait compte de ce que son ressentiment pouvait avoir d'irrationnel et elle essaya de garder son calme.

— Mon père et mes frères sont partis hier en Caroline-du-Nord, fermer notre chalet pour l'hiver. Je suis sur le point d'acheter une maison et je vous parie qu'ils sont tous attablés, en ce moment, en train de discuter du meilleur moyen de m'en dissuader.

— Vous êtes célibataire, vous attendez un enfant, vous avez deux petits garçons à charge et vous vous apprêtez à acheter une maison. C'est compréhensible qu'ils s'inquiètent.

— Je suis tout à fait capable de me débrouiller ! s'exclama Jenna, outrée. Je veux qu'ils me lâchent la bride.

— Peut-être qu'ils ne vous lâchent pas la bride, parce qu'ils sentent que vous n'êtes pas prête, répondit Mark sérieusement.

— Qu'est-ce que vous insinuez ? s'indigna Jenna en lui adressant un regard noir.

— Je ne veux pas me disputer avec vous et je sens bien que j'ai touché un point sensible, se récria-t-il. Ce que je tente de vous faire comprendre, c'est que votre divorce vous a lessivée et vous a laissée en proie aux doutes. Vous n'étiez pas prête à voler de vos propres ailes et votre famille a dû le sentir. Maintenant que vous êtes capable de reprendre votre indépendance, ils vont relâcher la pression.

— Jusqu'à présent ça n'a pas été le cas. Malheureusement, mon père et mes frères manquent totalement de subtilité, il faut leur mettre les points sur les i.

— Je pense qu'ils pourraient bien vous surprendre.

— Alors là, ce ne serait pas une surprise, mais un tel choc que je risque d'avoir une attaque.

— Vous les sous-estimez. Je les ai bien observés au pique-nique. Ils sont fous de vous et de vos fils. Même si je n'ai pas apprécié de me faire traiter comme un délinquant et de subir un véritable interrogatoire, la façon dont Christopher a sondé mes intentions à votre égard m'a rendu presque jaloux. Ça n'a pas de prix de savoir qu'on n'est pas seul et qu'il y a des gens à vos côtés qui sont prêts à vous épauler.

— Ils ne se tiennent pas à mes côtés. Ils se dressent devant moi et me bloquent le chemin.

— Nous n'avons pas reçu la même éducation, c'est ce qui fait que nous voyons les choses différemment. N'empêche que ça doit être formidable de faire partie d'une famille telle que la vôtre. De savoir qu'on appartient à un clan, qu'on est aimé et qu'il existe des êtres proches qui ne vous feront jamais de mal.

Frappée par ce qu'il venait de dire, Jenna l'observa plus attentivement. Au fond, elle ne connaissait rien de son enfance. Au moment où elle allait chercher à en savoir plus, il ajouta :

— Vous savez, si vous souhaitez vraiment acheter une maison, je peux m'en charger. Epousez-moi et je vous achète la maison de vos rêves.

Choquée, Jenna ravala ses questions. L'argent ! Il pensait donc qu'elle n'aspirait qu'à ça, à la sécurité et à l'indépendance financière ? Et l'amour, alors, ce sentiment apparemment si démodé, à ses yeux ?

— Je vous en prie, arrêtez ! s'exclama-t-elle, furieuse. Je connais les bénéfices que je pourrais tirer de votre argent. Evidemment, ça peut être attirant, mais je ne suis pas à vendre.

— Vous n'avez pas à vous sentir insultée, je ne cherche aucunement à vous acheter. Je vous rappelais simplement les avantages annexes que vous pourriez obtenir si nous nous mariions.

— Parlons d'autre chose, s'il vous plaît.

— Très bien. Alors, parlons de votre divorce. Est-ce que vous vous êtes déchirés ?

Ce n'était pas un sujet de conversation des plus agréables, mais au moins ça ne la mettait pas mal à l'aise.

— Pas du tout, et c'est ce qui a été le pire. Jack se fichait tellement de notre mariage qu'il ne s'est pas battu. Même pas pour nos fils. Il ne faut pas vous y tromper, j'ai été soulagée que ça se passe ainsi. Je n'aurais jamais pu imaginer me passer d'eux. Mais ç'a été affreux de constater avec quelle aisance il leur a tourné le dos, ainsi qu'à tout le reste, d'ailleurs.

Jenna, surprise, sentait l'émotion la gagner et lui serrer la gorge. Pourtant, elle croyait depuis longtemps avoir fait une croix sur l'échec de son mariage. Un silence pesant s'installait et elle baissa les yeux sur la part de pizza à peine entamée, dans son assiette. Elle était déjà froide et semblait peu ragoûtante. Mark se rapprocha d'elle. Jenna soupira et leurs regards se croisèrent. Il l'observait avec tant d'intensité qu'elle se figea.

— Votre ex-mari était un bel imbécile, murmura-t-il.

Il était si proche qu'elle voyait palpiter une veine sur son cou. Elle aurait tellement aimé la toucher pour sentir son cœur battre sous ses doigts. Mais soudain, elle ressentit une impression bizarre, comme si des papillons voletaient dans son estomac. Comme elle était stupide de réagir ainsi. Qu'est-ce qui n'allait pas chez elle ? Pourquoi ne pouvait-elle pas s'ôter cet homme de la tête ?

— Voilà que prenez encore votre air méfiant, dit-il en souriant.

— Pas méfiant, prudent, rétorqua-t-elle, s'efforçant d'employer un ton sec et définitif, avec l'impression que l'effet était complètement raté.

Elle se mordit la lèvre et finit par avouer en le fixant droit dans les yeux :

— J'ai peur d'être blessée, Mark. Quand je suis près de

vous, j'ai l'impression de dévaler une pente sans avoir rien à quoi me raccrocher.

Il posa doucement le doigt sur sa lèvre et la caressa avec une infinie délicatesse. Ils semblaient tous deux isolés sur une île déserte, car elle n'avait plus aucune conscience de ce qui les entourait.

— Vous n'avez pas besoin de vous retenir, parce que je vous attends en bas pour vous rattraper.

Elle désirait échapper à son emprise, mais son corps refusait de lui obéir.

— Je ne vous y vois pas.

— Regardez mieux, répondit-il, d'une voix légère.

Mais comme elle détournait les yeux, il s'alarma.

— Qu'est-ce qui se passe ?

— Ne dites pas ces choses-là.

— Pourquoi ? Je suis sincère. Depuis le début, j'ai toujours été honnête avec vous. Vous connaissez mes intentions. Je peux vous rendre heureuse, Jenna, de multiples façons. Et il ne s'agit pas seulement d'argent.

Se sentant entraînée sur un terrain glissant, la jeune femme ouvrit largement les bras et déclara ironiquement :

— Quoi ! Abandonner une vie pareille ? Vous n'y pensez pas !

— Il faut admettre que ça peut *sembler* insurmontable.

— Les pizzas ratées et la mauvaise bière sont la nourriture de base de ma famille. Et ça ne paraît pas être votre tasse de thé.

Mark avala, avec répugnance, sa dernière gorgée de bière et reposa la bouteille vide.

— Avec vous, j'ai découvert que, quand la compagnie est bonne, le repas le plus banal peut se transformer en fête.

Jenna éclata de rire.

— Ça ne m'étonne pas que vous fassiez partie de notre liste

de séducteurs. Est-ce qu'on vous a fourni, comme à eux, le manuel : *Comment tourner la tête d'une fille en 10 leçons* ?

— Naturellement, répondit-il, en lui caressant le dos, et il se pencha pour lui murmurer à l'oreille : est-ce que ça vous intéresse que je vous prouve que j'ai étudié de près le chapitre des baisers ?

— Nous avons déjà révisé ce chapitre, il me semble répondit-elle, troublée.

— Vous parlez d'hier ? C'était juste un petit échauffement.

— Mark…

— Ne m'avez-vous pas dit que votre père était parti ? continua-t-il, sans se démonter. On devrait rentrer chez vous, mettre les enfants au lit et améliorer notre technique.

Il plongea le visage dans son cou et, brusquement, une vague de chaleur la submergea. Cette fois, les avances de Mark n'y étaient pour rien, c'était tout à fait autre chose. Paniquée, elle ressentait une sensation de malaise tout à fait inhabituelle.

— Mark…, supplia-t-elle en s'accrochant à son bras pour ne pas vaciller. Mark, arrêtez !

Jenna avait l'impression que la salle se mettait à tourbillonner et elle serra les paupières quelques secondes. Mais, quand elle rouvrit les yeux, le phénomène s'accentua.

— Allez chercher les garçons, je vous en prie. Je veux m'en aller.

Quelque chose dans sa voix dut l'alerter, il lui lança un regard inquiet.

— Que se passe-t-il ?

— Quelque chose… ne va pas. Je me sens mal. Je crois que je vais m'évanouir. Il faut que nous allions à l'hôpital.

★
★ ★

A leur sortie des urgences, trois heures plus tard, Mark raccompagna la famille en voiture. Les garçons étaient profondément endormis sur le siège arrière tandis qu'ils parcouraient les rues sombres d'Atlanta et pourtant, ce n'était pas la seule raison de leur mutisme.

Le gynécologue de Jenna, qui les avait retrouvés à l'hôpital, avait diagnostiqué que l'origine de ses symptômes provenait d'une carence nutritionnelle. Il s'était aussi inquiété de ses saignements. On avait donc pratiqué une prise de sang et la jeune femme avait ordre de rester quarante-huit heures allongée, afin de se reposer jusqu'aux résultats des analyses. Il fallait être attentif à toute hémorragie éventuelle. Jenna, terrifiée à l'idée de faire une fausse couche, préférait ne pas penser à ce qui se dissimulait derrière l'expression soucieuse du médecin.

Elle avait oublié d'allumer les lumières extérieures et, quand ils se garèrent dans l'allée, la maison de son enfance lui parut étrangement froide et presque hostile. Pendant que Mark faisait le tour de la voiture pour passer de son côté, les garçons se redressèrent. Aussi, Jenna tenta de résister à sa détermination de la porter jusqu'à la maison. Cela risquait d'effrayer ses fils, et son gynécologue lui avait bien dit qu'elle n'était pas invalide. Bien que Mark ait écouté patiemment ses arguments jusqu'au bout, il n'en tint aucun compte et, malgré ses dénégations, il la souleva comme une plume et lui fit parcourir toute l'allée dans ses bras, précédé de Petey et J.D. qui traînaient les pieds.

Il fallait reconnaître que c'était bien agréable d'être dans ses bras. Jenna se sentait paisible et protégée, comme pendant leur attente anxieuse à l'hôpital quand Mark lui avait gentiment tenu la main pour la rassurer. Elle aurait voulu le remercier pour toutes ses attentions délicates et lui avouer à quel point elle était soulagée qu'il soit à ses côtés, mais la peur qui l'étreignait la laissait sans voix. Il la porta jusqu'à l'étage, puis dans sa chambre et la déposa précautionneusement sur son lit.

On aurait dit qu'il manipulait une porcelaine. Embarrassée, Jenna tenta de s'asseoir maladroitement et lui adressa un petit sourire gêné.

— Restez tranquille, ordonna-t-il. Je mets les garçons au lit et je reviens vous aider.

Jenna se doutait bien qu'il ne serait pas absent longtemps et comme elle ne supportait pas l'idée qu'il puisse la déshabiller, elle saisit rapidement la chemise de nuit qu'elle laissait toujours pliée au pied de son lit. Elle l'avait déjà enfilée quand Mark retourna dans la chambre. Il fut mécontent de la découvrir assise au bord du lit et vint s'asseoir auprès d'elle.

— Zut ! J'ai raté l'occasion de vous dévêtir, dit-il, sur le ton de la plaisanterie, en repoussant une mèche folle derrière son oreille.

Jenna sentait bien qu'il cherchait à détendre l'atmosphère, mais elle ne réussit même pas à lui retourner son sourire. Est-ce qu'il pouvait voir à quel point elle se sentait perdue ?

— Les garçons vont bien ? demanda-t-elle.

Elle avait eu beau les rassurer de son mieux, à l'hôpital, ses fils étaient morts d'inquiétude.

— Ils étaient presque endormis quand je les ai couchés. Vous désirez quelque chose à boire ? Ou à manger ?

Jenna secoua la tête, concentrée sur le lien du poignet de sa chemise de nuit qui s'était défait.

— Dites-moi quelque chose, Jen, implora doucement Mark en lui caressant le bras.

La jeune femme se sentait trop oppressée pour parler. Il se pencha sur elle et roula la manche par-dessus son poignet.

— Comme ça, ça ira mieux. Vous allez voir, tout va bien se passer.

— Vous n'en savez rien, rétorqua Jenna en le regardant dans les yeux.

— Vous oubliez que j'ai rencontré toute votre famille.

Les McNab sont de sacrés costauds, déclara-t-il terminant sa tâche.

Jenna lui tendit l'autre bras et le regarda, sans mot dire, ajuster l'autre manche, tandis que s'installait entre eux un silence morne et mélancolique. Le poignet de la jeune femme, qu'il tenait entre ses doigts, était d'une pâleur impressionnante qui contrastait avec le ruban bleu roi de la chemise de nuit, mais, malgré le froid qui lui gelait les os, les mains chaudes de Mark sur sa peau la revigoraient.

— Quand j'ai appris ma grossesse, avoua-t-elle à voix basse, j'aurai voulu en être débarrassée. C'est vrai, je ne voulais pas de cet enfant. Ce n'est plus du tout le cas, maintenant.

Absorbé dans sa tâche, Mark tenait la tête penchée, mais elle vit sa bouche se retrousser ironiquement.

— Alors, vous croyez que vous êtes punie pour vous être montrée méchante et égoïste ? Que Dieu vous châtie en vous prenant votre bébé ? J'espère que vous vous trompez, parce que, sinon, je risque aussi de rôtir en enfer.

— Je ne veux pas perdre mon bébé.

— Ça n'arrivera pas, déclara-t-il d'un ton calme et assuré.

Jenna aurait tellement voulu le croire. Elle se sentait au bord des larmes. Lui, à son habitude, restait calme, posé et sûr de lui, sans montrer la moindre angoisse. Il finit d'ajuster la seconde manche et lui serra la main doucement avant de se redresser.

— Il est temps de vous glisser entre vos draps et de dormir. On reparlera de ça demain.

— Vous allez revenir ?

— Je ne pars pas. J'espère que votre canapé est confortable.

— Vous ne pouvez pas rester.

— Bien sûr que si, déclara-t-il en retroussant le coin de la couverture pour qu'elle puisse se coucher. Votre père et vos frères sont absents et il est trop tard pour prévenir quelqu'un d'autre. Alors, ce sera comme ça.

Comme s'il rassurait un enfant, il repoussa les mèches de cheveux qui lui tombaient dans les yeux et lui planta un baiser rapide sur le front.

— Si vous avez besoin de quoi que ce soit durant la nuit, ne vous levez pas. Appelez-moi. Je ne dormirai que d'un œil, dit-il en éteignant la lampe de chevet.

Dans la pénombre, sa silhouette traversa la pièce.

— Mark…

— Hum ? lança-t-il de l'embrasure de la porte.

Les lumières du couloir étaient éteintes et Jenna discernait à peine son ombre fantomatique dans l'obscurité.

— Merci de rester. Je suis désolée que vous soyez obligé de dormir en bas. Le canapé est vieux et inconfortable. Vous êtes habitué à mieux.

— Vous me prenez toujours pour un enfant gâté, répondit-il avec un petit rire. Je m'en tirerai, rassurez-vous. Allez, Jenna, il faut dormir.

Chapitre 12

Mark rêvait. Il revivait sa merveilleuse nuit new-yorkaise avec Jenna — nuit unique avec une femme unique. Malgré le temps écoulé et tout ce qui s'était passé depuis, le souvenir en demeurait encore vif dans sa mémoire. Ce dont il se rappelait surtout, c'était l'extraordinaire sensibilité de Jenna à tout ce qu'il lui avait fait. Comme elle répondait à chaque caresse. Il suffisait qu'il la touche pour qu'un gémissement de plaisir s'échappe de ses jolies lèvres. Il entendait encore monter le rythme de sa respiration quand il avait caressé son ventre, puis s'était aventurer plus bas. Eperdue, elle avait chuchoté à son oreille : « Oh ! c'est merveilleux, c'est bon. » Oui, il se souvenait de son moindre souffle, et là, perdu entre sommeil et conscience, il lui semblait s'entendre lui murmurer à son tour : « Jenna. Attends-moi, mon amour. »

Aux anges, il ouvrit doucement les yeux…

… Et se retrouva nez à nez avec Darth Vader.

Un Darth Vader, haut comme trois pommes et en pyjama. C'était J.D.

Mark cligna des yeux pour y voir clair, puis tendit la main et tâtonna sur le masque pour essayer d'y dégoter l'interrupteur qui arrêterait ce sinistre bruit.

— Bonjour, dit-il d'une voix rauque. Et si tu allais te recoucher un peu, Darth ?

Reculant de quelques pas, le gamin remonta son masque sur le sommet du crâne.

— Tu sais, tu souriais en dormant. On peut avoir des hot dogs pour le petit déjeuner ?

Mark se redressa en se frottant la figure. Il n'était pas du matin et, d'après la lueur qui pénétrait par les fenêtres, l'aube pointait à peine. Petey, lui, se trouvait déjà installé devant la télé du salon dont le son était coupé et regardait un dessin animé. Sur l'écran, un couple de souris s'activait à rendre dingue un chat.

— Votre mère vous laisse manger des hot dogs pour le petit déjeuner ? demanda-t-il.

— Non.

— Alors, il n'y a pas de raison.

— Maman dort toujours. On l'a laissée tranquille, comme tu nous l'avais demandé.

— Tu es un bon garçon, répondit Mark, en bâillant à s'en décrocher la mâchoire et il lui donna une petite tape sur l'épaule.

J.D., content, retourna auprès de son frère. Après avoir respiré un bon coup pour recouvrer ses esprits, Mark monta à l'étage pour s'assurer de l'état de santé de Jenna, comme il l'avait fait plusieurs fois au cours de la nuit. Elle dormait toujours et il resta près du lit à la contempler un long moment. Ses cils ombraient ses joues qui, ce matin, avaient retrouvé leurs couleurs. Elle tenait une de ses mains ramassée sous son menton, qui, à chaque respiration, bougeait imperceptiblement, et semblait ainsi paisible et vulnérable. Poussé par l'envie irrépressible de la toucher, l'idée lui vint de la réveiller d'un baiser et de la prendre dans ses bras, mais il y résista. Elle avait besoin de repos.

La veille, il avait vécu un cauchemar pendant ces interminables heures passées aux urgences. Cela avait été si frustrant de réaliser son impuissance, que tout l'argent qu'il était prêt à dépenser ne servait à rien, et que cette fois, il n'avait personne à sa botte de qui exiger des réponses nettes et précises.

Bizarrement, ce n'est que pendant cette attente à l'hôpital que l'enfant qu'ils avaient conçu était devenu une réalité pour Mark. Jusqu'à présent, il n'avait été qu'un fantôme sans nom et sans visage, un défi de plus à relever, une sorte de problème épineux, impossible à résoudre tant que les deux parties refusaient de s'asseoir à la table des négociations. Mais, là, brusquement tout avait changé. Il s'était soudain senti investi d'une responsabilité bien réelle. Le bébé était devenu vivant, parce que la peur de Jenna l'était.

La jeune femme soupira profondément et ses paupières s'entrouvrirent. Elle leva les yeux sur lui avec un faible sourire ensommeillé et l'invita à s'asseoir. Ce qu'il fit. Puis il lui prit la main et l'embrassa. Ce n'était pas comme hier où sa chair était glacée, ce matin, ses doigts étaient chauds et souples.

— Je vous ai réveillée ? demanda-t-il.

— Non. C'est mon horloge interne qui s'est mise en route. Il est l'heure de préparer les garçons pour l'école.

— Ils sont déjà levés. Je m'en suis occupé. Ils ont plébiscité des hot dogs au petit déjeuner.

— Il y a des céréales dans la réserve.

Mark était heureux de l'apprendre, car il ne se voyait pas préparer un repas. A la maison, c'était Madame Warren, sa gouvernante, qui se chargeait de ça.

Sereine, Jenna étendit le bras pour y reposer sa tête et soupira d'aise. Devant ce spectacle, il dut détourner les yeux pour réprimer l'intense désir qui s'était emparé de lui.

— Comment vous sentez-vous ?

— Reposée. J'ai l'impression d'avoir fait un mauvais rêve,

répondit-elle avec satisfaction. Je vais me lever dans une minute et m'occuper des garçons.

— Non, c'est hors de question. C'est moi qui vais les prendre en charge. Au moins pendant les prochaines quarante-huit heures.

— Pourquoi ? C'est impossible. Vous ne pouvez pas.

— Je préfère ignorer ce manque de confiance flagrant en mes capacités, répondit-il en riant. Votre famille est absente, je suis disponible. Quel est le problème ?

— Le problème, c'est que…

Elle s'interrompit, gênée.

— Vous redoutez de me voir intervenir dans votre vie alors que vous faites tant d'efforts pour m'en chasser, c'est ça ? Mais ce sont les ordres du médecin. De plus ce n'est que pour deux jours, pas pour deux ans.

— J'ai de très bonnes amies qui peuvent venir m'aider.

— Qui ?

— Lauren, par exemple. Oh, non, elle part aujourd'hui dans le Maine pour son boulot. Il va falloir que je demande à Vic.

— Victoria en baby-sitter, ça doit valoir le coup d'œil, s'esclaffa Mark. Il suffira que l'un d'eux pose sa menotte sale sur son bel ensemble pour qu'ils soient, tous deux, relégués à vie dans leur chambre.

— Je dois reconnaître qu'elle n'adore pas les enfants, concéda Jenna.

Après force discussions, Mark réussit à la convaincre. Jenna acceptait de rester au lit, à condition de ne pas la traiter comme une handicapée, de ne pas la harceler, de ne pas chercher à la régenter et surtout de la consulter s'il se trouvait confronté au moindre problème avec ses fils. C'était décidé, il emmènerait J.D. et Petey à l'école et se rendrait à son bureau d'Atlanta où il avait encore à régler quelques problèmes comptables.

— Que désirez-vous pour votre petit déjeuner ? demanda-t-il, avant de refermer la porte de la chambre à coucher.

— Un toast nature avec du lait ? Ou simplement des fruits ? répondit-elle d'un ton qui trahissait ses doutes de le voir accomplir une chose aussi simple.

— Vous allez voir, déclara-t-il, morose. Je vais tout régler de main de maître et, dans deux jours, vous serez mortifiée de reconnaître que je me suis débrouillé comme un chef.

Il arrive que la vie vous confronte à certains... défis qui feraient craquer n'importe qui. Et Mark Bishop eut à faire face à plusieurs de ces challenges durant l'après-midi et la soirée.

Jusque-là, il s'en était plutôt bien tiré. Petey et J.D. l'avaient aidé à choisir leurs vêtements et, si le résultat n'était pas du meilleur goût, ils avaient au moins l'air présentables.

Puis, il les avait déposés à l'école primaire sans faire trop de détours, avait équipé Jenna pour la journée d'une pile de magazines et de livres, d'une bouteille d'eau, de la télévision rapportée du salon pour la circonstance et avait même réussi à lui préparer une salade de fruits pour son déjeuner.

Après avoir laissé ses différents numéros de téléphone sur sa table de chevet, il s'était rendu au bureau et avait raflé ses dossiers dans son attaché-case pour travailler durant les deux prochains jours sur la table de la salle à manger. Il avait ensuite convoqué ses chefs de département pour une courte réunion, les informant qu'il serait possible de le joindre sur son portable, mais qu'ils avaient sacrément intérêt à éviter de le déranger sans une excellente raison.

Enfin, et il n'était pas peu fier de cette initiative, il s'était arrêté à l'épicerie, armé d'une courte liste de produits destinés à séduire le palais de deux jeunes gourmets. Il avait pensé, d'abord, se faire livrer un repas fin à domicile par un traiteur local, mais avait fini par y renoncer. Les garçons auraient certainement refusé de goûter des plats trop originaux et Jenna aurait jugé qu'il cherchait à esquiver la difficulté en utilisant son argent pour résoudre un problème qu'il aurait dû être capable de surmonter tout seul.

Plus tard, il était allé chercher Petey et J.D. à l'école et les avait installés dans le salon pour qu'ils y jouent tranquillement. Chaque fois qu'il était allé la voir, Jenna dormait. Tout semblait donc sur des rails pour le dîner. L'un dans l'autre, il était plutôt fier de lui.

Puis ce fut le désastre.

Mardi était jour de lessive chez Jenna et Mark n'avait jamais fait la lessive de sa vie. Quoi que son enfance ait été particulièrement misérable, il venait d'un milieu privilégié et n'avait jamais lavé la moindre paire de jeans. Même pendant ses années de fac, il se trouvait toujours une fille, énamourée, trop heureuse de lui rendre ce service.

J.D., les bras débordant de linge, lui ayant fait clairement comprendre qu'il n'avait plus rien à se mettre sur le dos pour son entraînement de football de l'équipe des poussins, Mark, résigné, l'avait suivi dans la lingerie et s'était retrouvé, bras ballants, devant la machine à laver et le séchoir.

Bien sûr, il avait déjà entrevu de tels dispositifs, pourtant, il s'était rarement retrouvé confronté à quelque chose d'aussi intimidant que la masse blanche du combiné Dominator 2006, qui se dressait majestueusement devant lui comme un gigantesque camion rutilant.

On aurait pu supposer que le chiffre 2006 faisait référence aux nombreux boutons, jauges et interrupteurs qu'additionnaient les deux machines, car ces choses paraissaient plus sophistiquées que le cockpit d'un Jumbo-jet.

— A Noël, Grand-père et mes oncles ont fait la lessive à la

place de maman, déclara J.D. en haussant la tête au-dessus de sa pile de vêtements.

— Une attention délicate, répondit Mark, d'un ton absent. Comment on entre là-dedans ?

— Tu veux vraiment y rentrer ? gloussa le gamin, avant de demander l'air suspicieux : Tu es sûr de savoir comment on fait ?

— Pas du tout, et toi ?

J.D. hocha la tête et pointa du doigt une étagère au-dessus des machines où d'innombrables boîtes et bouteilles, alignées en ordre de bataille, attendaient le combat du mardi. Eau de Javel, agents blanchissants, réducteurs d'électricité statique, antitaches, adoucissants... Mark était effaré par la gamme de produits et il prit mentalement la décision d'augmenter Mme Warren dès son retour à Orlando. Saisissant le linge des bras de J.D., il l'enfourna dans la machine où la pile de vêtements s'évanouit dans l'immensité caverneuse de la cuve. Apercevant, à proximité, un panier à linge plein, il le renversa à son tour dans la machine.

— On a intérêt à la charger à bloc, déclara-t-il à J.D.

Le gamin sursauta, les yeux ronds.

— Tu vas tout laver à la fois ?

— Tu crois que ce n'est pas une bonne idée ? demanda Mark, soucieux.

— Maman fait toujours plusieurs machines. Elle aime bien vérifier ce qui est écrit là, expliqua le petit en tirant sur l'étiquette de sa chemisette pour que Mark puisse y lire les instructions.

« J'ai peut-être intérêt à y réfléchir à deux fois », songea Mark. Il se souvenait qu'un de ses colocataires à la fac s'était retrouvé avec tous ses sous-vêtements teints en rose, parce qu'il avait oublié une paire de chaussettes rouges dans la machine.

Il se pencha donc pour prélever tout le blanc qui se trouvait dans le tambour. Une des premières choses qu'il repêcha fut un délicat soutien-gorge en dentelle, qu'il brandit comme un poisson au bout d'une ligne.

— Ça, c'est à maman, déclara J.D.

— Je m'en doute un peu, répondit Mark en fourrant vivement le sous-vêtement dans le panier à linge pour chasser la vision de Jenna avec et, surtout, *sans* soutien-gorge. Va chercher ton frère, ordonna-t-il. Dis-lui de prendre son linge sale et de le descendre dans la lingerie. Et ne fais pas de bruit, pour ne pas réveiller ta mère.

Quand le gamin eut obtempéré, Mark trifouilla quelques boutons. Aussitôt, le monstre se mit à gargouiller, à bondir et à se remplir d'eau. Mais, au bout de quelques instants, il s'immobilisa en tictaquant comme une bombe. C'était de mauvais augure. Mieux valait, peut-être tout, arrêter. Mais, vexé, Mark refusait de s'avouer vaincu. Saisissant son portable dans sa poche revolver, il décida de faire appel à un expert et composa le numéro de sa gouvernante. Manque de chance, elle était partie en vacances pour la durée de son séjour à Atlanta.

« Il est temps d'utiliser mon second joker », se dit-il. Il appela son bureau d'Atlanta en priant le ciel pour que Deb ne soit pas encore rentrée à la maison. Elle décrocha à la seconde sonnerie. Dieu soit loué !

— Deb, au secours ! s'exclama-t-il, sans perdre son temps en politesses inutiles.

— Que se passe-t-il ?

— Qu'est-ce que tu connais aux machines à laver ?

— Je les déteste encore plus que les aspirateurs.

— Même la Dominator 2006 ?

— C'est la Rolls des machines à laver.

— Je suis en train d'essayer de la faire fonctionner, expliqua-t-il, tout en saisissant sur l'étagère un fascicule poussiéreux, qu'il reposa après l'avoir feuilleté en vain. Je crois que j'ai trouvé le mode d'emploi, mais il faut sortir de polytechnique pour utiliser ce truc-là. Est-ce que tu pourrais me guider ?

Deb, qui ne perdait jamais son temps en questions superflues d'habitude, était pourtant sous le choc.

— Vous voulez dire que vous avez décidé de laver *vous-même* votre linge ? C'est pour la caméra invisible ? Est-ce que vous avez un appareil sous la main ? J'exige une photo.

— Arrête de plaisanter et aide-moi ! s'écria Mark furieux. Quand je la mets en marche, on dirait qu'elle... digère quelque chose, ou quelqu'un. Je te jure, c'est sérieux ! Deb, attends une seconde, reprit-il, car J.D., qui était de retour, le tirait par le pan de sa chemise.

Il tourna son attention vers le petit garçon qui avait une expression soucieuse.

— Petey dit que tu n'as pas d'ordre à lui donner et qu'il se fiche que son linge ne soit pas lavé.

Ce nouveau problème semblait plus brûlant que de maîtriser la Dominator. Mark avait bien remarqué que Petey s'était rebellé plusieurs fois au cours de la journée, mais il avait mis cette mauvaise humeur sur le compte de la fatigue et du coucher tardif. Il n'avait donc pas relevé. Cependant, le gamin semblait ruminer quelque chose. Il reprit le téléphone.

— Je te rappelle plus tard, Deb. Renseigne-toi pour moi, veux-tu ?

Il lui raccrocha au nez et, laissant J.D. trier les vêtements par couleur, il monta dans la chambre des garçons, où Spiderman combattait les extraterrestres. Petey, assis au pied de son lit, se tenait ramassé, les genoux sous le menton, devant une pile de linge sale. Mark s'accroupit en face de lui.

— En tant qu'homme, je comprends que tu préfères garder tes vêtements favoris le plus longtemps possible, mais j'ai entendu dire que mardi était jour de lessive chez les Rawlins. Alors, est-ce que tu t'y mets, ou est-ce qu'il faut que j'envoie J.D. te pulvériser avec son canon laser ?

Le garçonnet enfonça le visage dans ses genoux et Mark ne discerna plus que deux yeux sombres et hostiles.

— D'abord, tu n'es pas mon père. Tu n'as rien à me dire, répliqua-t-il d'une voix sourde.

S'il y a une chose que Mark savait au sujet des enfants, c'est qu'ils ne s'embarrassaient pas de subtilités. Quand il avait débuté comme journaliste, il s'était retrouvé confronté à des terroristes redoutables, des politiciens retors et même à quelques tueurs en série et il réalisait soudain qu'il aurait préféré de beaucoup les affronter de nouveau que de traiter avec ce gamin buté.

— Non, je ne suis pas ton père. Mais j'essaye d'aider ta mère. Pourquoi n'essayes-tu pas de lui rendre les choses plus faciles ?

— Pourquoi ? Ça ne servira à rien, répondit le gamin exalté. Elle va mourir, de toute façon.

— Quoi ? Bien sûr que non, qu'est-ce que tu racontes ? s'exclama Mark, qui tombait des nues.

— Elle a des chances de mourir. Mon copain Shawn Blake m'a raconté que sa mère avait failli y passer, quand il est né, et que beaucoup de mamans meurent, si elles attendent des bébés quand qu'il ne faudrait pas. Si tu crois qu'on va à l'hôpital, comme ça, si ce n'est pas très grave.

— Beaucoup de gens se rendent aux urgences pour de multiples raisons, répondit Mark, essayant de le raisonner. Ta maman n'est pas en train de mourir, elle a simplement eu des inquiétudes pour son bébé et le médecin veut qu'elle se repose un peu. Ça n'a rien à voir.

— Comment tu peux en être sûr ?

Le gosse semblait tellement angoissé que Mark se rapprocha de lui. Mais ce fut peine perdue. Petey ne réagit pas, fermé comme une huître. Le message était clair, cet enfant refusait tout réconfort et Mark ne savait plus quoi faire. Si Jenna l'épousait, il pourrait lui procurer une vie libre de tous soucis, il la protégerait, subviendrait à ses besoins et pourrait même, un jour, qui sait, dominer la Dominator.

Mais pour ses gosses, c'était une autre paire de manches… Il n'existait aucun manuel, aucune antisèche, même pas de précédent dans sa famille, et lui fallait improviser au petit bonheur la chance en suivant son instinct. Franchement, il n'était pas sûr de pouvoir s'y fier.

Petey avait l'air d'attendre qu'il dise quelque chose, n'importe quoi, pour le réconforter. Or, Mark ne pouvait lui donner aucune garantie, cela aurait paru trop arrogant, ni se permettre de lui faire seulement de vagues promesses. Peut-être pouvait-il faire appel à sa logique. Ce gamin devait avoir l'esprit pratique, comme sa mère.

— Eh bien, commença-t-il en prenant son air le plus sérieux, je suis sûr que tout va bien se passer, car je sais que ta mère est une femme sensée et qu'elle suivra les ordres du médecin à la lettre. Et je pense que son gynécologue est un bon médecin. Si ce n'était pas le cas, je ferais venir le meilleur accoucheur du pays à son chevet.

Petey redressa un peu la tête et Mark comprit qu'il écoutait.

— Toi, J.D. et moi, nous pouvons nous rendre utiles. On va bien prendre soin d'elle et la protéger. Ainsi, quand le bébé sera là, on n'aura plus qu'à se réunir autour de lui pour se féliciter de la façon géniale dont on s'en sera tiré. Qu'est-ce que tu en penses, Petey ? reprit-il en baissant la tête, afin de capter le regard de l'enfant.

Le garçonnet prit un moment pour réfléchir, puis demanda enfin :

— Tu seras là quand le bébé va naître ?

Mark ne voulait pas se laisser entraîner sur ce terrain, aussi répondit-il prudemment :

— Je *veux* être présent.

— J.D. n'est pas très malin, déclara Petey d'un air sérieux.

— C'est pour ça qu'il a besoin de toi pour le guider, répondit Mark, qui, après avoir eu l'impression de chercher son chemin dans un tunnel obscur, apercevait enfin la lumière. Moi aussi, je pourrais donner un coup de main, reprit-il en ramassant quelques T-shirts sales. Qu'est-ce que tu connais du monstre tapi dans la laverie ?

— Il fait peur.

— Ça, je m'en suis rendu compte. Viens donc m'aider à le dompter avant qu'il n'ait avalé ton petit frère.

La deuxième crise survint plus tard dans la soirée, au moment même ou Mark commençait à baisser sa garde. Elle eut pour origine une source inattendue : J.D.

L'homme d'affaires avait réalisé que s'il s'en était aussi bien tiré, la veille, c'était parce les garçons dormaient debout quand il était monté les coucher. Mais, ce soir-là, après qu'il se fut escrimé à leur donner leur bain — combattre un alligator lui aurait paru une promenade de santé en comparaison —, les garnements trouvèrent une foule de prétextes pour retarder le moment d'aller au lit. Il semblait évident que leur mère leur manquait. Pourtant, Mark ne voulait pas la déranger pour un motif aussi dérisoire : ce n'était pas insurmontable de nettoyer deux garnements et les expédier au lit.

Eh bien… A l'évidence, c'était beaucoup plus compliqué qu'il ne l'avait imaginé.

La salle de bains des garçons ressemblait à un vrai magasin de jouets. Tout le long de la baignoire, des sous-marins miniatures et des figurines de soldats s'alignaient au garde-à-vous et comme les gamins passaient leur temps à jouer au lieu de se laver, Mark avait de gros doutes sur le résultat de leurs ablutions.

Quand il réussit enfin à les extraire de l'eau, le sol de la pièce était jonché de vêtements froissés, d'un amas de serviettes mouillées, de l'eau s'était répandue partout, il était trempé de la tête aux pieds et son sens de l'humour s'était légèrement fissuré. Ce qui avait paru à l'origine une tâche toute simple lui avait pris plus d'une heure et, pire, aucun des deux garçons ne semblait prendre ce qu'il disait au sérieux.

Tandis que Petey et J.D., déchaînés, se bousculaient sur les carreaux glissants, il enleva la bonde de la baignoire et entreprit de ramasser les serviettes.

— Pourquoi n'enfilez-vous pas vos pyjamas ? suggéra-t-il d'un ton ferme en les séparant.

— Maman nous aide toujours, répondit Petey.

— Je suis sûr que, pour une fois, vous pouvez vous débrouiller tout seuls, répondit-il, alors que J.D. replongeait dans l'eau tiède en éclaboussant partout pour repêcher un de ses guerriers intergalactiques.

— J.D., arrête ça tout de suite ! s'exclama Mark en prenant son ton de père autoritaire. Et mets ton pyjama.

— Mais maman…, répliqua le petit ahuri.

— Ta mère dort et je ne veux pas la réveiller. Alors, faites un effort et prouvez-lui qu'on peut s'en tirer sans elle. Allez-y maintenant et *ne faites pas de bruit.*

Ils sortirent sans répliquer de la salle de bains, envahie de vapeur, et Mark, en sueur, finit de collecter les vêtements sales pour les fourrer dans le panier à linge. Est-ce qu'on pouvait aussi y placer les serviettes mouillées ? Il n'en avait pas la moindre idée. Perplexe, il saisit une paire de baskets dégoûtantes par leurs lacets, en se demandant ce qu'il fallait qu'il en fasse. Ouf ! Aucun bruit ne lui parvenait de la chambre des garçons. Il avait dû réussir à les convaincre de se coucher. Mieux valait, pourtant, en avoir le cœur net. Il se rendit dans leur chambre, plongée dans la pénombre et Petey, allongé sur son lit, lui sourit. C'était bon signe.

— Très bien, soupira Mark. Vous êtes prêts à dormir ?

— Maman nous lit toujours une histoire, répliqua l'aîné en se renfrognant.

C'était bien ce qu'il redoutait, mais impossible d'y échapper. Il examina les rayonnages de la bibliothèque.

— D'accord. Une histoire et puis on éteint.

Il s'apprêtait à rapprocher un siège et à allumer la lampe de chevet, quand il remarqua que le lit de J.D. était vide.

— Où est ton frère ?

Petey pointa sous le lit et Mark, en se baissant, constata que le gamin était dissimulé dessous. Enveloppé d'une couverture, équipé de son canon laser et d'une armée de soldats miniatures, l'enfant immobile le fixait de ses grands yeux sombres. Il avait bien enfilé son pyjama mais semblait déterminé à passer la nuit dans sa cachette.

— Qu'est-ce que tu fabriques ? demanda Mark avec un sourire engageant.

— C'est là qu'il se réfugie quand il est mécontent, commenta Petey.

— Et pourquoi serait-il mécontent ?

Comme l'aîné haussait les épaules sans répondre, Mark s'agenouilla.

— J.D., sors de là tout de suite.

J.D., les yeux brillants, secoua la tête. N'y comprenant rien, Mark essaya toutefois de l'amadouer.

— Qu'est-ce qui ne va pas ?

— Je veux ma maman.

L'homme d'affaires était à bout de patience. Même s'il ne s'était pas si mal débrouillé jusqu'à maintenant, il n'avait rien de Superpapa. Est-ce qu'il y avait moyen de manipuler ce bout de chou en le culpabilisant un peu ? D'ordinaire, ça marchait toujours.

— Tu désires que ta maman aille mieux, non ?

— Hun, hun.

— Alors, il faut qu'elle se repose. Montre que tu es un bon garçon et couche-toi dans ton lit. Sinon, elle va s'inquiéter.

— Maman me laisse dormir ici, tant que je veux.

— Ce n'est pas vrai, rétorqua Petey, méprisant. Il veut n'en faire qu'à sa tête.

— J.D...

— Tu as assassiné le capitaine Treadway ! cria brusquement J.D.

— Quoi ? s'exclama Mark, bouche bée.

— C'est le commandant de l'Enterprise. Il était dans le bain. Maman, elle enlève toujours mes jouets avant de vider l'eau. Toi tu ne l'as pas fait et tu m'as empêché de le repêcher. Et maintenant le capitaine Treadway a été aspiré par le trou noir, débita le petit à toute vitesse.

— Il est parti dans l'évacuation, traduit Petey.

Quoi ! C'était *seulement* ça ! Mark était stupéfait.

— Je suis sûr qu'on va le retrouver. Demain matin, s'il le faut, je démonterai le siphon, promit-il, pour consoler le petit qu'il sentait au bord des larmes.

— C'est *maintenant* qu'il faut le sauver.

— Quand il est parti comme ça, il est capable de pleurer toute la nuit, prévient son frère aîné.

— Tu ne m'aides pas beaucoup, Petey, lança Mark par-dessus son épaule. Bon, d'accord, calme-toi, reprit-il à l'intention de J.D., qui s'était reculé si loin contre le mur qu'il était presque hors de vue. Je vais voir ce que je peux faire.

Mark se redressa et se dirigea vers la salle de bains. Il avait à peine jeté un coup d'œil au trou d'évacuation que les deux gamins l'avaient rejoint.

— Retournez au lit.

— J'ai apporté ma lampe de poche, répliqua Petey en la lui tendant.

Mark s'en saisit pour observer l'intérieur du siphon. Il était possible qu'un jouet minuscule ait pu glisser dedans, mais ça ne semblait pas le cas. Ce n'était peut-être qu'une manœuvre de J.D. pour gagner du temps. Qu'aurait fait Jenna dans en pareil cas ?

— Je ne vois rien du tout, dit-il aux deux garçons en s'agenouillant près de la baignoire.

— Papi a des outils, suggéra J.D.

— J.D., je t'ai promis de m'en occuper demain matin…

Mais le gamin avait l'air tellement accablé que Mark céda en soupirant.

— Où sont-ils ?

— Dans le placard de l'entrée.

— Restez ici et n'entrez pas dans la chambre de votre mère. Pas un bruit, c'est compris ? ordonna-t-il aux deux gamins qui hochèrent la tête solennellement.

Mark descendit au rez-de-chaussée et fourragea dans le placard jusqu'à ce qu'il découvre la boîte à outils. Il n'avait jamais effectué la moindre réparation de sa vie, mais supposa qu'il aurait besoin d'un tournevis, s'il se mettait à jouer les bricoleurs. Cinq minutes plus tard, sous la surveillance attentive de Petey et J.D., il avait démonté la partie supérieure du siphon. Il dirigea le rayon de la lampe de poche à l'intérieur de l'orifice. Il n'y avait rien du tout. Le capitaine Treadway semblait avoir pris la poudre d'escampette. S'il s'était coincé plus loin dans les canalisations, Jenna risquait d'affronter un problème majeur de plomberie.

— Il n'y a rien là-dedans. Tu es sûr que… ?

J.D., prêt à sangloter, hocha vigoureusement la tête. Au moment où Mark, levant les yeux au ciel, allait se résoudre à réveiller Jenna, qui semblait seule capable de trouver une solution à la perte du capitaine et au chagrin de son fils, il remarqua un gant de toilette roulé en boule dans un coin de la baignoire. On discernait quelque chose de vert coincé en dessous. Mark le prit et le secoua. La petite figurine en plastique tomba sur l'émail.

— Est-ce que c'est quelqu'un de ta connaissance ? demanda-t-il en brandissant le jouet sous le nez de J.D.

— Le capitaine Treadway ! s'exclama le petit en sautant dans tous les sens, après le lui avoir arraché des mains. J'avais oublié qu'il était installé dans son gant-capsule-spatiale, pour sa prochaine mission.

— Je vois, dit Mark. Tu n'aurais pas pu te rappeler ça, *avant* de me faire démolir le siphon ?

J.D., totalement hermétique à ces arguments rhétoriques, le regarda d'un air indifférent.

— Bon, maintenant, mets-le vite au lit avant qu'il ne se retrouve de nouveau dans le pétrin.

— Il ne va jamais se coucher. Il dirige la base spatiale de la salle de bains, répliqua J.D., en fronçant les sourcils.

— Très bien.

Le capitaine réintégra le panier à jouets, derrière les toilettes, et tous trois se mirent en marche vers la chambre. Petey alla se coucher sans un mot, mais J.D. se tourna vers Mark.

— Est-ce que je peux quand même dormir sous mon lit ?

— Non. VA TE COUCHER ! Et dormez tous les deux !

— Est-ce que tu es de mauvaise humeur parce que tu es fatigué ? lança Petey.

— Je ne suis pas de mauvaise humeur. Je n'ai pas l'habitude

de coucher des enfants. Moi, d'ordinaire, ça me prend à peine un quart d'heure.

— Maman, elle fait ça tous les jours.

— Oui, mais c'est une dure à cuire et elle a plus d'entraînement que moi. Allez, on dort maintenant. Bonne nuit.

— Bonne nuit, répondit J.D., enfin aimable.

Mark éteignit la veilleuse. Il entendit des bâillements et des froissements de couvertures.

— Mark, l'appela Petey dans l'obscurité.

— Oui ?

— Tu avais dit que tu nous lirais une histoire.

Mark eut un profond soupir et ralluma la lumière. Il savait reconnaître sa défaite.

A 2 heures du matin, Jenna se leva pour aller boire un verre d'eau dans la salle de bains. Une seule gorgée, et au lit. Elle était restée couchée toute la journée et ne se sentait pas le moins du monde fatiguée, mais, il valait mieux ne pas désobéir aux ordres du médecin, ni violer l'accord qu'elle avait passé avec Mark. Elle ne put pourtant résister à l'envie de mener une rapide inspection de la maison, sur laquelle régnait un silence de mort. Juste pour s'assurer que tout se passait bien.

Dans la soirée, Mark lui avait apporté son dîner sur un plateau et Petey et J.D. étaient venus passer quelques instants auprès d'elle. Les deux garçons avaient eu l'air mal à l'aise de voir leur mère alitée et ils n'avaient pas tardé à s'ennuyer. Elle s'était sentie tellement isolée durant cette interminable journée. Ses fils lui manquaient et elle aurait voulu s'activer un peu, au lieu de rester ainsi à ne rien faire en se rongeant les sangs. Mais Mark lui avait rappelé qu'une promesse était une promesse et elle s'y était tenue. Pourtant, quel mal y avait-il à vérifier l'étendue du chaos qui devait s'être abattu sur son domicile ?

Elle se rendit d'abord dans la chambre des garçons. C'était si touchant de voir l'air d'angelot innocent qu'ils prenaient dans leur sommeil. Ils étaient si mignons, ainsi, qu'on n'aurait jamais pu supposer que c'étaient de vraies terreurs. Elle les embrassa sur le front et, au moment de se retirer, découvrit avec surprise un assortiment de vêtements propres, préparé avec soin pour chacun d'eux, sur la commode.

Cela devait être l'œuvre de Mark. Jamais ses fils, qui étaient capables d'ériger une ville entière avec deux draps et une serviette, n'auraient réussi à plier leurs affaires correctement.

En parcourant les pièces à la lueur de la lune, elle constata que le reste de la maison était globalement bien rangée. C'était surprenant. Il ne traînait ni vaisselle sale dans l'évier, ni pièces de jeux éparpillées partout, ni chaussures sales sur la moquette.

Dans le salon, éclairé par la pâle clarté de la lune, Mark dormait sur le canapé, tout habillé, comme n'importe quel mari qui, rentré tard du travail, aurait succombé à la fatigue sur le sofa. Sa silhouette se dissolvait dans l'obscurité. Elle l'entendit émettre un profond soupir et le vit remuer pour trouver une position plus confortable sur le canapé, bien trop étroit pour ses larges épaules. Il ouvrit les yeux et lui adressa un regard endormi.

— Jenna ? Vous allez bien ?

— Oui. Je me suis juste levée pour boire un peu d'eau et vérifier si les garçons dormaient bien.

Rassuré, il referma les yeux en souriant aux anges. Sans réfléchir, Jenna s'approcha pour repousser une mèche de cheveux sur son front. C'était si bon de le toucher.

— Je suis désolé pour la baignoire, bredouilla-t-il. Je la réparerai demain.

— La baignoire ?

— J.D. m'a accusé d'avoir noyé le capitaine Treadway, expliqua-t-il en bâillant, mais c'était un mensonge.

— Ce n'est pas un problème, rendormez-vous, Mark.

— Vous aussi, dit-il en bâillant de nouveau.

Après avoir tiré sa couverture sur ses épaules, elle remonta se coucher. De retour dans son lit, elle tapota son oreiller pour le regonfler et se tourna sur le côté. « Arrête de penser à cet homme », s'ordonna-t-elle. Mais en dépit de la consigne, le sommeil fut long à venir.

Chapitre 13

— N'oublie surtout pas de venir nous chercher, exigea Petey en sautant de la voiture pour retrouver son frère sur le trottoir de l'école primaire.

— Promis, répéta Mark pour la troisième fois.

Ce gosse aurait pu commencer à lui faire confiance. Jusqu'à présent, il avait plutôt bien géré les problèmes d'intendance, non ?

— J'ai mon entraînement de base-ball et le coach déteste qu'on soit en retard.

— Je serai à l'heure, rassure-toi.

Petey lui adressa un sourire plein d'espoir, avant de courir rejoindre son cadet, et Mark reprit le volant. Tout en roulant, il se remémora la liste des tâches qu'il lui fallait accomplir dans la journée. Ça ne devait pas être trop compliqué. Quiconque avait la tête sur les épaules et un bon agenda devait aisément en venir à bout.

Pourtant, il était surpris des efforts de concentration que cela lui demandait. C'était sûrement à cause du manque de sommeil. Le sofa de Jenna n'était pas confortable et il avait passé la nuit à se tourner et à se retourner dans tous les sens. Sans compter qu'il s'était bien levé une bonne douzaine de fois, à l'affût du moindre bruit. Est-ce que Jenna ne l'avait pas appelé ? Est-ce que les garçons s'étaient levés pour faire des bêtises ou simplement pour boire un verre d'eau ? Est-ce que ce grincement dans le jardin provenait du système d'arrosage, ou est-ce qu'un cambrioleur cherchait à s'introduire dans la maison ?

Chez lui, il n'avait jamais eu à s'occuper que de lui-même. Dans son luxueux penthouse du dixième étage, il aurait pu aussi bien se trouver sur la lune. L'avantage, c'était qu'on y dormait comme un bébé.

Mark préférait ne pas penser à ce que lui avait révélé ces dernières vingt-quatre heures : la paternité était un boulot bien plus ardu que tout ce qu'il avait pu imaginer. Quand il avait débarqué à la porte de Jenna, plein de promesses et d'illusions, sincèrement désireux de les prendre en charge elle et son bébé, il n'avait jamais réfléchi à tout ce qu'impliquait la présence de deux autres gosses dans le paysage.

Quoique Petey et J.D. soient des bons petits, se retrouver chargé d'enfants du jour au lendemain n'était pas une sinécure. Cela posait un milliard de problèmes et pompait un maximum d'énergie. En effet, ces deux diablotins étaient non seulement totalement imprévisibles, mais ils n'arrêtaient pas de tester ses limites. Alors, bien qu'il se soit refusé à demander conseil à leur mère, Mark n'arrêtait pas de se poser des questions, ignorant s'il disait ou faisait ce qui convenait, il redoutait de les blesser sans le vouloir.

Pour la première fois de sa vie, il se sentait maladroit et manquait de repères.

Bon sang ! Pourquoi s'inquiétait-il pour ça ? C'était juste deux gosses. Il allait s'en tirer ! Il était bien venu à bout de la Dominator 2006, non ?

En fait, s'il se sentait ainsi découragé et fatigué, c'était à cause de ses ennuis au bureau. Ces maudits audits d'Orlando continuaient à soupçonner des détournements de fonds et, si

Mark avait préféré fermer les yeux jusque-là, c'était parce que ces vampires incriminaient le chef des contrôleurs de gestion d'Atlanta, Dale Damron, qu'il avait personnellement engagé à ce poste, six ans auparavant. Il avait une confiance absolue en cet homme, qu'il avait connu à la fac, et refusait d'envisager la moindre malversation de sa part, tant qu'on ne lui en fournirait pas la preuve tangible. Pourtant, aujourd'hui, il ne pouvait plus reculer. Il lui fallait se plonger dans les livres de comptes qu'il avait rapportés chez Jenna. Et, si le pire s'avérait exact, c'est-à-dire que Dale volait la compagnie, en l'occurrence le volait *lui*, il devrait agir.

Il ouvrit la porte précautionneusement car Jenna devait encore dormir. Mais non, elle l'appelait de sa chambre. Il monta les marches quatre à quatre et ouvrit la porte. Adossée à la tête de lit, elle était assise, enveloppée dans ses draps et lui sembla aussi attirante dans la lumière crue du matin qu'elle l'avait été dans l'obscurité de la nuit.

— Je veux me lever, déclara-t-elle.

Mark s'appuya au chambranle de la porte et croisa calmement les bras.

— Désolé. Tant que votre médecin n'a pas appelé, c'est hors de question.

— Vous aviez promis de ne pas me donner d'ordres.

— Et vous, que vous obéiriez à ses directives.

— Je vais devenir folle si ça continue. J'ai lu tout ce que vous m'avez donné, écrit une douzaine de lettres, regardé la télévision jusqu'à plus soif et trié mes recettes. Il faut que je fasse quelque chose au lieu de rester allongée à me contempler le nombril.

— C'est très bien de pratiquer l'*omphaloskepsis*.

— Quoi ?

— La méditation, si vous préférez. En restant fixée sur votre nombril, vous atteindrez un haut degré de contemplation, et ça vous fera le plus grand bien.

— Bon, je vous préviens, si je continue à ne rien faire, je vais m'omphaloskepser de cette maison, en quatrième vitesse. Et si ça provoque une catastrophe, ce ne sera pas moi la responsable.

Mark marcha droit vers le lit, arborant l'air sévère d'un maître d'école.

— Jenna, soyez raisonnable.

— J'ai *été* raisonnable. Maintenant, je veux me rendre utile.

— Je vais vous apporter les chaussettes à apparier.

— Que comptez-vous faire aujourd'hui ?

S'il croyait qu'il pourrait l'écarter aussi facilement, il se trompait.

— Des trucs ennuyeux. J'ai un tas de dossiers à éplucher. Mon équipe d'audits à Orlando trouve des dysfonctionnements inexplicables dans les comptes du bureau d'Atlanta.

— Une investigation comptable ! C'est tout à fait dans mes cordes ! s'exclama Jenna, radieuse. Je vais vous aider.

— Vous devez rester au lit.

— Vous n'avez qu'à travailler ici. J'ai là un siège fait exprès pour vous, rétorqua-t-elle en tapotant le lit à côté d'elle avec un regard taquin.

— Vous et moi, côte à côte, dans le même lit, s'étonna Mark, qui ne pouvait retenir ses pensées de galoper. Ce que vous proposez là ressemble au paradis.

— Nous allons *travailler* dur, assura Jenna, d'un ton ferme et sans réplique. On n'est pas là pour s'amuser. Allez chercher vos dossiers. Il faut qu'on s'y mette tout de suite. On a du pain sur la planche.

Mark commençait à envisager sérieusement sa proposition. Au fond, même sur ce lit, ça devait être possible de travailler ensemble, en toute amitié. De toute façon, l'état de santé actuel de Jenna interdisait toute autre option. Mais, ça n'ôtait rien à la tentation.

— Alors, on s'installe sur les couvertures, pas en dessous, déclara-t-il en se rapprochant.

— Je ne vous le fais pas dire.

Mark laissa vagabonder ses yeux à la lisière du décolleté de la chemise de nuit, il était sage, mais pas assez à son gré.

— Je ne suis pas de bois, alors enfilez votre robe de chambre. Je reviens tout de suite.

A son retour, ils entassèrent des oreillers contre la tête de lit pour qu'elle puisse s'adosser confortablement et Mark, après avoir ôté ses chaussures, s'assit auprès d'elle, son portable sur les genoux.

Jenna classa les documents qu'il avait sortis de son attaché-case et bientôt tout le lit fut couvert de documents, de CD de sauvegarde et de rapports multiples. Il avait préféré ne rien lui dire des soupçons qui pesaient sur Dale, pour ne pas l'influencer. Au cas où elle remarquerait d'éventuels indices, ce serait de son propre chef.

Il trouvait cette tâche fastidieuse, car il n'était pas un homme de dossiers. Il préférait de beaucoup initier des projets et les diriger que de manipuler les chiffres, mais Jenna, au contraire, semblait revigorée. Ils travaillèrent d'arrache-pied toute la journée, s'accordant juste une courte pause pour le déjeuner, restant quelquefois une heure d'affilée sans rien se dire, absorbés dans les dossiers…

Le silence régnait dans la pièce comme un compagnon agréable. Souvent, ils comparaient leurs notes et examinaient ensemble les colonnes de chiffres, à l'affût de la moindre anomalie. Le début de l'après-midi s'avéra frustrant, car toutes les pistes conduisaient à une impasse, mais au moins ils n'avaient rien trouvé incriminant Dale. Les audits d'Orlando devraient s'appuyer sur autre chose que de vagues suppositions, s'ils voulaient se lancer dans la chasse aux sorcières.

Mark bâilla, incapable de fixer plus longtemps son attention sur la feuille couverte de chiffres qu'il tenait en main. Il glissa sur le côté pour s'installer plus confortablement. Appuyé sur son bras, il jeta un coup d'œil à Jenna, dont il ne discernait ainsi que le profil et la nuque délicate.

Lèvres serrées, elle était en pleine concentration, abîmée dans l'examen d'une longue liste de données. Comme c'était gentil de sa part de s'intéresser de si près à ses problèmes. On aurait presque dit que ce travail rebutant la passionnait. En tout cas, c'était la première fois que lui-même pratiquait ce genre d'activité, allongé sur un grand lit douillet.

Il se redressa un peu et passa lentement la main dans le dos de la jeune femme. Le tissu de sa robe de chambre avait la douceur du satin et lui évoquait une image de nuits chaudes dans des draps frais. Bizarrement, il ne sentait pas le besoin de pousser plus loin et constatait, un peu surpris, que la simple proximité de Jenna le comblait. Il ne se serait jamais cru capable d'écarter aussi facilement toute ambiguïté sexuelle et de prendre ainsi plaisir à la seule présence d'une femme à son côté.

— Je sais ce que vous avez en tête, dit-elle en tournant le visage vers lui.

— Je vous parie que non.

Elle lui retira la main de son dos et, après lui avoir donné une petite tape, la reposa sur la hanche de Mark. Puis elle le menaça de l'index. Ce n'était pas l'heure de jouer !

« Je perds mes moyens, se dit-il encore une fois en bâillant aux corneilles. Je suis au lit avec une femme à peine vêtue et, tout ce qu'elle désire, c'est étudier mes livres de comptes. »

Ensuite, il dut s'endormir car il ne reprit conscience qu'en entendant la voix de Jenna pénétrer les limbes de sa conscience.

— Mark, réveillez-vous. Il faut que je vous montre quelque chose.

Ouvrant les yeux, il découvrit le visage de Jenna penché sur lui, si près qu'il pouvait discerner chacun de ses cils. Il posa les doigts sur les lèvres de la jeune femme, qui s'entrouvrirent légèrement à son contact.

— Très bien, montrez-moi tout ce qui vous plaira, mais, si je rêve, ne me réveillez pas.

— Vous ne rêvez pas du tout, répliqua-t-elle gaiement. Ecoutez, il faut que je vous parle de vos facturations.

Mark se redressa sur la pile d'oreillers en soupirant lourdement.

— Quand vous vous y mettez, vous êtes un vrai éteignoir.

Jenna se redressa d'un bond pour examiner un rapport informatique qui s'étalait en accordéon sur toute la longueur du lit.

— Savez-vous si le tirage de l'édition d'Atlanta a augmenté ou baissé, depuis l'année dernière ?

— Il a augmenté.

— Dans quelle proportion ?

— De 17 % en un an.

Elle croisa ses doigts fuselés d'un air songeur.

— Ça doit être ça.

— Qu'est-ce qui doit être ça ?

Jenna se retourna pour lui faire face.

— Je crois qu'on opère un détournement de fonds depuis votre service de comptabilité.

Mark sentit son sang se glacer. Il n'avait aucune envie d'entendre ça.

— C'est impossible, protesta-t-il, buté. Nous avons nos propres contrôles internes, les tâches sont fragmentées et un cabinet indépendant d'audits intervient deux fois par an.

— Tout ça n'a jamais fait reculer un employé indélicat, déterminé à voler, rétorqua-t-elle en balayant ses arguments d'un geste de main. Ça arrive tous les jours, dans les meilleures entreprises, ajouta-t-elle en lui tendant un rapport qui se trouvait sur ses genoux.

Epais et détaillé, celui-ci contenait toutes les factures de l'année écoulée. Parmi des nombreuses données, Jenna en avait soulignées certaines en rouge.

— Regardez ça, dit-elle en en pointant l'un des chiffres mis en exergue. L'un de vos principaux postes de dépense, c'est le papier. Pendant des années, vous vous êtes approvisionné chez United Press Works, un grossiste important d'Atlanta. Ce sont aussi les fournisseurs de *MdR*. Mais, récemment, pour une raison inexplicable, vous avez changé et êtes passé chez Fine Print. Et, alors que l'année n'est même pas terminée, la consommation a augmenté de 62 %. Alors, si le tirage n'a augmenté que de 17 %, pourquoi consommez-vous plus de papier que le Pentagone ?

Il réfléchit longuement à la question, avant d'affronter son regard attentif.

— Plus d'exemplaires tirés, plus de suppléments, que sais-je ? Nous sommes obligés de multiplier les éditions à cause de l'actualité et il y a plus de perte.

— Pas dans de telles proportions.

— Vous pensez que l'accord avec Fine Print est pourri ?

Jenna acquiesça en saisissant l'annuaire sur la table de chevet. Ayant parcouru la rubrique des papetiers, elle s'écria :

— En tout cas, si ce n'est pas le cas, Fine Print ferait mieux de revoir sa campagne de pub. Ils ne sont même pas marqués dans les pages jaunes.

— Parce qu'ils n'existent pas.

— Ce qui m'a mis la puce à l'oreille, c'est que je n'en n'ai jamais entendu parler, alors même que, l'an dernier, j'ai lancé un appel d'offre en direction de tous les grossistes en papier de la ville, pour abaisser nos coûts. Et regardez ça, dit-elle en saisissant un nouveau dossier sur ses genoux.

Jenna était tout excitée, on aurait dit une Sherlock Holmes en jupon. Seulement, en traquant le coupable, elle risquait de débusquer son vieil ami.

— Si on s'en tient au registre de vos entrepôts, aucune des livraisons de Fine Print ne comportait le moindre numéro de lot, ni de bulletin de livraison. Soit vos gars n'étaient pas très regardants quand ils ont reçu la marchandise, soit…

— … ils n'ont rien reçu du tout.

— Exactement. Et, malgré la politique de l'entreprise qui exige un bulletin de livraison avant tout règlement, les factures ont été approuvées chaque fois. Par quelqu'un d'autorisé.

— Par qui ? demanda Mark qui aurait préféré ne pas entendre.

— Harvey Dellbarubio, l'assistant contrôleur de gestion.

Mark sursauta, puis ressentit un intense soulagement. Quel bonheur d'entendre un nom qui ne soit pas celui de Dale ! Sans réfléchir, il prit la tête de Jenna entre ses mains, l'attira à lui et lui planta un baiser enthousiaste sur les lèvres. Effarée, la jeune femme resta muette quelques secondes avant de lui retourner un sourire charmeur.

— Eh bien, dites donc ! s'exclama-t-elle en riant. Quand je parle comptabilité avec Vic, le seul compliment dont j'hérite c'est d'un : « Bon travail, Jenna. »

Si elle avait su ! Mark se sentait à la fois allégé d'un grand poids et envahi d'un sentiment nouveau, quelque chose d'indéfinissable et d'envoûtant qui lui faisait battre le cœur. Il fit courir les doigts le long du visage de la jeune femme, dessinant avec les pouces ses pommettes saillantes et la délicieuse courbe de sa mâchoire.

— Jenna, murmura-t-il. Vous êtes une femme fabuleuse. Je me demande si vous vous en rendez compte.

Elle baissa les paupières puis se mordit la lèvre, avant de relever les yeux sur lui.

— Et encore, vous n'avez aucune idée de ce que je suis capable de faire avec les pertes et profits, répondit-elle d'une voix frémissante qui trahissait sa nervosité.

Il relâcha son étreinte, conscient de ne pouvoir se permettre d'aller plus loin. En tout cas, pour aujourd'hui. Il s'éclaircit la gorge et, les yeux brouillés, loucha sur le rapport.

— C'est donc Harvey Dellarubio, l'escroc dans cette affaire. Mais comment le prouver ?

Jenna s'efforça de calmer son trouble pour revenir au sujet qui les préoccupait.

— Vous pourriez appeler le service des achats pour qu'ils ressortent le contrat de Fine Print et vérifient qui l'a négocié. Il faudrait aussi découvrir où les chèques sont envoyés. Je vous parie que c'est une boîte postale. Ce serait intéressant de voir qui vient la relever. Enquêtez également pour savoir si Dellarubio n'approuve pas lui-même ses notes de frais. A votre place, j'étudierais aussi le listing des salaires. Souvent, dans ces cas-là, on trouve des employés fantômes qui touchent des salaires fictifs.

— Quand je pense que ce type travaille pour nous depuis des années, déclara Mark, incrédule.

— C'est souvent comme ça que ça se passe. Je donnerais ma tête à couper que c'est un employé modèle qui ne prend jamais de vacances et ne compte pas ses heures. Ce genre d'individu ne peut pas se permettre de voir son patron mettre son nez dans ses affaires. C'est bien trop dangereux.

— Je vais donner quelques coups de téléphone, décida Mark.

Réalisant soudain que l'après-midi touchait à sa fin, il

regarda sa montre et sauta brusquement du lit pour enfiler ses chaussures à la hâte.

— Il faut que je file, je dois aller chercher les garçons.

— Vous avez largement le temps.

— Il ne faut pas que je sois en retard. Petey ne me le pardonnerait jamais. N'oubliez pas qu'on va à l'entraînement de base-ball. On en a au moins pour deux heures.

Comme Jenna le fixait bizarrement, il demanda :

— Qu'est-ce qu'il y a ?

— Rien, répondit-elle, perdue dans ses pensées. Vous aviez un air si… tendre, si concerné, en disant ça. Comme si vous faisiez partie de la famille et que vous aviez tout pris en main.

— Je vous avais prévenue de ne pas me sous-estimer. Je progresse très vite. Quand je décide de me consacrer à fond à quelque chose, je vais jusqu'au bout, affirma-t-il en se penchant sur le lit pour lui infliger une petite chiquenaude sur le nez, avant de déposer un rapide baiser sur ses lèvres. Allez, trouvez-moi encore du grain à moudre pour mes audits. Je serai rentré avant que vous ne vous en rendiez compte.

— Je vais faire de mon mieux. Quel délice culinaire allez-vous nous concocter ce soir, chef ?

— Je dois admettre qu'en dehors des macaronis au fromage et des hamburgers, la cuisine reste *terra incognita* pour moi, avoua-t-il, en glissant le pan de sa chemise dans son pantalon.

— Ce soir, nous nous montrerons charitables. Nous allons nous faire livrer à dîner. Qu'est-ce que vous en dites ?

— Marché conclu.

Les deux heures suivantes passèrent en un éclair. Juste après le départ de Mark, Jenna reçut enfin l'appel du médecin. Ses analyses ne révélaient qu'une carence en fer. C'était un simple problème d'anémie.

Elle en fut si soulagée qu'elle accepta sans broncher les remontrances du praticien qui l'enjoignait de mieux se nourrir et promit de passer le lendemain au cabinet prendre des vitamines.

Il fallait célébrer la bonne nouvelle. Avant que Mark ne rentre avec les garçons, elle cuisina en deux temps trois mouvements le plat favori de la famille : un pain de viande accompagné de purée d'une pomme de terre.

Comme elle les accueillait tout les trois à la porte, Mark fronça les sourcils à la vue du short et du T-shirt qu'elle avait enfilés à la place de sa chemise de nuit.

— Vous ne devez pas…

— Le médecin a téléphoné, le coupa-t-elle avec un grand sourire. Tout va bien.

Quand elle eut expliqué le coup de fil en détail, Petey et J.D. lui sautèrent dans les bras, imité par Mark, qui s'attarda assez longtemps pour lui embrasser l'oreille. Elle les envoya tous à l'étage pour une rapide toilette, pendant qu'elle préparait des verres de thé glacé et de lait. Le dîner fut bruyant et animé. Mark et les garçons employaient un langage codé qui leur était propre et Jenna, en retrait, les voyait échanger des blagues et des regards de connivence dont le sens lui échappait complètement. Ce qui ne l'ennuyait pas, au contraire. Elle se réjouissait de voir Petey et J.D. heureux.

Parfois les yeux de Mark croisaient les siens et chaque regard qu'ils échangeaient avait l'intensité d'un baiser. La discussion était gaie et enlevée, mais s'y superposait parfois une communication muette quand elle lisait dans ses yeux une lueur d'interrogation, ou décelait sur ses lèvres un petit sourire railleur. Elle se sentait un peu déstabilisée. Comme si ces longues heures passées au fond de son lit l'avait rendue plus fragile.

Pour résumer, ce soir-là, on aurait dit que tous quatre formaient une vraie *famille*.

Quel contraste avec l'amère comédie dans laquelle s'était transformé son mariage avec Jack ! Lui n'avait jamais réussi à communiquer avec ses fils et n'avait jamais fait d'effort pour y parvenir. Il les trouvait exaspérants, voilà tout. Et les remarques acides de Jenna, ainsi que son irritation, n'y avaient rien changé.

Elle se tenait assise au bout de la table et observait Mark qui captivait les garçons en leur posant des devinettes. Si elle l'épousait, leur vie ne ressemblerait pas toujours à ce dîner, dans le chaud cocon familial, avec ces éclats de rire et ces petites attentions partagées. Lui serait-il possible de repartir de zéro avec lui ? Etait-il raisonnable de bâtir une nouvelle vie avec quelqu'un qui prétendait ne pas croire à l'amour ?

Evidemment, il lui faudrait faire une croix sur le mariage de conte de fées dont elle avait toujours rêvé. Mais combien y avait-il d'unions de ce genre, de nos jours ?

Elle continua à retourner ces questions dans sa tête bien après que la table eut été débarrassée et que Petey et J.D. soient partis dans le salon regarder la télévision. Elle s'apprêtait à desservir le dernier verre quand Mark, qui s'était approché derrière elle, la prit aux hanches et la serra contre lui.

— C'est le moment de féliciter la cuisinière, dit-il à voix basse pour ne pas être entendu des garçons.

Comme il faisait glisser ses lèvres le long de son visage, elle tourna légèrement la tête pour que sa bouche vienne au contact de la sienne et il l'embrassa voluptueusement.

Au fond, cela pourrait être si simple de vivre avec lui. Cela pourrait se révéler la chose la plus simple qu'elle n'ait jamais faite.

— Je suis heureux que tout se déroule bien pour le bébé, déclara-t-il.

— Moi aussi.

— Vous n'êtes plus inquiète, j'espère ? Vous n'avez pas ouvert la bouche durant la fin du dîner.

— Je vous observais, vous et les garçons et je songeais que c'était bien agréable d'être réunis tous les quatre.

— Cela pourrait-être ainsi tous les soirs, Jenna, déclara Mark, plein de conviction. Il vous suffit de dire oui.

— Non, ça ne peut pas se passer toujours ainsi, protesta-t-elle. Comment réagirez-vous le jour où Petey se montrera insolent avec vous, ou que J.D. aura une mauvaise note en maths ? Et quand vous serez exténué à cause du biberon de 2 heures du matin, des coliques du bébé, ou parce qu'il perce une dent ?

— Vous devriez envisager de travailler pour le Planning Familial, répliqua-t-il, avec un sourire ironique. Vous y feriez merveille. A vous entendre, on a l'impression qu'être parent ressemble à une interminable séance chez le dentiste.

— C'est quelquefois l'effet que ça me fait. Bon, oublions les enfants. Avez-vous réalisé dans quelle mesure votre vie en sera bouleversée ? Qu'est-ce que vous ferez quand vous devrez affronter la tondeuse, dans le jardin, ou la plomberie ou la climatisation qui rend l'âme en pleine canicule, hum ?

Les yeux ronds, Mark essayait de garder son sérieux, mais il avait du mal à retenir son hilarité.

— Vous avez décidé de vous installer à Amityville, la cité de l'horreur ?

— Soyez un peu sérieux, l'admonesta-t-elle en lui administrant une légère bourrade. Vous vous imaginez vraiment affronter ce type de complications ?

— Pas du tout. Mais l'annuaire est plein de gens dont c'est le métier.

— Alors, c'est comme ça que vous comptez vous débrouiller ? Vous allez engager un jardinier, une gouvernante et pourquoi pas une nurse, pour vous débarrasser du bébé, pendant que vous y êtes ? Moi, je cherche quelqu'un qui partage la vie d'une banlieusarde et qui affronte la réalité en face.

— Alors, il faudra que nous fassions tous deux des compromis.

Jenna posa la main sur son torse. A travers le tissu de la chemise, elle avait l'impression de sentir les battements puissants et réguliers du cœur de Mark dans sa paume.

— Je sais bien ce que ça m'apporterait beaucoup de vous épouser. Ça pourrait même être une grande chance. Mais, pour votre bonheur, vous devriez vous demander ce que moi, je peux bien vous apporter en échange.

— Jenna…

— Mark, viens vite ! cria J.D. du salon. C'est notre émission préférée.

— On m'appelle, soupira Mark avec un sourire de regret.

— Je vais réunir vos affaires. Cela m'a fait très plaisir que vous soyez là, mais, maintenant que j'ai reçu le résultat des analyses, il n'y a plus aucune raison pour que vous restiez.

— J'en ai une excellente. Pas vous ? demanda-t-il en lui décochant un regard charmeur.

— Aucune qui me faciliterait la vie, en tout cas, riposta Jenna en se dégageant vivement de ses bras pour ne pas faiblir.

Montée à l'étage, elle s'assit sur son lit, songeuse. A part son incertitude concernant l'état du bébé, elle avait passé une journée merveilleuse. Cela avait été si agréable de partager ces moments d'intimité avec Mark… Elle avait adoré le compagnon chaleureux qu'il avait été. Décidément, jamais elle n'avait connu cela avec un homme, avant de le rencontrer.

« Mais qu'est-ce que j'attends ? songea-t-elle. Pourquoi est-ce que je refuse de capituler ? »

Submergée par un flot d'émotions qu'elle n'avait plus ressenties depuis des années, Jenna se pencha sur le lit pour prendre l'attaché-case de Mark. Pour le moment, elle se refusait de penser à tout ça. S'occuper de tâches concrètes était le meilleur moyen de s'éclaircir les idées et elle allait, pour ce faire, remettre bon ordre aux dossiers qu'ils avaient éparpillés partout. Les notes qu'elle avait prises sur l'implication de Dellarubio dans un possible détournement, ainsi que les documents où se trouvaient les preuves des dysfonctionnements, devaient retourner en priorité dans la mallette pour pouvoir être facilement consultés.

Mais au moment où elle ouvrait celle-ci, quelques chemises glissèrent d'une des poches de côté. Elle en fit une pile, et s'apprêtait à leur faire réintégrer l'attaché-case, quand elle remarqua le titre du premier dossier et se figea. Ecrit en lettre majuscules, on y lisait :

Shelby.

Evidemment, c'était très personnel. Evidemment, les rapports de Mark avec la jeune femme ne la regardaient pas.

Evidemment.

Pourtant, Jenna ne put s'empêcher de se poser des questions dont les réponses, songea-t-elle, se trouvaient forcément dans ce dossier. Mark avait prétendu que tout était fini entre Shelby et lui : avait-il dit vrai ? Pourquoi transportait-il donc ces papiers ?

Les parcourant rapidement, Jenna éprouva tout d'abord un vif soulagement. Il n'y avait pas là de quoi fouetter un chat. Le dossier ne contenait que des contrats d'affaires caducs. Seulement, elle changea de couleur en tombant sur l'accord prénuptial que Mark avait fait rédiger au moment de ses fiançailles. Il était froissé. C'était donc la copie que Shelby lui avait envoyée à la figure. Il l'avait probablement fourrée dans le dossier, pour la retourner à son avocat.

De tous les documents, c'était le plus confidentiel et Jenna sentait ses doigts la brûler. Elle ne *devait* pas le consulter. Cela ne la regardait pas.

Et pourquoi pas, après tout ? objecta-t-elle à sa propre conscience. N'avait-elle pas quelques raisons de se montrer indiscrète ? Mark avait proposé de l'épouser, elle aussi, et elle venait de passer toute la soirée à considérer très sérieusement son offre. Il semblait donc légitime qu'elle se soucie de ce qu'il était susceptible d'exiger d'elle.

Ayant écarté ses scrupules, Jenna feuilleta rapidement le document.

Et elle crut que son cœur allait s'arrêter de battre.

Car le contrat n'avait rien à voir avec l'argent, hélas. C'était bien pire. Il ne stipulait pas de séparation de biens, ne parlait ni d'évaluation, ni de restitution en cas de divorce : il contenait la plus cruelle exigence qu'on puisse imaginer pour une femme amoureuse :

Pendant toute la durée du mariage, aucune liaison extraconjugale ne pourra être considérée comme un argument recevable de divorce…

Autrement dit, Mark exigeait de son épouse l'autorisation écrite d'avoir une maîtresse s'il le désirait et quand bon lui semblerait…

Chapitre 14

Jenna ne pouvait en croire ses yeux. Pourtant, c'était bien écrit là, en toutes lettres. Cet article constituait même le cœur du document.

« Le cœur »… Quel mot incongru pour qualifier un contrat qui autorisait un mari à prendre maîtresse sans laisser à la femme légitime le droit d'en prendre ombrage. Pas étonnant que Shelby Elaine ait rompu brutalement.

De son côté, en revanche, elle ne pouvait reprocher à Mark son cynisme. Il avait toujours joué franc-jeu avec elle et il ne s'était jamais fait passer pour un amoureux transi, proclamant, au contraire, haut et fort, son dégoût du romantisme. Cet accord lui ressemblait : réaliste, pragmatique et logique.

Maudit soit cet homme !

Même si elle ne pouvait légitimement s'emporter contre lui, la jeune femme ne s'en sentait pas moins profondément déprimée. Il lui fallait faire son deuil d'un rêve. Un rêve qui se fracassait contre la dure réalité, au moment même où elle commençait à envisager qu'il soit possible. Au fond, si on examinait les choses froidement, Mark se révélait pire que son ex-mari. Lui, au moins, avait eu la décence de comprendre qu'on ne pouvait éternellement vivre une double vie.

Un regard posé sur elle la fit sortir de sa torpeur. Mark,

debout à la porte, l'observait. Inutile de feindre de ne pas avoir lu le contrat. D'où il était, il pouvait fort bien distinguer les papiers, et elle le vit se décomposer au fur et à mesure qu'il prenait conscience que leurs rapports venaient de basculer irrémédiablement. Le silence devint vite intolérable.

— Il est tombé pendant que je ramassais vos dossiers, dit-elle, enfin, en reposant le contrat dans l'attaché-case.

— Ne vous justifiez pas. Ce serait plutôt à moi de m'expliquer...

Sans lui en laisser le temps, Jenna se leva brusquement. Il fallait qu'elle s'en aille. Elle ne pouvait demeurer une seconde de plus dans la même pièce que lui.

— Ne vous donnez pas cette peine. Ce que je pense n'a aucune importance, lança-t-elle en se dirigeant droit vers la porte.

— Si. Pour moi, c'est important, protesta-t-il en la retenant par le bras.

Comme elle se débattait, Mark resserra son étreinte et l'entraîna vers le lit.

— Asseyez-vous, je vous en supplie.

Jenna s'exécuta avec un grand soupir et attendit, raide comme un piquet, bien déterminée à ne pas l'écouter. Quelles explications cet homme aurait-il le front d'inventer pour justifier sa bassesse ?

Mark ne s'approcha pas d'elle mais, prenant une chaise près de la fenêtre, il s'y assit, le dos courbé.

— Vous êtes très pâle, s'inquiéta-t-il.

— Vous voudriez que je prétende ne pas être choquée ? Impossible !

— Je ne vous demanderai jamais de mentir, Jenna. J'admire trop votre franchise.

Mais qu'est-ce qu'il s'imaginait ? Qu'il suffisait de quelques flatteries pour la mettre dans sa poche.

— Parfait ! Puisque vous aimez la franchise, je vais vous dire ma façon de penser. Ce que vous avez exigé de Shelby était cruel et immoral. Quelle femme voudrait épouser un homme, dans ces conditions ? Il fallait vraiment que vous soyez bouffi d'orgueil, pour imaginer que votre fiancée signerait ce torchon ! Comment avez-vous osé exiger une chose pareille de la femme que vous aimiez ? C'est…

— Qu'est-ce qui vous fait croire que j'aimais Shelby ?

Jenna en resta interloquée.

— Le jour de notre rencontre, reprit Mark, je vous ai expliqué que Shelby et moi envisagions le mariage comme un partenariat, un marché profitable entre deux parties. Je pensais que vous aviez compris que l'amour n'avait rien à faire là-dedans. Du moins, de mon côté.

— Vous n'aviez rien de Roméo et Juliette, je vous l'accorde.

— Cet exact et je n'ai jamais donné à Shelby la moindre raison de croire que ça changerait. Malheureusement, plus nous approchions de la cérémonie, plus il était visible qu'elle était en train de tomber amoureuse de moi. C'était une calamité, puisque, à la base, nous nous étions mis d'accord pour fonder notre union sur une entente raisonnable et solide.

» Quand j'ai compris que cela ne lui suffisait plus, qu'elle aspirait à autre chose, j'ai ordonné à mon notaire d'inclure dans le contrat la clause la plus extrême que j'aie pu imaginer. Il m'était impossible de donner à Shelby plus que ce que je m'étais engagé à lui donner, et je voulais être sûr qu'elle s'en contenterait. »

Désarçonnée par cette explication inattendue, Jenna ne savait plus quoi dire. Elle n'aurait jamais présagé rien de tel. Elle finit par murmurer :

— Vous avez été rapidement fixé, je crois.

Mark se frotta la joue comme si elle lui cuisait encore.

— Oui, en effet.

Jenna aurait voulu parler, mais elle se sentait si déconcertée qu'elle ne savait comment aborder les choses. Pourtant, il fallait absolument qu'elle démêle l'écheveau embrouillé de cette histoire.

— Je n'y comprends rien, finit-elle par avouer. Pourquoi aspiriez-vous à une relation aussi froide et stérile ? Ça n'aurait rien eu d'un mariage.

— Il faudrait d'abord que je vous explique tout ce que je refuse dans ce mot et pourquoi. Ça serait peut-être plus clair.

Mark semblait abattu et usait d'un ton inhabituel. En guise d'explication, il se leva et se dirigea vers la fenêtre où il s'absorba dans la contemplation de la rue obscure. La nuit était tombée. Il se retourna enfin vers elle en s'adossant à l'appui de la fenêtre.

— Mon père vient d'une grande famille de Savannah. Enfant unique, gâté-pourri par ses parents, totalement arrogant et égocentrique. A Harvard, il a fait la connaissance de ma mère, qui travaillait comme serveuse dans un restaurant du coin. Une semaine plus tard, ils se sont enfuis ensemble pour se marier.

— C'était un mariage d'amour.

— En effet, ils étaient passionnément amoureux, répondit Mark, d'un ton morne. Quand mes grands-parents ont appris la nouvelle, ils ont menacé de le déshériter. Cette femme représentait tout ce qu'ils haïssaient : elle venait du Nord, était issue de la classe moyenne… et elle était bien trop jolie, au fond, pour prétendre entrer dans une famille telle que la leur, expliqua-t-il, absorbé dans ses pensées.

Le pli amer qui marquait sa bouche rendait méconnaissable l'homme que Jenna avait appris à apprécier ces derniers jours.

— Mon père a dû abandonner ses études, afin de trouver un

travail pour ne pas mourir de faim. La rupture avec sa famille l'avait complètement démoli. Peut-être qu'en d'autres circonstances, l'amour de mes parents aurait décliné doucement ; en l'occurrence, la passion qui les avait jetés l'un vers l'autre était morte avant même que ne sèche l'encre de leur contrat de mariage. Malheureusement, ma mère était déjà enceinte de moi, expliqua-t-il en lançant à Jenna un regard sardonique. Il était impossible d'annuler le mariage.

Il se tut, fixant le plafond comme si le reste de son histoire y était inscrit, et Jenna respecta son silence, émue par l'intensité des sentiments qui l'étreignaient.

— Finalement, la famille de mon père lui a pardonné et a même fait l'effort d'accepter ma mère. Mais c'était trop tard. A cette époque-là, mes parents vivaient déjà un enfer. Ma mère était une femme passionnée, elle avait cru aux promesses de mon père et refusait qu'il puisse ne plus l'aimer. Elle pleurait, suppliait, tempêtait, et plus elle luttait pour le reconquérir, plus il s'éloignait d'elle. Sans aucune discrétion, il passait de maîtresse en maîtresse, ne cherchant même pas à camoufler le dégoût que lui inspirait cette épouse qui s'accrochait à lui désespérément.

Mark serra les dents. Sa colère s'était transformée en tristesse.

— Vous avez dû terriblement souffrir.

— Vous ne pouvez imaginer le courage et l'hébétude qu'il faut, pour endurer une telle atmosphère de haine, répondit-il, indéchiffrable. Pour moi, le mariage était une guerre qui détruisait tout le monde, en particulier moi.

— Pourquoi n'ont-ils pas tout simplement divorcé ?

— Ma mère n'aurait jamais accepté de laisser partir mon père qui, de son côté, devait jouir des tourments qu'il lui infligeait.

Jenna, qui tentait de se figurer la vie d'un petit garçon dans des conditions si terribles, sentait l'émotion lui serrer la gorge.

— Je suis désolée, Mark, sincèrement.

— Je ne vous raconte pas ça pour vous apitoyer. Il y a bien longtemps que je me suis résigné à accepter mes parents tels qu'ils étaient, reprit-il, en venant s'asseoir auprès d'elle. Mon père était un salaud de première et ma mère une déséquilibrée, toujours au bord de l'explosion, pourtant, grâce à eux, j'ai compris certaines choses. Par exemple, qu'entretenir les illusions de quelqu'un et lui donner de faux espoirs était la pire des cruautés. Et aussi que les mariages basés sur les affres de la passion sont les plus susceptibles de mal tourner. Parce que, aucun sentiment excessif ne peut durer en ce monde.

Profondément affligée par ce qu'elle venait d'entendre, Jenna ne pouvait détacher son regard de Mark. Soudain, tout s'expliquait.

— Si vos parents ont échoué, c'est à cause de ce qu'ils étaient. Ça ne veut pas dire que vous-même…

Les mots s'évanouirent sur ses lèvres, car il l'avait saisie par les épaules et la fixait d'un regard ardent.

— Vous ne comprenez pas. Je me refuse à supporter un seul mois, même un seul *jour*, d'une union pareille, ni d'infliger un tel cauchemar à un enfant.

— Vous avez raison.

— Et je ne prendrai jamais le moindre risque que cela se produise.

— Alors… Qu'est-ce que vous comptez faire ? demanda Jenna, découragée. Vous allez passer votre vie entière à fuir l'amour, le véritable amour ?

Il relâcha son étreinte.

— Ce n'est pas ce que je dis. A l'inverse de ce qu'on a toujours cherché à nous faire avaler par un intense lavage de cerveau et pour des raisons bassement commerciales, je prétends qu'un mariage ne peut se fonder sur une impulsion romantique. En revanche, je considère qu'on doit s'unir en se basant sur la confiance, l'amitié, des buts en commun…

— Un peu de sexe aussi, de temps en temps, j'espère. Sinon, ça risquerait vite d'être mortellement ennuyeux, ironisa Jenna, d'un ton acide.

— Si je comprends bien, vous n'êtes pas d'accord avec ma conception du mariage, constata Mark, soucieux.

La jeune femme se concentra pour ne pas trahir sa pensée.

— J'essaye d'envisager notre éventuel futur, dans les conditions que vous décrivez : une vie tranquille, policée, raisonnable… On croirait que vous parlez d'une colocation.

— Ça n'aurait rien à voir.

— Et pourquoi donc ? C'est bien ce que vous aviez envisagé avec Shelby.

— Notre situation est complètement différente. Shelby était dévorée d'ambition. Il était exclu que nous ayons des enfants. Alors qu'entre vous et moi, il s'est tissé des liens bien plus puissants.

Jenna sursauta et le fixa avec un regard incrédule.

— A cause du bébé ? Vous croyez donc que les enfants sont un remède miracle ? Une naissance n'a jamais sauvé un mariage. La preuve, la vôtre n'a pas évité le naufrage de celui de vos parents.

— Je ne m'attends pas à ce que ce soit facile, protesta Mark en balayant impatiemment ses arguments. Croyez-vous que c'est ainsi que j'imaginais les choses ? Après toutes les précautions dont je m'étais entouré, me marier à cause d'une grossesse… Mais, c'est trop tard. Ce qui est fait est fait. Tout ce que je suggère, c'est de nous entraider pour atteindre notre but : élever au mieux cet enfant.

— Ça, je ne peux pas vous le promettre Mark, avoua Jenna, oppressée.

— Pourquoi ? s'écria-t-il avec emportement. Nom de Dieu ! Qu'est-ce qui ne vous convient pas ? Montrez-vous un peu sensée, pour une fois !

Jenna se dressa à son tour.

— Bien sûr que je désire un mariage fondé sur la confiance et l'amitié… mais pourquoi faudrait-il se limiter à ça ? Je n'y peux rien si je suis fleur bleue et romantique. Moi, j'ai besoin de sentir mon cœur battre quand mon mari pénètre dans la pièce. Enfin, Mark, réfléchissez ! Vic, Lauren et moi avons créé un magazine consacré exclusivement à l'amour. C'est normal que je désire vivre un conte de fées. Et si ce n'est pas votre cas, vous perdez votre temps avec moi.

— Votre mariage ne vous a donc rien appris ? rétorqua-t-il brutalement.

Il avait sûrement parlé sans réfléchir, mais la douleur qu'elle ressentit n'en fut pas moins profonde et, au bord des larmes, elle se détourna pour dissimuler son chagrin. Mark, comprenant qu'il l'avait blessée, lui caressa doucement les bras.

— Jenna, je suis profondément désolé. Je n'aurais jamais dû dire ça.

— Non, vous n'auriez pas dû, répondit-elle, le regardant droit dans les yeux en s'efforçant de prendre un ton détaché, mais c'était au-dessus de ses forces. Jack m'a fait comprendre que, quelque fois, les crapauds se déguisent en princes et que je dois rester sur mes gardes. Pourtant, je sais que si je tombe sur le « bon », je serais encore capable de perdre la tête. Vous avez bien vu, avec quelle facilité, je suis tombée dans votre lit, ajouta-t-elle avec un petit sourire railleur.

— Est-ce que vous sous-entendez par là que je pourrais être le « bon » ? demanda-t-il, intéressé.

— Je commençais à…

Elle s'interrompit, frustrée. Comment lui avouer que c'était exactement l'idée qu'elle avait retournée toute la nuit ? Qu'en dépit de toutes ses préventions elle était amoureuse de lui. Comment annoncer une chose pareille à un homme qui venait de lui signifier clairement qu'il ne prendrait jamais le risque de l'aimer ? Elle prit une profonde inspiration.

— Ce que je désire n'a aucune importance, déclara-t-elle, déterminée. Je dois seulement considérer le bien de Petey et de J.D., ainsi que du bébé. C'est leur futur qui est en jeu.

— Alors, qu'est-ce que nous allons faire ?

— Je ne sais pas. Je n'en sais rien, répéta-t-elle brusquement. Il me faut du temps pour réfléchir.

— Très bien. J'ai encore quelques jours de travail pour apurer la situation au bureau. Voulez-vous que, pour vous faciliter les choses, je me tienne à distance et cesse de vous importuner ?

— Pour que j'arrive à la conclusion que rien n'est possible entre nous.

Il eut un petit rire sans joie.

— Pauvre princesse, dit-il en caressant tendrement la joue glacée de Jenna, comme je regrette de ne pas être celui que vous voudriez que je sois.

Elle se sentait affreusement déçue. Comment pouvait-il lui asséner un tel coup, alors qu'elle commençait juste à espérer ? Serait-elle un jour capable d'accepter l'arrangement qu'il lui proposait : une vie sans illusions, sans grands sentiments, juste un engagement et une amitié sans faille, qui procurerait à ses enfants une existence protégée ? Tant de femmes accepteraient avec gratitude cette proposition. Mais, elle, en serait-elle capable ?

En tout cas, il y avait au moins une chose sur laquelle elle était d'accord avec Mark : l'amour était vraiment une affaire horriblement compliquée.

— J.D., murmura Petey dans l'obscurité de la chambre.

Son frère ne dormait pas. Quoique qu'il y ait plus de dix minutes que maman leur avait ordonné d'éteindre, Petey voyait les couvertures de son lit s'agiter dans tous les sens et il savait qu'il jouait en cachette avec sa figurine du Capitaine Treadway.

— J.D., sors de là !

Les couvertures volèrent et la tête de son cadet apparut. Même dans la pénombre, on voyait qu'il n'était pas content.

— Laisse-moi tranquille, protesta-t-il. Je ne t'embête pas.

— Je veux te parler.

— Tu devrais dormir.

— Toi aussi.

— Qu'est-ce que tu veux ?

— Ça fait deux jours que Mark n'est pas venu nous voir.

— Et alors ?

— Tu crois qu'il nous aime encore ?

— *Moi*, il m'aime, répliqua son cadet, avec un sourire éblouissant.

Ce gamin était un vrai bébé. Pourquoi perdre son temps à lui demander quoi que ce soit ?

— Qu'est-ce que tu penses de lui ? demanda quand même Petey.

— Tu sais qu'il a vraiment vu la navette de l'espace… en personne ! s'exclama J.D., tout excité.

Si Petey l'avait pu, il l'aurait secoué avec plaisir. Comme disait papi, on avait quelquefois l'impression que ce morveux avait du fromage blanc à la place du cerveau.

— Mais non, tête de piaf ! Ce que je veux dire, c'est : est-ce que tu l'imaginerais comme père ?

— Je crois que oui, répondit J.D., grimaçant, tant il faisait d'efforts pour réfléchir. Cependant, s'il revient, il faudrait que maman soit un peu plus aimable avec lui. Et toi ? Tu ne l'aimes pas ?

— Papa me manque, avoua Petey, qui se sentait plus tendu qu'une corde de violon.

J.D. s'appuya sur son coude et le contempla un long moment en silence. C'était bien la première fois qu'il restait muet aussi longtemps.

— Tout le monde pense que tu es plus intelligent que moi, déclara-t-il finalement, mais quelquefois je me demande si tu n'es pas plus débile qu'un crétin de Cyberlon.

— Ah tiens ? Comme si tu en savais quelque chose.

— Ce que je sais, c'est que tu parles, alors que tu ferais mieux d'écouter. Maman a dit que papa ne reviendrait jamais et que, même s'il revenait, elle refuserait qu'il vive avec nous. Maman dit toujours la vérité. Alors, pourquoi tu veux quelque chose que tu ne peux pas avoir ?

Ce n'était vraiment pas très gentil de dire ça et ça n'était pas bien, non plus, de parler ainsi de leur père. Cependant Petey devait admettre qu'il avait été bien rassuré par la présence de Mark Bishop à la maison quand sa mère était si malade. Celui-ci avait pris les choses en main et avait paru vouloir vraiment s'occuper d'eux.

— Oui. Je crois que Mark et maman devraient vivre ensemble, conclut J.D., après mûre réflexion.

— Peut-être qu'il viendra me voir jouer au base-ball.

Petey, refusant d'admettre se soucier le moins du monde de cet homme, aurait voulu ravaler sur-le-champ les mots qui venaient de lui échapper.

— Si tu joues, il viendra sûrement te voir, répondit J.D. J'ai une idée. On devrait lui téléphoner et lui demander de venir. Comme ça, il verrait maman. Tu as encore son numéro ?

Aussitôt, Petey se dégagea de ses couvertures et marcha sur la pointe des pieds vers son cartable. Il ouvrit la fermeture Eclair d'un des compartiments et saisit la carte professionnelle que Mark leur avait donnée, en cas de besoin. Il se pencha sur le lit de son frère.

— Et s'il ne veut pas venir ?

— Tu n'as qu'à lui dire que tu ne pourras pas en toucher une s'il n'est pas là, qu'il faut qu'il vienne pour te porter chance.

— Je ne vais pas lui dire ça, protesta Petey mortifié.

— Et pourquoi ?

— Je ne veux pas qu'il croit que je suis un bébé. C'est comme si j'avouais que je suis terrifié à l'idée de taper dans une balle sans qu'il soit là pour me tenir la main ! En plus j'aurais l'air idiot si j'y arrive.

— A quoi ?

— *A taper dans une balle.*

— Tu n'y arriveras pas, répliqua J.D., d'un ton placide.

Le pire c'est que son cadet ne disait même pas ça pour le blesser, il ne faisait qu'exprimer la conviction de toute la famille : son cas était désespéré.

— Appelons-le, Petey, reprit le petit. Et il faudrait convaincre maman de porter sa robe bleue, ou, au moins, quelque chose de joli. En tout cas, pas un vieux jean et un sweaT-shirt.

— Comment tu veux y arriver ?

— Tu n'auras qu'à lui dire que c'est ta robe porte-bonheur et que chaque fois qu'elle la met, tu fais des merveilles.

— Quelle que soit sa tenue, je ne n'y arrive jamais, répondit Petey en se renfrognant.

— Tu n'as qu'à lui dire quand même, insista son frère en lui envoyant une bourrade.

— D'accord, céda l'aîné. Appelons-le.

Ils se glissèrent dans le couloir. Il n'y avait personne à l'étage mais la télé marchait au rez-de-chaussée et ils entendaient rire leur grand-père qui regardait une émission. Le seul téléphone accessible se trouvait dans la chambre de leur mère. J.D. ferma précautionneusement la porte pendant que son aîné composait le numéro. Après plusieurs sonneries, un répondeur se mit en marche et Petey, s'efforçant de ne pas avoir l'air trop emprunté, laissa un message pour dire qu'il espérait que Mark pourrait se rendre au terrain de base-ball le lendemain. Quand il raccrocha, il s'aperçut que J.D. était satisfait, alors que lui était embêté : et si Mark n'écoutait pas régulièrement son répondeur ? Et s'il refusait de venir ? C'était stupide de l'avoir appelé.

Ils retournèrent dans leur chambre. J.D. semblait aussi content que s'il avait été choisi pour jouer dans le prochain film du capitaine Treadway. Il lança un coup d'œil à son frère.

— Demain, quand il arrivera…

— Il ne viendra pas, le coupa Petey.

— Pourquoi ? Puisque tu lui as demandé, répliqua le petit, étonné.

— Il est très occupé. Il ne pourra sûrement pas.

— Maman a bien raison : tu n'es qu'un pessimiste. Il viendra. Ce qui serait chouette c'est qu'elle prenne un bain juste avant le match. Comme ça, en plus, elle sentirait bon. Mais comment faire ?

Petey refusa de répondre. Son frère s'imaginait qu'il suffisait de demander à quelqu'un de faire quelque chose pour qu'il s'exécute. Lui savait bien que les adultes laissaient souvent tomber les enfants, même dans les circonstances importantes.

— Quelle idée débile ! finit-il par asséner, ce qui eut le don de rendre J.D. furieux.

— En tout cas, elle est meilleure que la tienne, murmura-t-il, plein de hargne.

— Je n'ai pas d'idée.

— Eh bien, justement !

— Couche-toi !

Son frère s'allongea et quelques minutes plus tard, Petey l'entendit ronfler doucement. Il eut, en revanche, beaucoup de mal à trouver le sommeil. Peut-être que son cadet se fourrait le doigt dans l'œil en imaginant que Mark viendrait au match, mais il avait raison sur un point : Maman avait intérêt à se montrer plus gentille avec lui. Demain, il faudrait que, d'une façon ou d'une autre, il trouve le courage de le lui dire.

— M… ! s'exclama Mark en envoyant valser la souris de son ordinateur.

Au moment où il venait juste de terminer un rapport détaillé et circonstancié, destiné à son avocat, sur les détournements de fonds d'Harvey Dellarubio, un clic inopportun venait de tout faire disparaître. Quatre heures de travail évanouies en fumée ! Furieux, il claqua le capot de l'ordinateur portable, se recula dans son siège et lança un regard maussade par la fenêtre. Il détestait ce bureau. Son éclairage ne lui convenait pas et la vue sur la monstruosité de verre et de bêton en face le déprimait. S'il décidait de consacrer plus de temps à son équipe d'Atlanta, il faudrait qu'il en change mais, a vrai dire, si Jenna avait son mot à dire sur la question, il ne risquait pas de s'y éterniser.

Il se frotta les yeux en se demandant pourquoi il se sentait si fatigué. Il avait largement rattrapé son manque de sommeil. Au bout du compte, « les audacieuses initiatives comptables » d'Harvey Dellarubio ne lui avaient pas causé la moindre migraine. Dale Damron et lui avaient élaboré leur stratégie, convoqué le type et s'étaient vus épargnés la peine d'argumenter. En effet l'escroc s'était écroulé en larmes à la première accusation. Il avait avoué qu'il vivait dans la peur et la culpabilité depuis si longtemps que ses nerfs en étaient ébranlés et qu'il se sentait soulagé que la vérité soit apparue au grand jour. Repentant et terrifié, il avait donc confessé toutes ses malversations les unes après les autres. Les détournements se montaient à un demi-million de dollars. Il ne restait plus qu'à organiser les modalités de restitution de l'argent, s'ils décidaient de ne pas le poursuivre.

Après l'aveu de Dellarubio, Mark avait tout de suite été tenté d'appeler Jenna, après tout, c'était elle qui avait découvert le pot aux roses, et aussi parce qu'elle lui manquait. Avait-elle ressenti d'autres inquiétudes au sujet du bébé ? Est-ce que les performances de Petey au base-ball s'amélioraient ? Il se demandait même comment J.D. s'en tirait au football.

Au fond, ça n'était pas si surprenant que les garçons lui manquent autant. Il s'en était très bien tiré avec eux, à la grande surprise de Jenna, autant qu'à la sienne. Etait-ce l'instinct qui le guidait ? Ou bien son habitude des affaires qui lui permettait d'avoir une approche concrète et posée de toutes les situations ? Peut-être un mélange de tout ça…

Mais la réponse prenait sans doute racine dans quelque chose de plus profond : la fréquentation des fils de Jenna lui avait fait réaliser que, inconsciemment, au fils des ans, il s'était forgé son propre idéal des relations père-fils et qu'il en était arrivé, intuitivement, à savoir ce qu'il fallait dire ou faire… du moins, la plupart du temps.

Les moments qu'il avait passés avec les garçons incarnaient tout ce qu'il aurait désespérément voulu partager avec son père, sans jamais y parvenir. Quelle surprise de découvrir que, alors qu'il prétendait avec arrogance mener une existence fondée exclusivement sur la raison, c'est de son inconscient qu'émergeait le meilleur de lui-même…

Qu'est-ce que Jenna et ses fils pouvaient bien faire en ce moment ? se demanda-t-il. Il aurait pu téléphoner, mais il avait promis de lui laisser le temps de réfléchir et il ne l'avait déjà que trop poussée dans ses derniers retranchements. Elle avait besoin de prendre du recul pour envisager la situation sereinement.

Comment avait-il pu se livrer ainsi à elle, alors qu'il ne l'avait jamais fait auparavant, devant personne ? Cependant, ça n'avait pas servi à grand-chose de lui confier ainsi, sans pudeur, les blessures de son passé et lui aussi ferait bien de prendre du recul.

Ce n'était pas que sa vision du mariage se soit modifiée. Il se demandait seulement comment concilier son aspiration à une existence confortable et dépassionnée avec la perspective d'épouser Jenna pour toujours.

Pour toujours ? Quand il avait envisagé de vivre jusqu'à la fin de ses jours avec Shelby, il était sûr d'y arriver, sachant qu'ils auraient suivi tous deux leur petit bonhomme de chemin, sur des rails, ainsi qu'il l'avait planifié. Aucun risque que des émotions indésirables ne viennent les perturber en provoquant des crises dans leur couple ou qu'il perde la tête.

Mais qu'en serait-il avec Jenna ?

Avec elle, Mark pouvait dire adieu à toute idée de contrôle de soi et de quiétude. Même l'habileté qu'il avait acquise, au fil des ans, pour séduire les femmes ne lui servait plus à rien. Cette belle assurance avait fondu, comme neige au soleil, à la seconde où il l'avait touchée. En effet, tout chez Jenna lui donnait envie de la posséder davantage et, quand il était proche d'elle, il perdait tellement la maîtrise de ses pensées et de ses gestes qu'il en devenait ridicule.

Au fond, comme à elle, cette séparation ne pouvait que lui être salutaire. Il avait besoin de réfléchir, d'envisager sereinement l'avenir et de rejeter tous ces rêves absurdes qui ne servaient qu'à vous blesser.

« Oh, Jenna, si tu pouvais prendre la mesure de l'enfer que j'ai vécu, songea-t-il, tu saisirais pourquoi le genre d'amour que tu réclames me semble si dangereux. »

Il fallait absolument qu'elle le comprenne. Mais comment faire ?

L'autre soir, il avait tenté d'expliquer à la jeune femme le gâchis qu'avait été le mariage de ses parents, qui avaient finalement trouvé la mort dans un accident de voiture, huit ans auparavant, pendant un de leurs rares voyages en couple. Heureusement, depuis qu'ils n'étaient plus là, leurs fantômes avaient cessé de le hanter.

Mais il perdait son temps à remâcher le passé.

Mark se retira de son bureau et décida de regagner sa chambre d'hôtel. Tandis qu'il ouvrait sa mallette pour y fourrer ses dossiers, il remarqua que la lumière du répondeur clignotait. Comme un adolescent fou d'amour, il se hâta d'écouter le message en retenant sa respiration. Si c'était Jenna ?

Même si ce n'était pas elle, sa déception fut atténuée en reconnaissant la voix hésitante et plein d'espoir de Petey qui l'invitait à assister à son match du lendemain avec celle de J.D., à l'arrière-plan, qui encourageait son frère. Mark éteignit l'enregistrement, le sourire aux lèvres. Pour la première fois de la journée, il avait une raison d'espérer. Tout n'était pas perdu ! Si Jenna ne souhaitait pas le revoir de sitôt, ses fils le réclamaient.

Chapitre 15

— Petey, viens ! cria Jenna, au pied de l'escalier. Dépêche-toi.

On était samedi, jour du match et, s'ils ne se pressaient pas, ils allaient tous être en retard, une fois de plus. Elle-même s'y rendait à contrecœur, comme d'ailleurs tous les autres membres de la famille. L'arthrite de son père s'était réveillée, Christopher venait de se disputer avec Amanda et Trent, sur qui on pouvait compter d'habitude pour jouer les boute-en-train dans les tribunes, s'était transformé, à cause d'un rhume banal, en un gros bébé pleurnichard de 110 kilos. Même J.D. se montrait grognon aujourd'hui. Avec la pluie qui menaçait et une équipe adverse redoutable, le match promettait d'être long, ennuyeux et affligeant.

Sans compter que cette semaine n'avait pas été des plus agréables. Mark avait eu beau réduire à néant ses dernières illusions sur leur éventuel mariage, malgré tout, à sa grande honte, elle réalisait qu'elle était amoureuse de lui.

« Je capitule. Tu as gagné. Marions-nous », voilà ce qu'elle allait lui dire. Elle brûlait déjà de lui téléphoner qu'elle acceptait de l'épouser, mais une dernière crainte l'avait retenue : ses fils avaient besoin, avant tout, de stabilité ; ils devaient pouvoir compter sur quelqu'un qui ne les lâcherait pas en cas de coup dur — et elle doutait encore que Mark soit assez fiable.

« Il me faut découvrir s'il est capable de tisser des liens durables avec mes enfants, se dit-elle, et j'ai besoin de temps... pour en être sûre. »

Elle pénétra dans le salon où son père et ses frères patientaient. Depuis qu'ils étaient rentrés du chalet, ils avaient montré plus de souplesse d'esprit et, malgré quelques réticences, ils semblaient se faire à l'idée qu'elle prenne son indépendance et achète une maison. Mark avait raison. Sans doute attendaient-ils seulement qu'elle prenne sa vie en main pour lui lâcher la bride.

Comme si elle n'avait pas assez de problèmes en ce moment, la dernière édition de *Mariages de Rêve* connaissait de nombreux déboires qui risquaient de retarder sa parution. Jenna se mit à trier les papiers qu'elle comptait emporter avec elle pour travailler pendant le match, Petey étant bon dernier dans l'ordre de passage, le gazon aurait le temps de pousser avant que n'arrive son tour de jouer, alors autant faire d'une pierre, deux coups. Les délais de sortie du magazine étaient si serrés qu'il lui faudrait probablement travailler le lendemain, au lieu d'emmener les enfants au parc d'attractions comme elle le leur avait promis.

J.D. fit soudain irruption dans la pièce, l'air maussade, traînant derrière lui son canon laser.

— Haut les cœurs, mon garçon ! s'exclama son grand-père. Tu me sembles plus ronchon qu'un castor avec une rage de dents.

— Personne ne m'écoute jamais, répliqua le petit en se mettant à trépigner sur la moquette.

— J.D., arrête ça tout de suite, ordonna sa mère en comptant jusqu'à dix.

Aujourd'hui le gosse était vraiment d'une humeur de dogue.

Il avait passé la journée à provoquer son frère et lui avait cassé les pieds tout le temps qu'elle se préparait.

— Est-ce que tu boudes toujours parce que j'ai refusé de porter ma robe bleue ? Je t'ai pourtant expliqué qu'elle était beaucoup trop habillée pour aller au stade.

— C'est la robe porte-bonheur de Petey.

— Qu'est-ce que c'est que cette histoire, J.D. ? rétorqua son grand-père, un gant ou une patte de lapin, je veux bien, mais une robe porte-bonheur, c'est du délire.

Comme s'il était besoin d'en rajouter, ses frères éclatèrent de rire. Jenna leur lança un regard assassin, tandis que Petey débarquait à son tour dans le salon. Il n'avait pas enfilé sa tenue de base-ball et son expression ne présageait rien de bon.

— Pourquoi n'es-tu pas habillé ?

— Je n'y vais pas. J'abandonne.

Jenna n'en était pas surprise. Petey décidait d'arrêter le base-ball deux fois par semaine en moyenne, sans jamais, toutefois, aller si loin dans la rébellion.

— Il est trop tard pour abandonner. Va te préparer, et vite.

— Je n'y vais pas, s'obstina-t-il. L'entraîneur a dit que, si je voulais, je pouvais arrêter.

Les hommes de la famille montraient déjà des signes d'impatience et soupiraient lourdement, alors que J.D., quant à lui, semblait paniqué.

— Tu ne peux pas abandonner aujourd'hui. Rappelle-toi : tu étais persuadé que c'était ton jour de chance et que tout allait bien se passer, insista-t-il, à son tour.

— Je me fiche de ce que tu crois. Rien n'a changé, répliqua son aîné. Ce n'est pas mon jour de chance et je vais être nul, comme d'habitude. Je veux arrêter.

— Petey…, marmonna plaintivement J.D. entre ses dents.

— Ferme-la, morveux !

Jenna était à bout de patience. Elle n'avait pas de temps à perdre à décoder le langage de ses fils. Malgré l'entêtement de Petey, il était trop tard pour reculer.

— Ne parle pas comme ça à ton frère, dit-elle en s'accroupissant devant Petey dont elle prit le bras maigre. Tu as dû mal comprendre ce que t'a dit M. Williams. J'ai discuté avec lui cette semaine. Il m'a dit que tu avais juste besoin de t'entraîner et que tu faisais des progrès tous les jours.

— Il dit ça parce que tu es ma mère, rétorqua son fils, buté. Il sait très bien ce que les parents veulent entendre. Avec nous, il ne tient pas le même discours. Il dit tout le temps qu'on n'est qu'une bande de minables et qu'on ferait mieux de refiler notre équipement à des gosses vraiment motivés. Il a déclaré, devant tout le monde, que j'étais encore plus nul que les filles et que je n'avais qu'à m'inscrire dans leur équipe.

— Il veut que tu te dépasses, mon garçon, c'est pour ça qu'il parle ainsi, le rassura son grand-père, en soupirant, découragé.

— Papa, je t'en prie, le tança Jenna. Quand est-ce qu'il t'a dit ça, Petey ?

— Au dernier entraînement, quand je voulais lui expliquer que j'essayais une nouvelle frappe de balle. Il n'a rien écouté. Il m'a juste dit que je n'étais pas là pour penser, que... Petey faisait un tel effort pour se souvenir des mots exacts qu'il en fronçait les sourcils... je devais m'estimer heureux de faire encore partie de l'équipe et que si je n'étais pas content, je n'avais qu'à m'en aller. C'est ce que j'ai décidé de faire.

— Non, tu ne pars pas. Tu iras au bout de la saison. A ce moment-là, si tu veux abandonner, on pourra en discuter mais, maintenant, c'est exclu. Quand à ton entraîneur, je vais lui dire ma façon de penser et ce, pas plus tard qu'aujourd'hui.

— Maman, tu ne peux pas faire ça ! s'exclama Petey, horrifié.

— Bien sûr que si, déclara Jenna, prête à mordre quand on s'attaquait à son rejeton.

Si ce que racontait son fils était vrai, ce M. Williams avait besoin d'un bon savon. Cet homme n'avait pas le droit de rabaisser ainsi Petey.

— Tout le monde va se moquer de moi ! s'écria le gamin, terrorisé.

— Jenna, ce n'est pas une bonne idée, intervint Christopher dans son dos.

— Je ne t'ai rien demandé, Chris.

— Chéri, c'est normal que les entraîneurs de base-ball soient durs avec les gamins de temps à autre, renchérit son père. Il faut bien qu'ils les secouent et leur fassent comprendre que les résultats d'une équipe dépendent de tous ses joueurs. Sinon ils bâilleraient aux corneilles au lieu de se concentrer.

— Jen, tu réagis comme une gamine, rajouta Trent en se mouchant.

La jeune femme se sentait attaquée de toutes parts. Comme Petey cherchait à échapper à son étreinte, elle le libéra et se releva en lançant des regards farouches aux hommes qui l'entouraient.

— N'essayez pas de me faire le coup de la solidarité masculine. Il y a une grande différence entre se montrer sévère avec des enfants et les écraser.

Christopher ôta sa casquette et fourragea dans ses cheveux, l'air de penser qu'il était bien pénible d'essayer de faire entendre raison à une femme.

— Tu vas créer de grosses difficultés à Petey en te mêlant de cette affaire. Tous les gamins de l'équipe le lui feront payer cher, tu peux me croire. Il va vivre un enfer.

— Petey, monte te changer. Et toi, J.D., veux-tu aller cher-

LA BRÛLURE D'UNE NUIT

cher mon manteau noir dans l'armoire de ma chambre, s'il te plaît ? Je crois qu'il va faire frais, cet après-midi.

— Tu pourrais mettre ta…, commença le petit, épanoui.

— Mon manteau noir, coupa Jenna, menaçante.

Le petit se le tint sagement pour dit. Il sortit de la pièce et Jenna attendit d'être sûre que ses fils étaient hors de portée de voix, avant de rompre le silence. Elle se tourna alors vers son père et ses frères, le visage fermé.

— Hum, hum, dit son père en adressant une grimace à ses fils. Je sens que nous sommes bons pour un sermon.

— Pas besoin de sermon, rétorqua Jenna. Je vous rappellerai simplement que c'est moi qui ai la responsabilité de Petey et J.D. Moi, seule. Vous n'avez pas votre mot à dire. Je fais ce qui me paraît le mieux pour eux et n'ai pas besoin que vous mettiez en cause mes décisions, surtout en leur présence.

— On cherchait à t'aider, s'excusa Christopher.

— Eh bien c'est raté, répondit-t-elle en croisant les bras. Alors, à l'avenir, mêlez-vous de ce qui vous regarde.

Comme le match, la journée se déroula aussi mal qu'elle avait commencé. On sentait que l'automne approchait. Comme il tombait, de temps en temps, une bruine légère, tout le monde sortit son imperméable et les tribunes se couvrirent de parapluies de toutes les couleurs. Sa robe bleue avait beau être de soie, encore heureux qu'elle n'ait pas accédé à l'étrange requête de J.D.

On aurait dit que l'équipe adverse n'avait recruté que des champions miniatures et, en moins de temps qu'il ne faut pour le dire, le score fut si déséquilibré que cela en devenait embarrassant. Il n'aurait pas été surprenant d'apprendre que tous ces surdoués de l'équipe des Tigres postulaient déjà pour devenir professionnels. Devant eux, le pauvre Petey et ses camarades, même le meilleur batteur de l'équipe, faisaient piètre figure.

Quand elle ne regardait pas son fils, qui attendait son tour, l'air sinistre, à l'extérieur du terrain, Jenna observait attentivement l'entraîneur. Jusqu'à présent il n'avait rien dit qui lui ait paru choquant. En fait, comparé à la plupart des pères qui se déchaînaient dans les tribunes, il se contrôlait plutôt bien. N'empêche qu'elle avait toujours du mal à digérer la façon dont il avait cherché à décourager Petey.

La pluie se mit à tomber pile à la fin de la quatrième manche et on décréta une pause. C'était l'instant approprié. Jenna s'empara d'un parapluie et descendit les gradins sous les regards désapprobateurs des hommes de la famille. Comme l'entraîneur et son équipe étaient en grande discussion, elle préféra attendre qu'ils aient fini pour s'adresser à Williams. Quand elle l'appela, Petey paniqué se rua vers elle et se pressa contre le grillage comme s'il souhaitait passer au travers.

— Maman… je t'en supplie, murmura-t-il, tendu.

— Petey, ça va bien se passer, dit-elle. Retourne t'asseoir.

Mais il refusa d'obtempérer. L'entraîneur se dirigeait vers Jenna, un peu surpris de la trouver sur le terrain. Elle le salua aimablement d'un petit signe de tête.

— Bonjour, madame Rawlins. Pas très brillant, hein ? dit-il après avoir jeté un coup d'œil au panneau d'affichage des scores. Si la pluie voulait bien s'arrêter, on finirait par venir à bout de ces Tigres et leur faire ravaler leur sourire, croyez-moi. Que puis-je faire pour vous ?

Jenna allait lui dire ce qu'elle avait sur le cœur, quand elle remarqua que le meilleur joueur de l'équipe s'était lui aussi rapproché du grillage et qu'il se tenait à côté de Petey. Elle n'appréciait guère ce gamin qui habitait leur quartier. C'était un petit rouquin prétentieux, aux cils translucides qui ressemblait à une limace. Il se vantait toujours d'être le plus fort, ce qui, malheureusement, était vrai.

— Qu'est-ce qui se passe, Pitounet ? railla-t-il. Ta maman vient demander pour quelle raison tu n'as pas encore tapé dans la balle ?

Petey, mort d'inquiétude, ne releva pas et le gosse déçu, se mit à imiter les pleurs d'un nouveau-né pour le faire sortir de ses gonds. Jenna, furieuse, se retenait de secouer ce sale môme comme un prunier. Elle le foudroya du regard et il préféra battre en retraite auprès de ses camarades. Elle se demanda alors, si son père et ses frères n'avaient pas raison. Il y avait sûrement d'autres façons de régler le problème que de charger le coach, bille en tête, comme une tigresse défendant son petit. Au fond, l'entraîneur avait peut-être ses raisons pour traiter durement les enfants, même si c'était difficile à accepter pour une mère. C'était un univers de *mecs*, que seuls les mâles pouvaient comprendre et apprécier. De plus, elle sentait bien que son fils était terriblement inquiet.

— Monsieur Williams, commença-t-elle, je me demandais si vous accepteriez de venir dîner la semaine prochaine.

— Vous m'invitez à dîner ?

Se souvenant, soudain, que l'entraîneur étant divorcé, elle comprit qu'il pouvait se méprendre et croire qu'elle lui faisait des avances.

— Nous pourrions dîner en compagnie de mon père et de mes frères, corrigea-t-elle, vivement, et discuter de l'obtention des nouvelles subventions pour l'équipe. Petey n'est pas convaincu de continuer le base-ball, ajouta-t-elle en adressant à son fils un sourire rassurant, ainsi vous pourrez nous dire ce que vous en pensez.

— Bien sûr. Merci beaucoup de l'invitation.

— Je vous téléphonerai.

L'homme tourna les talons pour retrouver son équipe, car

la pluie s'étant interrompue, il était le temps de reprendre le match. Il hurla aux joueurs d'arrêter de rêvasser et de reprendre leur matériel. Jenna passa son doigt à travers le grillage et donna une pichenette sur le nez de son fils. C'était presque comique de voir à quel point il était soulagé qu'elle n'ait pas attaqué les méthodes de son entraîneur.

— J'ai réfléchi à la conversation de ce matin. Je crois qu'en matière de sport les mamans ne sont pas les meilleurs juges, c'est un truc d'hommes.

— Papi dit que tu n'y comprends rien, acquiesça le garçonnet, parce que les femmes n'en savent pas plus sur le sport que les singes sur les manières de table.

— Il faudrait que je prenne ton grand-père entre quatre yeux pour lui parler sérieusement des inepties qu'il vous fourre dans la tête, déclara Jenna, piquée.

— Faut que j'y aille, déclara Petey, après avoir jeté un coup d'œil par-dessus son épaule.

— C'est ça. Vas-y, mon petit tigre.

— Maman, geignit Petey en roulant des yeux. N'emploie pas ce mot, je t'en prie. Ce sont *eux*, les Tigres, ajouta-t-il en pointant du doigt l'autre équipe dont les joueurs se congratulaient avec des cris de victoire.

— Excuse-moi. Alors, vas-y et fais-en de la charpie.

— C'est ça, comme si c'était possible. Mais j'ai travaillé un nouveau mouvement et j'ai décidé de l'expérimenter, même si l'entraîneur n'est pas d'accord, expliqua Petey, rayonnant. Au point où on en est, ça ne peut pas faire de mal, non ?

— Pas le moindre.

Elle retourna à sa place. Son père et J.D. s'abritaient sous un grand parapluie pour jouer aux cartes, pendant que Christopher et Trent parlaient football. A son arrivée, ils lui jetèrent un coup d'œil interrogateur.

— Arrêtez de me regarder comme ça, dit-elle, de mauvaise humeur. Je ne lui ai rien dit.

— Tu ne lui as pas réclamé des comptes ? dit son père, incrédule, en haussant le cou comme une tortue.

— Non. Ce n'était pas le bon moment, avoua-t-elle. Et puis, vous avez peut-être raison sur un point. En tant que femme, il est possible que je ne comprenne pas toute les subtilités de la chose.

— Tu veux dire qu'on avait raison ? demanda Trent, bouche bée.

— Il se trouve que ça peut arriver.

Ils rirent tous de bon cœur et Jenna eut l'impression que la journée s'éclairait un peu. Les premières frappes de Petey avaient été désastreuses, mais il s'améliorerait peut-être à la prochaine manche, qui sait ?

En contemplant Trent qui bâtissait un temple en épluchures de cacahuètes avec son neveu, tandis que Christopher et son père discutaient avec conviction des performances de l'équipe comme s'ils assistaient à un match professionnel, elle sentit une boule se former dans sa gorge. Mark avait raison l'autre soir, chez Peppino. Une famille aimante était une chance extraordinaire. Ses frères et son père étaient pleins d'attention pour ses fils, ils se mettaient en quatre pour lui faciliter la vie, mais dorénavant, il fallait qu'elle tâche de moins se reposer sur eux.

Comme un vendeur proposait des hot dogs et que J.D. et Trent en étaient friands, son frère donna une poignée de dollars au petit et l'envoya en acheter pour tout le monde. Il fallait profiter de l'occasion. Elle se retourna vers le banc pour s'adresser aux trois hommes :

— Les gars…, commença-t-elle, déterminée à aller jusqu'au bout, même si elle ne savait pas ce qu'elle allait dire. Vous êtes pleins de bonnes intentions à mon égard, je sais que vous ne cherchez qu'à nous aider, les garçons et moi, c'est pour ça que je vous aime. Avec ce nouveau bébé et cette nouvelle maison, je vais avoir besoin de tout l'appui que vous pourrez m'apporter, alors excusez-moi de m'être montrée désagréable. Mon corps est en train de se transformer. En fait, c'est toute ma *vie* qui est en train de changer et franchement, même s'il me tarde que cela se produise, je crève de peur.

Stupéfaits, ils la contemplèrent bouche bée, puis, avec une assurance toute masculine, se mirent à protester qu'ils la comprenaient fort bien. Ce qui paraissait douteux quand on voyait Christopher se taire, indécis, et Trent, se gratter la tête, en se demandant bien ce qu'ils avaient fait de mal.

— Tu vas épouser ce type du journal ? demanda son père, en lui prenant la main pour la scruter d'un œil inquisiteur.

Ce fut à son tour de rester sans voix et elle avoua franchement :

— Je ne sais pas. Qu'est-ce que vous en pensez ?

— Je n'aime pas beaucoup les changements, mais je crois qu'il fera l'affaire. Ce qui compte, c'est qu'il te rendre heureuse. Depuis quelque temps, tu es aussi aimable qu'une porte de prison.

— Je me demande si ce type est vraiment tombé du ciel grâce à Petey et J.D., ou si ça ne cache pas autre chose, déclara Chris à voix basse.

Il savait. Et à voir leurs têtes, il était évident qu'ils avaient tout compris.

— Tu as raison, admit-elle. Comment avez-vous su qu'il était le père du bébé ? Et n'essayez pas de me faire croire que vous avez pratiqué un nouveau genre de test A.D.N. ou je vous tue.

Christopher se mit à rire.

— C'est vrai que, tous les trois, on n'est pas très doués pour déchiffrer ce qui te passe par la tête. Mais, au chalet, quand on en a discuté entre nous, on a réalisé qu'on ne t'avait jamais vu regarder un homme de cette façon. Tu aurais dû te voir. C'était évident que tu étais amoureuse de lui.

— Ne dis pas ça, murmura-t-elle, embarrassée, en se cachant le visage dans les mains. Je n'en sais rien. Je ne sais plus où j'en suis. Tout est tellement confus pour moi.

— Pour moi, ça ne l'est pas en tou cas, déclara Trent.

— Pour moi non plus, renchérit son père. Si vous êtes amoureux, vous n'avez qu'à prendre les décisions qui s'imposent. Le temps presse. Il doit faire de toi une femme honnête. De mon temps…

— Chut ! Voilà J.D., le coupa-t-elle.

Elle était heureuse de voir son fils arriver les bras chargés de hot dogs car, même la tête sur le billot, elle se serait refusée à parler du sujet plus longtemps avec eux. Surtout qu'elle n'avait pas encore pris de décision.

Dix minutes plus tard, Petey prit de nouveau son tour de frappeur. La tension grimpa dans la famille. Assez sûr de lui, le gamin exécuta un grand moulinet avec sa batte, mais son coup fit long feu et Jenna sentit son cœur se serrer.

Premier tir.

Indifférent aux lazzis de l'équipe averse, son fils reprit position. Un joueur se tenait déjà sur la base numéro un, mais il n'eut pas l'occasion de courir jusqu'à la base de départ, car Petey donna encore une fois un grand coup dans le vide.

Deuxième tir.

Devant l'échec de Petey, son cœur de mère se serra plus fort. Quelle pitié d'être témoin impuissant de cette déconfiture !

Son fils n'avait pas jeté le moindre coup d'œil aux tribunes et, malgré le pessimisme qu'il affichait, tout à l'heure, il redressa les épaules, ce qui prouvait bien qu'il ne capitulait pas. Jenna fut émue aux larmes par le courage de son petit soldat qui était en train de se pencher pour modifier la position de ses pieds et sa posture en baissant légèrement l'épaule. Son père supplia dans un souffle :

— Oh non, Petey, je t'en prie. Ne commence pas à improviser. Tiens-t'en à ce que tu connais.

Bientôt, son fils allait s'en retourner la queue basse à l'abri des joueurs et Jenna se préparait à prendre sa figure des jours de match. Quand elle s'obligeait à faire semblant que tout ça n'avait aucune importance.

Le lanceur des Tigres projeta la balle, Petey se détendit et, par un miraculeux tour du destin, frappa sa cible. Ce n'était pas un coup puissant. Pas de quoi courir comme un dératé vers la base de départ, mais la balle atterrit sur le terrain près du receveur des Tigres, inattentif, qui ne remarqua pas qu'elle rebondissait dans son dos. Il fallut bien cinq secondes avant qu'elle soit ramassée et, pendant ce temps, Petey avait eu le temps d'atteindre la première base.

La famille entière se figea, incrédule, avant de se déchaîner. Trent hurla à pleins poumons.

— Pas possible. Il a réussi ! s'exclama J.D.

— D'où est-ce qu'il sort ce truc ? demanda Chris à sa sœur.

— On s'en fiche, déclara son père. Il a enfin fini par cogner dans cette maudite balle.

Jenna ne pouvait en croire ses yeux. Ça n'avait rien d'un coup d'anthologie, ce n'était qu'un tir banal, mais son fils, le pire joueur de la ligue, avait enfin tapé dans quelque chose.

— Je n'en sais rien, lança-t-elle, tout en adressant de grands signes à son fils, qui sautait de joie sur la première base.

— C'est *lui* qui a appris ça à Petey, dit J.D. en pointant du doigt quelqu'un qui se tenait sur le côté du terrain. Ils se sont entraînés ensemble.

L'homme, que désignait J.D., avait une main accrochée au grillage et, de l'autre, il faisait de grands gestes en direction de Petey. Jenna, bien qu'elle ne puisse voir son visage, aurait reconnu, entre mille, cette silhouette en jean.

— Mark ? murmura-t-elle.

Pour la deuxième fois en moins de cinq minutes, elle ne savait plus quoi dire. Elle le contempla de loin, les larmes aux yeux. Pouce dressé, il adressait un signe de victoire à son fils.

— Quand lui a-t-il appris ça ? demanda-t-elle à J.D., surexcité, sans oser le regarder.

— Quand tu étais au lit pour obéir au médecin. Mark n'est pas bon du tout en football, ajouta le petit d'un air solennel. C'est ce qu'il m'a dit et on a eu beau essayer et essayer encore, il n'a jamais pu taper dans le ballon correctement. Je savais bien qu'il viendrait aujourd'hui.

Le jeu continuait. Les Cardinals n'avaient aucune chance de gagner, mais Petey réussit à atteindre la base de départ quand un de ses équipiers effectua une chandelle magistrale. Jenna avait beau se réjouir pour son fils, elle avait du mal à détacher les yeux de Mark, toujours rivé au grillage, qui ne lançait jamais un regard vers les gradins. Le match s'arrêta peu après l'exploit inespéré de Petey, sur un score de 15 à 3, ce qui permit aux Tigres d'afficher un air de triomphe particulièrement déplaisant. Tandis que l'entraîneur rassemblait ses troupes pour leur remonter le moral, le public ramassa parapluies et imperméables pour quitter les tribunes.

Les genoux de Jenna tremblaient un peu quand elle se redressa et ça n'était pas seulement dû à la station assise prolongée. C'était, surtout, à cause de la présence de Mark. Il était venu spécialement pour encourager Petey et l'aider à accomplir un exploit qu'il n'aurait jamais pu réaliser seul et il n'avait pas agi dans le but de l'impressionner ou de la gagner à sa cause. Non, c'était sa profonde gentillesse qui l'y avait poussé. Cette profonde gentillesse qui faisait autant partie de lui que son physique athlétique et ses yeux gris. Quels que soient les souvenirs d'enfance qui le hantaient, quelles que soient les douleurs que ses parents lui avaient infligées, sa bonté était demeurée intacte.

Comme un brouillard indistinct s'était déchiré, révélant une photo d'une netteté parfaite, la vérité lui apparut crûment : elle l'aimait. Toutes les contradictions qui la déchiraient s'apaisèrent d'un coup. Peu importait ce qu'il adviendrait d'eux dans l'avenir. Peu importait les obstacles qui se dresseraient devant leur bonheur. Elle voulait vivre avec lui.

Il ne lui ferait peut-être jamais de grandes déclarations enflammées. Cela lui serait certainement dur de s'adapter pour vivre avec deux grands enfants et un bébé, mais elle ne doutait plus de lui. Elle savait qu'il résisterait parce qu'elle serait là pour le guider et le soutenir.

Parce que Mark Bishop était un homme qui valait la peine qu'on se batte pour le garder.

Chapitre 16

Mark aperçut Petey, les cheveux tout ébouriffés et humides de sueur qui se ruait vers lui. La plupart de ses équipiers avaient l'air abattu, mais le gamin rayonnait littéralement.

— Tu m'as vu ? cria-t-il, triomphant. J'ai fait comme tu m'avais dit, et ça a marché.

— Je n'en ai pas perdu une miette, répondit Mark avec un grand sourire.

Il s'était toujours senti mal à l'aise avec les enfants mais, avec ce gosse et son frère, c'était différent.

— Tu l'as frappée de main de maître. Je suis fier de toi.

Petey, sautant de joie, se retourna vivement, car il avait distingué sa famille dans la foule. Il courut si vite à leur rencontre qu'il faillit s'étaler en glissant sur l'herbe mouillée.

— Oncle Chris, tu m'a vu ? Qu'est-ce que tu en penses, papi ?

Mark regarda toute la famille qui s'assemblait autour du fils de Jenna pour le féliciter de son exploit. Alors que, d'habitude, ce genre de scène ringarde le faisait grincer des dents, il se dérida en voyant les McNab, tout sourires, se diriger vers lui ; y compris Christopher, le flic qui voulait le faire mettre en prison pour le punir de courtiser sa sœur. Etaient-ils sincèrement contents de le trouver là ou jouaient-ils la comédie ? Ce n'était pas son sujet de préoccupation. Ce qu'il voulait simplement, c'était voir Jenna, c'est elle qu'il recherchait dans la foule.

Il finit par l'apercevoir quand elle s'écarta du troupeau de mâles protecteurs qui l'entourait. La découvrant brusquement dans la lumière oblique de l'après-midi, il se remémora le goût de leurs étreintes et son cœur se mit à battre la chamade. Avait-elle pu tellement lui manquer en si peu de temps ?

Cela avait été vraiment dur de tenir son engagement de ne pas la voir. Pour y réussir, il s'était plongé dans ses responsabilités, accomplissant son travail, jour après jour, nuit après nuit, jusqu'à ce que tout se confonde pour lui en une suite monotone de tâches sans but. Pourtant, même si les garçons ne l'avaient pas appelé, il serait venu aujourd'hui pour l'apercevoir, découvrir comment Petey s'en tirait et vérifier s'il avait bien retenu tout ce qu'il lui avait enseigné.

Or, au fur et à mesure que le match se déroulait, il avait pris conscience que la meilleure part de sa vie lui avait été arrachée. L'existence qu'il menait ne lui procurait plus aucune satisfaction et il l'avait en horreur. Comment en était-il arrivé là ? Tout ce qu'il avait vécu avant Jenna lui paraissait, désormais, mesquin, terne et sans valeur.

Les McNab l'avaient enfin rejoint et, la jeune femme lui adressa un sourire sensuel. Son visage, où se lisait une immense gratitude, respirait la joie et l'intelligence, la bruine avait constellé sa chevelure de petits diamants… De la voir si éblouissante provoqua en lui des fantasmes si audacieux qu'il en fut choqué. Serait-il complètement accro à cette femme ?

Les hommes échangèrent poliment des poignées de main. On aurait dit que l'attitude des parents de Jenna, envers lui avait changé. Ils l'examinaient sans hostilité mais avec la plus grande attention. Christopher, qui serrait son neveu contre lui d'un geste possessif, demanda :

— Alors, comme ça, vous avez entraîné notre Petey ?

Bien que la question ne fût pas agressive, Mark comprit qu'il devait marcher sur des œufs. Il regarda Chris droit dans les yeux.

— Je me suis dit ça ne faisait pas de mal d'innover un peu.

— Ça fait un bon bout de temps que je l'entraîne.

— Oui, il m'a raconté les efforts que vous aviez faits pour améliorer son style.

Il se produisit un changement subtil dans la physionomie de Christopher, qui conclut en souriant :

— Il avait sûrement besoin d'un nouveau regard.

— Et si on mangeait une bonne glace pour fêter ça ? intervint William McNab avec enthousiasme. Qu'est-ce que vous en dites les garçons ?

Cette idée, comme de bien entendu, rallia tous les suffrages, mais Jenna, à contrecœur, dut jouer les rabat-joie.

— J'ai promis à l'agent immobilier de lui rapporter les clés de la maison, avant qu'elle ne quitte son bureau. Il ne nous reste qu'une demi-heure pour traverser toute la ville.

Les enfants protestaient déjà quand Mark proposa :

— Je pourrais vous y amener, puis vous redéposer chez vous. C'est bête de priver les garçons de leurs glaces.

— Surtout Trent, se moqua le père de Jenna en lançant un regard taquin à son cadet.

— Je ne voudrais pas vous faire faire un détour, hésita Jenna.

— C'est sur mon chemin.

— Vas-y, Jen. On s'occupe des garçons, la rassura Christopher.

Quelques instants plus tard, la jeune femme s'installait en compagnie de Mark sur la banquette de sa voiture et elle lui indiqua la direction à prendre. Ils se trouvèrent bientôt pris dans l'intense circulation de la fin de l'après-midi et roulèrent sans échanger un mot. Le silence qui régnait n'était pas pesant, bien qu'il ne soit pas aussi chaleureux que Mark l'aurait souhaité. Amicale, Jenna semblait heureuse de le voir et d'être en sa compagnie, pourtant, il ne pouvait s'empêcher de sentir une barrière entre eux, comme si l'intimité qui avait régné pendant les deux jours qu'ils avaient passés ensemble, s'était évanouie. Comme le silence était devenu gênant, Jenna cessa de regarder le trafic à travers le pare-brise et se tourna vers lui.

— Il faut que je vous remercie pour l'aide que vous avez apportée à Petey. Vous ne pouvez imaginer comme cette réussite est importante pour lui.

— J'en suis tout à fait conscient. C'est un garçon formidable. Comme son frère d'ailleurs, répondit-il en la regardant du coin de l'œil.

Il constata qu'elle baissait la tête et comprit que ses paroles la touchaient agréablement.

— Comment allez-vous ? J'espère que vous n'avez pas eu d'autres inquiétudes pour le bébé.

— Le médecin dit que tout se passe bien. Je suis un régime et je prends des suppléments de fer pour que ça ne se reproduise plus.

— Formidable.

— Comment vous en êtes vous tiré, avec cette histoire de détournement de fonds ?

— Harvey a craqué et il a tout avoué.

Mark commença à exposer tout les détails de l'affaire à Jenna qui l'écoutait attentivement en hochant la tête, intéressée. Mais cela paraissait sonner faux. Après cet échange trop poli, le lourd silence retomba. Est-ce qu'il avait mal interprété le sourire qu'elle lui avait adressé au stade ? Qu'est-ce qui clochait ? Jenna paraissait tendue et sur la défensive. Il aurait aimé lui demander si elle était prête à se rendre à ses vues sur le mariage, mais une dispute à ce propos aurait risqué de mettre en péril l'équilibre fragile de ce moment. Pour couronner le tout, sur le chemin, ils se retrouvèrent bloqués dans un énorme embouteillage provoqué par un accident, ce qui rendait impossible d'atteindre le bureau dans les temps. Mark prit son téléphone et le tendit à Jenna.

— Vous devriez appeler votre agent immobilier et la prévenir que nous serons en retard. Si c'est si urgent, nous pouvons déposer les clés chez elle.

Jenna acquiesça et prit le téléphone. Pour leur faciliter les choses, Kathy Bigelow proposa aimablement de reculer la remise des clés au lendemain.

— Cela ne gêne pas les propriétaires que vous gardiez les clés ? demanda Mark.

— Ils ont déménagé et je crois qu'ils sont prêts à accepter mon offre. Ils ont accepté que j'aille prendre des mesures.

— Alors, vous allez vraiment acheter ?

— Apparemment. Est-ce que ça vous plairait de voir la maison ? demanda-t-elle, mue par une impulsion subite. On pourrait y faire un petit tour.

— J'en serai ravi, répondit-il et l'atmosphère s'allégea tout de suite.

Jenna le dirigea vers la périphérie de la ville et ils atteignirent rapidement un quartier aux petites rues étroites, ombragées de vieux chênes moussus qui se dressaient comme d'immenses candélabres. Les maisons qui les bordaient n'avaient rien d'original, mais elles semblaient accueillantes et bien entretenues. Ils se garèrent devant une grande bâtisse de style victorien, au revêtement rose et beige, dont les fenêtres, les colonnes et les portes étaient peintes en blanc. Quand ils descendirent de voiture, Mark remarqua que la bâtisse nécessitait un bon coup de peinture.

— Elle n'a besoin que d'un petit rafraîchissement, déclara Jenna, sur la défensive, avant qu'il ait pu dire un mot.

Un petit rafraîchissement ! C'était un doux euphémisme. Même s'il n'y connaissait pas grand-chose, plus ils s'en approchaient, plus il constatait que l'entretien en avait été complètement négligé. En effet, la nature avait repris ses droits sur le jardin et les racines biscornues des vieux chênes attaquaient dangereusement le mur en brique de la clôture. La rampe du porche branlait et, quoique les panneaux de verre biseautés qui ornaient les côtés de la porte fussent de toute beauté, la porte elle-même était voilée. Tandis que Jenna le traînait à travers le rez-de-chaussée en lui exposant les atouts de la maison et toutes les modifications qu'elle comptait y faire, il s'efforça de cacher son scepticisme. Mais au moment où il passait la main le long du manteau de la massive cheminée du salon, deux briques s'en détachèrent et faillirent lui écraser le pied.

— Un peu de mortier et il n'y paraîtra plus, déclara vivement Jenna, en découvrant son expression interloquée.

Une des pièces du rez-de-chaussée ferait un bureau idéal, d'après elle, et quand ils pénétrèrent dans un cagibi inondé de soleil, son visage s'éclaira.

— Ici, j'ai de la place pour toutes mes plantes. Il y aura toujours de la lumière.

— Vous ne manquerez pas d'eau non plus, répliqua Mark, pince-sans-rire, en pointant du doigt le bow-window dont quelques carreaux étaient remplacés par du carton.

— Ce n'est pas un problème, il suffira de changer les vitres, répondit-elle, maussade.

Avant de lui faire découvrir l'étage, elle l'entraîna sous la véranda.

— La, j'imagine très bien une grande balancelle de bois, expliqua-t-elle, les yeux brillants. Je sais que c'est un peu ridicule et passé de mode, mais j'adore l'idée de me balancer, par une belle soirée d'été, en regardant les étoiles apparaître les unes après les autres. Vous sentez ce parfum ? demanda-t-elle en respirant à plein poumons. C'est délicieux.

L'air de l'après-midi était saturé d'odeurs automnales, mais Mark n'avait rien remarqué. Pris sous le charme de Jenna, il tentait de refouler l'envie irrépressible de la toucher qui l'avait saisi.

— Le bois m'a l'air complètement pourri, déclara-t-il dubitatif.

— Ne jouez pas les trouble-fête, répondit-elle en écartant sa remarque d'un geste désinvolte. Le rapport d'expertise devrait arriver incessamment et l'agent immobilier m'a affirmé que l'expert n'avait rien trouvé de rédhibitoire dans la structure de la maison qui est saine. Vous ne vous rendez donc pas compte de son potentiel ?

— Tout ce que je vois, c'est qu'elle nécessite un travail colossal.

— Vous verrez, ça vaudra le coup.

Sous l'emprise d'un désir irrépressible, Mark l'attrapa pour la serrer contre lui, au moment où elle le dépassait.

— Jenna, murmura-t-il. Je ne sais pas où nous en sommes, vous et moi, mais ce que je vous ai dit, il y a peu, est toujours d'actualité. Si nous nous marions, je vous achèterai la maison de vos rêves, *n'importe laquelle*. Vous pourrez même vous en faire construire une, toute neuve, si ça vous fait plaisir.

— Vous n'avez rien compris, déclara-t-elle déçue et Mark réalisa qu'il l'avait blessée.

— J'essayais juste de montrer…

— … du sens pratique, oui, je sais. Moi aussi, la première fois que j'ai vu cette maison, j'ai émis quelques réserves. Pourtant, à la minute où j'y suis entrée, j'ai su, au fond de moi, que c'était le foyer idéal pour ma famille.

— Jenna…

Elle refusait d'écouter ses raisons et échappa à son étreinte.

— Allons-y. Je vais vous faire visiter l'étage, dit-elle en s'engageant devant lui dans l'imposant escalier de bois de rose qui, il devait le reconnaître, était splendide avec son extravagant pommeau de rampe en forme d'oiseau.

Presque toutes les marches craquaient sous leurs pas. Soudain, l'une d'elle couina particulièrement fort et Jenna se retourna pour juger de sa réaction. Il sourit en secouant la tête.

— Ça se répare, déclara-t-elle sobrement.

La maison qu'elle tenait tant à acheter lui paraissait une monstruosité mais, malgré ses réserves, Mark décida, pour lui faire plaisir, de faire montre d'un peu plus d'enthousiasme. Bizarrement, cela ne fut pas trop difficile, tant l'ardeur de Jenna était contagieuse. Quand elle ne dissertait pas sur les projets qu'elle avait en tête pour transformer ce taudis en foyer confortable, elle l'abreuvait d'anecdotes sur le passé de la maison et, même s'il ne s'y était rien passé de notable, l'histoire de la vieille demeure était assez attachante pour que Mark en arrive à considérer avec intérêt le moindre de ses recoins.

Quand ils pénétrèrent dans la dernière chambre, il en était même arrivé à faire des suggestions. Essayant de visualiser les changements qu'elle projetait, il se mit à proposer des solutions aux problèmes qu'elle n'avait pas encore résolus. La petite pièce possédait une large baie qui donnait sur l'arrière du jardin. Vus d'en haut, les chênes imposants, qui menaçaient le toit, lui semblèrent la place idéale pour installer la balançoire de J.D. ou y percher la cabane de Petey.

— Devinez ce que je voudrais en faire ? La chambre du bébé, lança-t-elle fièrement avant qu'il ait pu répondre.

— C'est une bonne idée.

— Ici, je verrais bien un rocking-chair, reprit-elle en désignant un des angles de la pièce.

— Je crois que ce serait mieux près de la fenêtre, vous pourriez surveiller les garçons pendant que vous nourrissez le bébé.

— Vous avez raison. Les moquettes de l'étage sont neuves, je n'aurai pas à les remplacer mais je ne réussis pas à choisir une couleur pour les murs de cette chambre.

— Qu'est-ce que vous pensez de bleu pour un garçon et rose pour une fille ?

— Tout à fait logique, railla-t-elle. C'est drôle, ça ne me surprend pas de votre part.

Les sourcils froncés, elle examinait attentivement la pièce, et jamais il ne s'était senti autant attiré par elle qu'ainsi, dans la lumière déclinante du soir, en train d'échafauder des plans pour la nursery où leur bébé trouverait soins et amour. Si elle s'y voyait déjà, y avait-il un espoir pour qu'elle l'imagine à ses côtés ?

— Je me disais que lavande ferait joli, dit-elle, songeuse.

— Lavande ! s'esclaffa-t-il. La couleur des vieilles dames et des napperons ? Vous n'allez pas infliger ça à un garçon, j'espère.

— Vous avez peut-être raison. Quand les bébés commencent à marcher, ils préfèrent les couleurs vives. Mais j'ai tellement horreur de peindre que je préférerais ne pas avoir à en changer.

— Un petit coup de peinture n'est pas une grosse affaire.

— Très bien, alors je compte sur vous !

Leurs regards se croisèrent et Jenna rougit violemment en réalisant la connivence qui s'était installée entre eux. Cette façon de suggérer qu'il pouvait avoir une place dans sa vie future était un faux pas, qu'elle s'efforça de dissimuler en se dirigeant vers l'autre bout de la pièce.

— Je pense que le berceau serait très bien ici.

Mark la rejoignit et lui prit le bras en constatant avec plaisir qu'elle ne résistait pas.

— Jenna…

— Nous avons fini le grand tour, le coupa-t-elle, avec un faible sourire. Nous devrions partir. Tout le monde doit se demander où nous sommes.

Mark caressa du pouce les commissures de sa bouche et la fixa sans camoufler son désir.

— Vous êtes une femme étonnante, Jenna, mais vous ne savez pas mentir.

— C'est vrai, admit-elle.

— Qu'est-ce que vous désirez vraiment, en cet instant précis ?

— Je voudrais… que vous me touchiez.

Il l'attira contre lui et la plaqua contre son torse, puis se pencha pour effleurer sa joue, tandis qu'un de ses doigts jouait avec les fines mèches de cheveux derrière son oreille.

— Nous ne nous embrassons pas assez souvent, chuchota-t-il en pressant sa bouche sur sa gorge, douce comme le velours. Si vous saviez comme ça m'a manqué, en particulier ce petit endroit, ici.

Sa respiration s'accélérait, il ajouta :

— C'est si bon, hein ? Et que dites-vous de ça ?

— Merveilleux, murmura-t-elle, éperdue, alors qu'il plantait une série de petits baisers dans son cou.

— Faut-il que j'arrête ?

— Non.

— C'est bien ce qu'il me semblait. Et là, en ce moment, est-ce que vous avez idée de ce que j'ai en tête ?

— Il ne faut pas, répondit-elle, alarmée. Cette maison ne m'appartient pas et, en plus, elle n'est pas meublée.

— On improvisera, rétorqua-t-il en souriant, après avoir jeté un coup d'œil sur la moquette.

— Mark !

— Oui ?

— Vous n'y pensez pas ! C'est affreusement déplacé.

— Affreusement.

Elle sembla réfléchir un dixième de seconde, puis lui adressa un sourire coquin.

— On ne devrait pas fermer à clé ?

Il n'était plus temps de nier l'évidence : ils en avaient envie tous les deux. Il l'embrassa donc longuement, débutant d'abord par une pression légère qui s'insinua habilement entre ses lèvres pour se transforma en baiser avide et passionné qui lui arracha un soupir de plaisir.

Alors, Mark agrippa les revers de son manteau.

— Otez-moi ça, ordonna-t-il, en mordillant ses lèvres et il repoussa le vêtement qu'elle laissa glisser au sol.

Chacun se mit à déshabiller l'autre avec lenteur, tout au bonheur et à l'éblouissement de la redécouverte. Quand ils furent nus, Mark entrelaça ses doigts aux siens et ils s'agenouillèrent face à face. Elle était aussi belle que dans son souvenir. Il tendit la main pour effleurer sa poitrine, et la pointe de ses seins devint dure comme une petite perle rose. Quel spectacle splendide ! Les yeux clos, elle semblait perdue dans un rêve secret.

Il pressa ses seins dont il se mit à dessiner les contours, ce qui la fit gémir de plaisir. Il contempla, fasciné, les innombrables expressions qui se succédaient sur son visage, puis glissa la main, plus bas, vers le ventre à peine bombé, ce qui la fit gémir. Sous sa paume, il sentait les muscles se tendre, la peau frémir. Comme elle serait belle, appétissante, dans quelques mois, arrondie sous le poids de son enfant ?

Cette pensée l'inquiéta soudain.

— Jenna, est-ce qu'il y a un risque ?

— Celui de me rendre folle si vous cessez de me caresser maintenant, plaisanta-t-elle, d'une voix tendre.

— Je parlais du bébé.

— Il n'y a aucun problème.

— Vous êtes si belle. Je ne peux pas résister.

— Dans quelque temps, quand le bébé aura grossi, vous ne me trouverez plus aussi séduisante.

— Je ne vois pas en quoi le fait que vous soyez enceinte de moi et que vous aimiez déjà notre enfant pourrait me détourner de vous, dit-il, en lui caressant les cheveux puis il se pencha pour lui embrasser les seins.

L'attirant à elle, Jenna le serra dans ses bras et, dans un geste totalement inattendu, elle le prit dans sa main. Cette caresse audacieuse électrisa Mark et déclencha en lui un tel frisson de plaisir qu'il gémit à son tour.

Le souffle court, il l'enlaça pour l'étendre sur la moquette. Au contraire de la première fois, il aspirait à faire de leurs ébats un instant exceptionnel et il aurait désiré prendre son temps. L'envie fugace le traversa, même, de retarder encore le moment, mais c'était un combat perdu d'avance. Une chaleur brûlante lui dévorait les reins et lui faisait perdre tout contrôle.

Alors, s'abandonnant au désir, il se glissa dans Jenna avec toute la délicatesse dont il était capable, et attendit qu'elle trouve son harmonie.

Il lui semblait avoir patienté une éternité quand, enfin, elle se tendit et l'étreignit avec passion en glissant ses jambes le long des siennes. Lequel des deux tremblait le plus, Mark n'aurait su le dire. Leurs corps en sueur vivaient une telle fusion que, au moment où Jenna se cambra pour mieux le sentir en elle, Mark en gémit de volupté. La tête enfouie au creux du cou de Jenna, il lui murmura à l'oreille des mots d'amour insensés qui n'avaient jamais passés ses lèvres auparavant, et Jenna se cramponna désespérément à lui en tremblant comme une feuille.

— Mark, soupira-t-elle en attrapant à pleines mains ses cheveux. C'est si bon, si bon…

— Oui, chuchota-t-il d'une voix rauque. C'est trop bon…

— Tu ne m'abandonneras pas, n'est-ce pas ?

— Non, tout va bien. Je suis là. Je ne vous laisserai pas en chemin, ni toi ni les enfants, affirma-t-il en réalisant que cela ne serait peut-être pas aussi facile que ça.

Ils restèrent foudroyés sans un mot, pendant un long moment, puis Mark attira Jenna à lui et l'enlaça. Immobile, il écoutait les battements du cœur de la jeune femme s'apaiser progressivement et commençait à entrevoir ce qu'avait pu ressentir ses parents avant que l'amertume et le ressentiment ne réduisent leur amour en pièces.

Eux aussi avaient dû connaître cette avidité dévorante qui conduisait au *besoin* désespéré de posséder l'autre, de le garder pour soi ; cette aspiration insensée à atteindre un but hors de sa portée, cette découverte magnifique qu'il existe un être au monde qui peut vous consoler. Quand on avait connu cette sensation, il était impossible de penser à autre chose.

Faire l'amour à Jenna lui avait révélé des sentiments qu'il s'était toujours efforcé de fuir. Pour la première fois, il saisissait la distinction entre le sexe et l'amour fait avec amour.

Et il n'était pas sûr d'en être satisfait. Comment concilier cette révélation avec ses convictions antérieures ? Est-ce que cette femme allait le priver des plaisirs que lui procurait sa vie jusque-là ?… Il aurait voulu lui expliquer ce qu'il ressentait et savoir s'il en était de même pour elle. Mais comment trouver les mots qui convenaient ?

« Je ne suis qu'un hypocrite, songea-t-il. Je ne pourrai plus m'en passer, Jenna. Comme vous, je désire connaître la passion, cet élan irrésistible et fou. Mais j'ai tellement peur. Dites-moi ce qu'il faut faire… »

Il allait confesser ses doutes quand Jenna lui lécha gentiment le coin de la bouche, puis le cou, avant de frôler son torse. Ses caresses étaient d'une telle douceur qu'il ferma les yeux et se laissa aller aux sensations étourdissantes que réveillait le souffle tiède de la jeune femme. Mais, soudain, elle s'interrompit. Il ouvrit les yeux et vit qu'elle le regardait avec perplexité.

— Où t'es-tu fait ça ? demanda-t-elle en passant le doigt sur une longue et fine cicatrice qui courait de l'épaule jusqu'au ventre.

— Juste un souvenir de mon enfance pourrie, éluda-t-il d'un ton détaché, tout en sentant un poing glacé lui serrer la poitrine.

Il était clair que Jenna n'allait pas se contenter de cette réponse. Elle se tourna légèrement pour mieux estimer l'étendue des dégâts, à la lueur ambrée des derniers rayons du soleil. Comment lui expliquer de quoi il retournait sans gâcher ce merveilleux moment ?

La technologie moderne vint à sa rescousse en se rappelant à eux : enfoui sous une pile de vêtements, son téléphone portable sonnait. Il se redressa et, l'ayant enfin trouvé, décrocha. C'était Dale Damron. Après moins d'une minute de conversation, Mark se précipita et ramassa ses vêtements à la hâte.

— Nous devons partir, déclara-t-il en enfilant sa chemise.

— Que se passe-t-il ?

— Harvey Dellarubio est à l'hôpital. Il a tenté de se suicider.

★
★ ★

Une demi-heure plus tard, il la déposait chez elle. Plongés dans la pénombre de la voiture qui dissimulait leurs visages, ils n'avaient échangé que quelques mots durant le trajet. Il était clair, pourtant, qu'elle aurait désiré lui parler. Mais ce n'était pas le bon moment. Elle allait descendre quand il l'arrêta :

— Il faudrait que nous parlions.

— Je sais, acquiesça-t-elle.

— J'ignore combien de temps je vais devoir passer à l'hôpital. Est-ce que tu accepterais de petit-déjeuner avec moi, demain ?

— Je ne peux pas. J'ai promis à Vic d'être au bureau à la première heure. Comme c'est parti, je crois que je vais être obligée de trahir la promesse que j'avais faite aux garçons de les emmener au parc d'attractions.

— C'est triste de les décevoir.

— Je n'y peux rien.

— N'annule pas. Je vais les emmener à ta place.

— Je ne sais pas si c'est une bonne idée… Les garçons adorent cet endroit, et ils peuvent être intenables quand ils sont excités.

— Je l'avais remarqué.

— Et ils ne te connaissent pas très bien. Ce qu'ils désirent, c'est qu'on s'y retrouve en famille… tous les trois.

— Autant de bonnes raisons pour que je les y emmène. Ça nous donnera l'occasion de mieux nous connaître. Demain soir, en revanche, on pourrait dîner ensemble, rien que toi et moi.

— D'accord, accepta-t-elle en souriant. Viens les prendre à 9 heures.

Il se pencha, lui entoura la nuque et l'attira à lui pour un rapide baiser.

— Demain soir, mets-toi sur ton trente et un.

Chapitre 17

A deux semaines d'Halloween, le parc d'attractions était bondé et croulait sous les décorations. Des fantômes décharnés pendaient aux arbres, des squelettes surgissaient de cercueils à moitié enterrés, des sorcières et des moines sans tête arpentaient le parc en compagnie de momies traînant leurs bandelettes pour terroriser les passants et, de l'avis de Mark, tout cela était beaucoup trop impressionnant pour de jeunes enfants. Mais qu'y connaissait-il ? Pas grand-chose en fait, car Petey et J.D. avaient l'air de beaucoup s'amuser.

Jusqu'à maintenant, tout s'était passé comme sur des roulettes. Il n'avait pas remis les pieds dans un parc d'attractions depuis le lycée et, dès que les garçons avaient réalisé qu'il n'était qu'un novice en la matière, ils avaient pris les choses en main. Au lieu de suivre le plan dont il s'était muni à l'entrée, ils s'étaient rués directement vers leurs attractions favorites, devant lesquelles s'étiraient d'interminables files d'attente.

A ses yeux, leur itinéraire semblait n'avoir ni queue ni tête, mais il aurait eu mauvaise grâce de se plaindre, tant les gosses y mettaient d'enthousiasme. Le traînant de manèges en montagnes russes, Petey et J.D. lui procuraient chaque fois les meilleurs sièges, lui signalaient tous les effets spéciaux qui auraient pu lui échapper et l'avertissaient à l'avance de tous les épisodes les plus terrorisants de la maison hantée.

Tout ce que Mark avait à faire était de prendre un air ravi, ce qui, au fond, était plus facile qu'il ne l'aurait cru.

Après avoir dévoré des frites et des hamburgers pour le déjeuner, ils décidèrent, en début d'après-midi, de faire une petite pause. Ils achetèrent des glaces à l'étal d'un vendeur ambulant et s'assirent sur un banc, à proximité de pierres tombales factices, dressées à flanc de coteau comme des pièces d'échec géantes. Mark avait presque fini sa glace quand son téléphone sonna. Avant de décrocher, il adressa un regard d'excuse aux garçons. Depuis le début de leur promenade, il avait déjà reçu quelques coups de téléphone, vite expédiés. Cette fois c'était Dale qui l'appelait. Pourvu que ce ne soit pas une mauvaise nouvelle ! On avait fait un lavage d'estomac à Harvey Dellarubio qui avait tenté de s'empoisonner avec des somnifères, et Mark l'avait quitté, tard dans la nuit, quand il avait appris qu'il était hors de danger.

Il alla droit au but :

— Comment va-t-il ?

— Il va bien, répondit Dale.

Quelque chose dans sa voix alerta Mark.

— Qu'est-ce qui ne va pas, alors ?

— Mark, je vais démissionner, déclara Dale après un court silence.

— Quoi ? Mais qu'est-ce que tu racontes ?

Tandis qu'il attendait que son chef comptable vide son sac, Mark remarqua que Petey et J.D. qui avaient déjà fini d'engloutir leurs cornets de glace, trépignaient d'impatience.

— Je suis responsable du suicide d'Harvey, reprit Dale.

— Pourquoi dis-tu ça ? Ce n'est pas toi qui l'as obligé à avaler ces cachets.

— Non, mais si j'avais été plus attentif à ce qu'il manigançait, ça ne se serait pas produit.

— Ecoute, tu as entendu ce qu'a dit le policier et tu lis les journaux. Ce genre d'escroquerie n'est pas rare. Quand on voit tous ces comptables pris la main dans le sac à boursicoter avec les capitaux de leurs entreprises, c'est une chance que nous n'ayons eu que ce problème à résoudre. Même Weatherwax Corporation a connu un scandale retentissant, l'année dernière. Attends une seconde…

Lassé d'attendre qu'il ait fini son coup de fil, Petey voulait l'informer que J.D. et lui avaient envie de se promener sur la colline pour examiner les tombes.

— D'accord, mais vous restez bien en vue, ordonna-t-il, alors qu'ils s'élançaient à travers une brèche dans le mur du cimetière.

Tout en écoutant Dale lui expliquer qu'il avait passé toute la nuit à se tourmenter parce qu'il s'accusait d'avoir failli à ses devoirs, il observait les garçons en train d'explorer le cimetière d'un air absent. Le chef comptable se reprochait son manque de vigilance qui, selon lui, avait facilité les détournements de Dellarubio. Complètement remonté, il n'en finissait pas de s'accabler et Mark dut profiter d'une seconde d'interruption où il reprenait souffle pour exprimer son opinion :

— Tu dis n'importe quoi !

— Je suis tout ce qu'il y a de plus sérieux. Tu as entendu, comme moi, Harvey expliquer que c'est à l'occasion des licenciements opérés l'année dernière qu'il avait pu camoufler ses malversations. C'est *moi* qui ai décidé ces licenciements. C'est *moi* le seul responsable.

— Et qui t'a dit de les faire ? Moi. Est-ce que ça veut dire que je dois aussi démissionner ? Tu prends tout ça beaucoup trop à cœur.

Les garçons étaient revenus. En découvrant qu'il était toujours au téléphone, J.D. fit la grimace et Petey lui lança un regard furieux, il s'apprêtait à dire quelque chose quand Mark lui fit signe de se taire, indiquant qu'il n'en avait plus que pour une minute, avant de leur tourner le dos et se pencher sur la table, pour que personne n'entende la conversation.

— Pour l'amour du ciel, Dale ! Dellarubio a volé un demi-million de dollars. Et, d'après ce qu'a déclaré l'enquêteur, s'il reconnaît avoir détourné cette somme, on peut la majorer facilement de vingt-cinq pour cent. Ce type a besoin d'aide, c'est entendu, mais nous n'y sommes pour rien s'il n'a rien trouvé de mieux que de s'empoisonner. Ce n'est pas *nous* qui l'y avons poussé. Il s'est infligé ça tout seul. On n'avait même pas menacé de le poursuivre.

— Je continue à penser que je dois donner ma démission.

— De toute façon, je ne l'accepterai pas. Va dormir. On reparlera de ça demain et je te fournirai une douzaine de bonnes raisons pour abandonner cette idée stupide. O.K. ?

Comme Dale cédait à contrecœur, Mark s'empressa de raccrocher avant qu'il ait eu le temps de changer d'avis. Se tournant vers les garçons, il s'apprêtait à s'excuser pour avoir été si long quand il découvrit que Petey et son frère avaient disparu.

Petey luttait pour remonter la foule à contresens. Il s'était trompé quand il avait cru que ce type était différent de leur père. En fait, il était exactement pareil. Papa avait toujours détesté s'occuper d'eux. Quand ils se promenaient en famille, il ne cachait pas son ennui et passait son temps le téléphone portable vissé à l'oreille, près à sauter sur le moindre prétexte pour rentrer plus vite. Aujourd'hui, même si tout avait bien commencé avec Mark, il fallait se rendre à l'évidence : cet homme n'avait pas l'étoffe d'un père. Maman avait dû le piéger pour le forcer à les emmener au parc et pour lui, c'était une corvée.

— Petey ! Attends, hurla J.D., dans son dos.

Petey se retourna si soudainement que son frère lui rentra dedans.

— Arrête de traîner les pieds. Si tu continues comme ça, le temps qu'on arrive aux Rapides rugissants, la queue aura un kilomètre de long.

— On n'aurait pas dû abandonner Mark, dit J.D. en jetant un coup d'œil angoissé vers l'étal du marchand de glaces, qu'on apercevait à peine, à cause de la foule.

— Pourquoi ? Il n'en a rien à faire de nous. On l'embête. Tu n'as pas vu qu'il s'occupe de ses affaires ?

— Tu as agi comme un imbécile. Et Mark ne va pas apprécier que nous ayons décampé comme ça.

— Eh bien, retourne le retrouver, si ça te fait plaisir, déclara Petey en reprenant son chemin, sachant bien que J.D. céderait car, même à regret, son frère suivait toujours ses quatre volontés. La preuve :

— Petey ! Attends-moi ! criait le petit en courant à sa poursuite.

Ils arrivèrent au petit pont qui surmontait un ruisseau et tournèrent vers les Rapides rugissants. Tous ces gens lambinaient comme des tortues. Juste devant Petey, une gamine stupide bloquait le chemin en piaillant parce qu'elle avait laissé tomber son paquet de pop-corn. Impatient, il décida de couper à travers la foule et plongea sous le rail de sécurité. Une pente couverte de gazon menait au ruisseau en contrebas et, de là, on pouvait remonter de l'autre côté. Prendre des raccourcis était interdit et sa mère lui avait bien dit que s'il s'aventurait à ce genre de tours de passe-passe, il lui en cuirait, mais il connaissait assez le parc pour savoir que plein de gens ne se gênaient pas pour les emprunter quand ils en avaient marre de faire le pied de grue.

Il posa le pied sur le sol meuble, qui était beaucoup plus glissant qu'il ne l'aurait supposé. Au moment où il atteignait le haut de l'autre versant, alors qu'il s'apprêtait à crier à J.D. de se montrer prudent, il entendit un grand cri. Il se retourna juste à temps pour voir son frère dévaler la pente comme un pantin et atterrir la tête la première dans le ruisseau.

Se retenant à grand-peine aux rochers artificiels, Petey se précipita vers son frère.

— J.D. ! J.D. ! Au secours, quelqu'un ! hurla-t-il, tout en plongeant dans le ruisseau pour tirer son cadet sur la rive.

En voyant le visage ensanglanté de J.D. inanimé, le gamin crut qu'il allait s'évanouir.

Il avait tué son petit frère.

Plus agacé qu'inquiet, Mark mit un bon moment à inspecter la zone à proximité du stand de glaces et il fit chou-blanc. Ce matin, tous les trois étaient tombés d'accord pour rester groupés et, si les garçons étaient partis à l'aventure et s'étaient perdus, il ne faudrait pas très longtemps pour les retrouver. L'organisation du parc devait se trouver souvent confrontée à ce genre de problème. A tous les coups, Petey et J.D. s'étaient dirigés vers les Rapides rugissants, leur prochaine étape.

Furieux qu'ils se soient enfuis comme ça, Mark se hâta dans cette direction en inspectant la foule. Lorsqu'il atteignit le pont, il aperçut un attroupement. Il se passait sûrement quelque chose, peut-être un spectacle de rue, et les garçons devaient l'attendre à cet endroit. Il saisit au passage des bribes de conversations :

— Un gamin a dévalé la pente. Ces gosses ne veulent jamais rien…

— On dit qu'il est resté inanimé, sous l'eau pendant un bon moment…

— On se demande pourquoi les parents ne surveillent pas…

— … pauvre petit…

Saisi d'un froid glacial, Mark sentit son cœur s'emballer. Il força son chemin à travers la foule pour arriver au bord de la déclivité où, le souffle coupé, il découvrit Petey, entouré de curieux, qui se tenait debout près du ruisseau, à côté de J.D. étendu sans connaissance.

Il se rua dans la pente en écartant les curieux et s'agenouilla auprès du petit. Le garçonnet était pâle et inconscient mais il respirait, Dieu merci ! Il écarta les cheveux humides, en prenant soin de ne pas toucher l'hématome impressionnant qui commençait déjà à gonfler sur son front.

— J.D. ? Réveille-toi, mon gars !

— Vous ne devriez pas le toucher, déclara quelqu'un. Les infirmiers arrivent. C'est votre enfant ?

— Oui, c'est mon fils, déclara Mark sans se retourner.

— Ce n'est pas ton fils. C'est mon frère ! hurla Petey, blême d'angoisse et le visage ruisselant de larmes. Il est mort ! Il avait confiance en toi. C'est ta faute !

Face à l'hystérie rageuse de Petey, Mark ne savait que répondre, mais ce n'était pas la priorité du moment. Il tentait de se souvenir de la conduite à tenir dans ce genre d'accident.

Heureusement, les secouristes du parc prirent rapidement les choses en main et Mark s'effaça pour les laisser faire leur travail en entraînant Petey qui se débattait pour ne pas quitter son frère. Les infirmiers remontèrent J.D. sur le chemin et questionnèrent son aîné pour évaluer la durée de son immersion dans le ruisseau. Ils craignaient visiblement qu'une trop longue privation d'oxygène n'ait provoqué des dommages cérébraux.

— On l'amène à l'hôpital général, informa l'un des secouristes. On va vous y conduire. Vous souhaitez prévenir quelqu'un ?

Incapable de quitter J.D. des yeux, Mark fit oui de la tête.

Jenna. Il fallait appeler Jenna. Mais comment trouver les mots pour lui expliquer ce qui s'était passé ?

L'attente était atroce. La salle d'attente des urgences était surpeuplée. De quelque côté qu'il tournât les yeux, il ne voyait qu'un spectacle à frémir : des éclaboussures de sang, des plaies béantes. Les infirmières couraient dans tous les sens, entre les diverses salles d'examen, d'où provenaient régulièrement des hurlements et des sanglots. Avec les problèmes de santé de Jenna, la tentative de suicide de Dellarubio et cet accident, Mark trouvait qu'il avait eu plus que son compte d'hôpital, ces derniers temps.

Tétanisé sur sa chaise, Petey semblait en état de choc, ce qui était bien compréhensible. A leur arrivée, lui-même avait ressenti une impression d'étouffement, mais maintenant il se sentait seulement plongé dans un profond abrutissement.

Jenna aurait déjà dû être là. Il avait téléphoné chez elle et informé brièvement son père en demandant qu'elle le rejoigne le plus rapidement possible à l'hôpital. A la pensée de la jeune femme, seule dans sa voiture, obnubilée par d'affreuses pensées, il se sentait profondément coupable. Qu'allait-il bien pouvoir lui dire ? Comment deux minutes d'inattention pouvaient-elles provoquer un tel drame ? Quelle excuse invoquer ?

La vérité lui apparut dans toute sa cruauté. Il n'en avait pas.

Dans un moment d'égarement, il s'était bercé d'illusions et

avait cru possible de bâtir une nouvelle vie auprès de Jenna et de ses fils. Ceux-ci l'auraient considéré comme leur père et la naissance du bébé les aurait encore plus rapprochés. Et puis, dans quelques années, Jenna et lui auraient pu mettre en route un autre enfant… qui sait. La nuit dernière — *cela semblait déjà une éternité* —, il s'était même imaginé sur la balancelle de la véranda, en train de profiter de la douceur du soir. Ce n'était pas son genre de croire aux miracles, mais était-il si ridicule d'aspirer une béatitude domestique toute simple ?

Il aurait dû réaliser que tout cela n'était que fantasmes. Aujourd'hui, le sort de J.D. pesait lourd dans la balance et il sentait se rouvrir la blessure douloureuse qui l'avait laissé en paix toutes ces années. Il lui fallait affronter l'évidence : il était bien le fils de son père.

Les portes extérieures des urgences s'ouvrirent à grand fracas et Jenna, Christopher et leur père firent irruption dans le service. Mark se leva, tandis que Petey se précipitait vers sa mère qu'il étreignit violemment. Elle l'embrassa, puis se dirigea droit sur Mark.

— Comment va-t-il ? demanda-t-elle, les yeux baignés de larmes.

— Le médecin est toujours à son chevet. On ne m'a encore rien dit.

Elle blêmit, luttant visiblement pour ne pas éclater en sanglots, alors que les deux hommes le regardaient sans mot dire. Il était impossible de savoir s'ils le blâmaient. Christopher prit sa sœur par l'épaule.

— Je vais au bureau des infirmières pour leur dire qu'on est là.

Jenna acquiesça, l'air absent, serrant contre elle son fils aîné qui pleurait en silence. Elle se baissa pour prendre son visage dans ses mains.

— Petey, arrête de pleurer, ordonna-t-elle doucement. Ton frère va s'en tirer.

— Je te déteste ! cria-t-il, rageusement, à Mark. Tout est ta faute !

Troublée, Jenna tourna vers celui-ci son regard candide et il se sentit totalement effondré.

— Jenna…, murmura-t-il, sans trouver quoi ajouter.

Il aurait voulu la retenir et tout lui expliquer, mais il n'osait pas.

— Ce n'est rien. Petey a eu très peur, dit-elle, sans conviction.

Jenna semblait perdue et cherchait à recoller les morceaux pour y voir clair. Elle entraîna Petey vers les sièges où ils s'assirent côte à côte. Angoissée, elle l'enveloppa de son bras et posa la tête en arrière contre le mur tandis que son fils aîné se pelotonnait sur ses genoux et que son père, les épaules voûtées, s'installait auprès d'elle. Peu de temps après, ils furent rejoints par Christopher.

Répondant aux questions d'un employé de la sécurité du parc qui était venu pour lui faire remplir un formulaire de déclaration d'accident, Mark lançait de temps à autre un regard vers Jenna et sa famille, mais il se sentait tenu à l'écart, comme s'ils étaient devenus les personnages d'une pièce de théâtre dont il ne faisait plus partie.

Il n'en pouvait plus de cette terrible attente et, au moment précis où il s'apprêtait à se lever pour remuer ciel et terre en exigeant des informations sur ce qui se passait, un médecin surgit à travers la double porte. A sa vue, tous les membres de la famille se levèrent en même temps. Quand Mark arriva à sa hauteur, l'homme était en train de les rassurer. Excepté une petite coupure au front et quelques contusions, J.D. allait bien. Il se sentit soudain euphorique.

— Merci, mon Dieu, murmura Jenna en lui jetant un regard si soulagé qu'il sentit battre son cœur.

Il ressentait le besoin désespéré de la prendre dans ses bras, mais ne s'en sentait plus le droit.

— Est-ce que nous pouvons le voir ? demanda-t-elle anxieusement.

— Oui, quelques minutes, répondit le médecin.

Joyeuse et pleine d'espoir, elle tourna les talons pour suivre sa famille.

Chapitre 18

Le Greenbriar d'Atlanta était loin de ressembler aux hôtels banals et fonctionnels que Jenna fréquentait habituellement en voyage, pourtant, il n'avait pas le charme et la classe du Belasco. Tous ces miroirs et ces plantes vertes luxuriantes étaient assez tape-à-l'œil, et elle devinait que Mark ne l'avait choisi que parce qu'il jouxtait les bureaux de son journal.

Elle pénétra dans l'ascenseur et appuya sur le bouton du dernier étage. C'était presque ironique de se retrouver, une fois de plus, dans l'ascenseur d'un palace en route pour la suite de Mark alors que les circonstances n'avaient plus rien à voir. Pour commencer, cette fois-ci, elle n'était pas sur son trente et un, comme elle le constata dans le miroir. Difficile d'avoir l'air plus négligé. Sa coiffure était une vraie catastrophe et elle portait sa plus vieille paire de jeans et un chemisier tout froissé sur lequel Petey avait versé des torrents de larmes.

Ensuite, son état d'esprit avait changé du tout au tout, depuis l'époque où elle avait rencontré Mark à New York, alors qu'elle craignait de ne pas être à la hauteur de sa tâche et se sentait totalement déplacée. Aujourd'hui, bien qu'elle ne soit pas non plus très à l'aise, elle savait ce qu'elle venait faire : tirer au clair ce qui avait mal tourné avec Mark.

Elle arrivait directement de l'hôpital où J.D., en bon petit soldat, était déjà assis dans son lit et piaffait d'impatience à l'idée de devoir attendre le lendemain pour rentrer à la maison et retrouver son canon laser. Elle l'avait laissé en compagnie de son père, pendant que Christophe raccompagnait Petey à la maison.

L'accident de son cadet l'avait profondément affectée mais la réaction de Petey l'avait presque autant inquiétée. Quand il s'était retrouvé au chevet de son frère, il s'était brusquement effondré en larmes. Hoquetant à travers ses sanglots, il avait fait à sa mère un compte rendu incohérent des événements survenus au parc, ainsi que de la part qu'il y avait prise. Puis, dans un élan pathétique, il avait supplié J.D. de ne pas le haïr. Son petit frère, qui n'en ratait pas une, avait eu la bonne grâce de lui accorder son pardon. Cependant, méfiante, Jenna le soupçonnait d'envisager déjà les multiples avantages qu'il pourrait tirer de la culpabilité qui rongeait son aîné.

Quant à Mark, elle s'était bien rendu compte à l'hôpital que l'accident l'avait bouleversé, il suffisait de le voir. Ce qu'elle ne comprenait pas, c'était pourquoi il s'était éclipsé sans un mot. Jetant un coup d'œil dans le miroir, elle se surprit à caresser inconsciemment son ventre.

« Viens, mon bébé, songea-t-elle. Allons découvrir les bêtises que ton père s'est mises en tête. »

Elle dut frapper à deux reprises à la porte de sa suite avant qu'il ne vienne lui ouvrir. Il semblait froid et détaché et elle le scruta attentivement pour décrypter ce qui se cachait derrière ce masque glacé.

— Comment va-t-il ? demanda-t-il, de but en blanc. Le médecin disait…

— Il va bien, le rassura-t-elle tout de suite. Ils ne le gardent que jusqu'à demain, en observation.

— Dieu merci !

— Est-ce que je peux entrer ?

Comme il ne répondait pas elle sentit son cœur se serrer. Elle crut même, pendant un instant terrible, qu'il allait la renvoyer, tant il paraissait dur et impénétrable. Enfin, il se recula pour la laisser entrer. Elle eut à peine le temps de noter que la suite, moderne et élégante, conjuguait des harmonies de noir, de crème et de bordeaux, qu'elle aperçut, près du canapé, deux valises et un attaché-case qui attendaient d'être descendus. Elle avait prévu que l'entrevue serait difficile, mais jamais elle ne s'était attendue à ça. Elle se retourna vers lui, et demanda d'une voix étranglée par l'émotion :

— Tu t'en vas ?

Malgré son envie de le gifler, elle perçut dans ses yeux gris tant de souffrance qu'elle dut résister à l'envie de le prendre dans ses bras.

— J'ai réservé un vol pour Orlando, répondit-il en saisissant sur le bureau un bloc de papier à lettres. J'étais en train de t'écrire un mot pour te l'expliquer.

— Ça devait être une sacrée explication, rétorqua-t-elle d'un ton acide, en remarquant que la feuille était presque vierge. Tu n'as pas l'air d'en avoir écrit long.

— C'est ce qu'il y avait de mieux à faire.

— De mieux pour qui ?

— Pour tout le monde.

— Je vois. Et on peut savoir pourquoi ?

— Tu avais raison, répondit-il en croisant les bras. Je suis incapable d'affronter les épreuves. Je ne veux pas endosser les responsabilités que représentent une épouse et une famille.

Jenna sentit la colère l'envahir. Cet homme était ce qui lui était arrivé de mieux dans la vie, à l'exception de ses enfants, et il l'abandonnait ? Leur histoire ne pouvait pas se terminer ainsi ! En tout cas, pas sans qu'elle lutte pour l'en empêcher.

— Ainsi, tu romps ta promesse, déclara-t-elle en lui jetant un regard acéré.

— C'est vrai, oui. Je n'aurais pas dû…

— Et le bébé ?

— Je m'assurerai que, tous les deux, vous ne manquiez de rien.

— Excepté d'un père.

— Je n'y peux rien si je n'en ai pas l'étoffe. Cela ne donnerait rien de bon.

— Et nous, alors ?

— Nous ? répéta-t-il, comme s'il éprouvait une certaine satisfaction à rabaisser ce mot. Nous nous sommes éclatés et nous avons pris beaucoup de plaisir ensemble, déclara-t-il, avant de prendre une profonde inspiration, comme s'il s'apprêtait à dire quelque chose de beaucoup plus désagréable. Je suis exactement ce que tu m'as accusé d'être : un crapaud déguisé en prince, un salaud sans cœur, qui ne peut rien t'apporter. Tu avais vu juste, Jenna.

Ils se regardèrent un long moment sans rien dire, puis Mark se mit à ramasser sur le canapé quelques accessoires de toilette qu'il enfourna dans les poches latérales de sa valise. Au bord des larmes, Jenna retint les sanglots qui lui bloquaient la gorge. Elle devait reprendre le dessus. Celui qui parlait n'était pas Mark, ce n'était pas l'homme à qui elle avait donné son cœur. Elle n'allait pas le laisser s'en tirer comme ça.

— Tu m'as dit hier que je n'étais pas très douée pour mentir. Il semble que tu n'es pas plus doué que moi, asséna-t-elle, calmement.

— Ne dis pas de bêtises…

— Je t'aime, Mark.

— Jenna, ne fais pas ça…, souffla-t-il, exaspéré.

— Je t'aime de la seule façon que je connaisse, de tout de toute mon âme, je suis prête à te donner tout ce que j'ai, tout ce que je suis. Avec toi je me sens…

— Stop ! ordonna-t-il. Pour l'amour du ciel, arrête !

Elle s'approcha de lui à le toucher.

— Pourquoi ? Je n'ai pas à en avoir honte. Moi, qui croyais qu'il en était de même pour toi et que tu m'aimais aussi. Est-ce que c'était ridicule ? demanda-t-elle avec un petit sourire.

— Tu te trompais, répondit-il, d'un ton rude. Tu devrais accepter de grandir et arrêter de croire aux contes de fées…

— Crois-moi, je te vois exactement tel que tu es. Je sais que tu n'as rien d'un prince charmant sur son blanc destrier, qu'il t'arrive de commettre des erreurs — tu t'apprêtes, d'ailleurs, à en faire une belle —, et que tu possèdes un don certain pour me faire tourner en bourrique… Cependant, j'ai découvert aussi que tu étais généreux, sincère, attentionné, et c'est pour ça que je suis tombée amoureuse de toi.

Comme si quelque chose cédait en lui, Mark tourna le dos et s'éloigna vers la fenêtre. Au bout de quelques instants, il l'affronta de nouveau.

— Tu oublies que je suis celui qui a failli provoquer la mort de ton fils.

— C'est pour ça que tu veux t'en aller ? demanda-t-elle en pâlissant. Il est arrivé à J.D. une chose terrible, mais c'était un accident qui, grâce au ciel, n'a pas eu de conséquences.

— J'aurais dû le surveiller.

— La prochaine fois, tu seras sur tes gardes. Tu me crois peut-être à l'abri de ce genre d'erreurs ? Ça m'arrive aussi.

— Eh bien, ça ne m'arrivera plus. Je refuse de prendre le risque.

Le silence retomba dans la pièce froide au design épuré qu'elle commençait à détester et Jenna se sentit soudain tellement oppressée qu'elle pouvait à peine respirer. Elle reprit pourtant le dessus.

— Tu as sûrement beaucoup de défauts, Mark Bishop, mais je n'ai jamais pensé que tu étais un lâche. De quoi as-tu peur ?

Le regard vide, il se dirigea lentement vers elle comme un

fantôme et, quand il fut assez proche, il prit le col de son polo à deux mains qu'il ôta d'un seul geste avant de s'immobiliser face à elle, torse nu.

— C'est de ça que j'ai peur, murmura-t-il en désignant la cicatrice qu'elle avait remarquée la veille et qui, à la lumière du jour, semblait encore plus profonde. C'est l'œuvre de mon père, quand j'avais quatre ans. Rassure-toi, ce n'était pas intentionnel, il ne cherchait pas à me faire de mal. C'est juste le résultat de son peu d'intérêt pour moi et pour tout ce qui n'était pas lui-même.

— Que s'est-il passé ? demanda Jenna.

— Il devait me garder mais, comme il venait de se disputer avec ma mère qui était partie en furie de la maison, il a ressenti le besoin de boire un verre pour se réconforter. Comme je jouais dans ma chambre, il n'a pas pensé à mal et m'a laissé tout seul, le temps de descendre à la boutique. Seulement, je ne suis pas resté tranquillement dans ma chambre — j'ai couru et je suis tombé sur la table de verre du salon.

— Oh ! mon Dieu ! Mark…

— Elle a explosé et un des morceaux m'a transpercé le poumon. Avant que mon père ne rentre et ne me trouve, je m'étais déjà presque vidé de mon sang.

En silence, Jenna passa doucement ses doigts le long de la blessure. Mark avait beau être pétrifié comme une statue, elle sentait ses muscles vibrer spasmodiquement sous la peau. Sa douleur n'avait pas été seulement physique.

— Je ne veux pas lui ressembler, avoua-t-il. Je ne veux pas nuire à un enfant parce que je suis incapable d'être un bon père. Je désirais tellement y arriver que j'ai cherché à me tromper moi-même. Maintenant, j'ai la preuve que ça ne marchera jamais.

— Tu n'as rien de commun avec ton père, répliqua-t-elle en levant les yeux sur lui. Je t'ai vu à l'œuvre. Tu sais d'instinct ce qu'il faut faire. Ton père était peut-être un salaud, mais tu n'as rien à voir avec lui.

— C'est ce que tu crois ? Demande donc à Petey ce qu'il en pense. Tu l'as entendu. Il me déteste.

— Petey hurle qu'il me déteste chaque fois que je le contrarie. Les enfants sont comme ça. Ils disent des horreurs, quand ils sont terrifiés ou en colère. Ils cherchent à nous blesser avant que nous les blessions.

— Si tu l'avais vu.

— Je t'assure qu'il ne le pensait pas. Il m'a avoué que tout ce qui s'était passé était sa faute, qu'il s'était délibérément enfui avec J.D. parce qu'il était furieux contre toi.

— Et toi, tu pourrais passer l'éponge aussi facilement ?

— Je connais mes fils, Mark. Ils t'adorent et ils ont besoin de toi.

Se souvenant soudain d'un détail, Jenna alla chercher dans son sac le papier qu'elle y avait fourré le matin même. Etreinte de l'ardent désir de se faire comprendre de Mark, elle déplia une page de cahier d'écolier qu'elle lui tendit.

— Quand tu m'as déposée à la maison la nuit dernière, j'ai trouvé ça sur mon oreiller. Je voulais t'en faire part ce soir, mais je crois qu'il serait utile que tu le lises tout de suite.

Le lui ayant pris des mains, sourcils froncés, Mark déchiffra le griffonnage enfantin. Petey avait rédigé ce mot le soir de son exploit, à un moment où il se sentait proche de Mark, mais J.D. avait signé également. Jenna en connaissait la teneur par cœur et elle le regarda lire en se remémorant chaque phrase du texte.

« Chère maman,

» Nous aimons beaucoup Mark et nous pensons qu'il ferait un bon père pour nous et pour le bébé. Et aussi qu'il serait un bon mari pour toi. Et comme on a travaillé dur pour qu'il vienne, maintenant il faudrait que tu te montres gentille avec lui pour qu'il reste.

» Bisou,

» Tes fils,

Petey Rawlins, James David Rawlins ».

Mark releva les yeux. Il avait l'air aussi perdu qu'un homme qui se réveille dans un endroit inconnu.

— Je soupçonne mon père de les avoir un peu aidés, dit Jenna. Evidemment, Petey a rédigé ça *avant* les événements d'aujourd'hui, quand ils étaient tous les deux excités par les résultats du match, pendant que nous… visitions la maison. Mais ça ne change rien. Ils veulent que tu vives avec nous, Mark. Est-ce que tu crois que ce qui est écrit là ressemble à de la haine ?

Pendant qu'il relisait la lettre, quelque chose lui souffla qu'elle regagnait du terrain. Cela allait-il suffire à le persuader ? C'était une véritable agonie de rester ainsi dans l'expectative. Les choses pouvaient encore tourner à la catastrophe et elle sentait l'angoisse la gagner.

— Alors ? demanda-t-elle en tâchant de prendre un ton léger. Faut-il que je me montre « très gentille », pour que tu acceptes de rester.

— Je refuse de te blesser.

— Tu ne me blesseras pas, sauf si tu t'en vas maintenant en commettant un acte que tu regretteras toute ta vie.

— J'aimerais te croire. Jenna, si tu savais…

Elle commençait à paniquer et des larmes brûlantes coulaient sur son visage quand elle déclara, brisée par l'émotion :

— Mark, s'il ne s'agissait que de moi, je crois que je me résignerais à ce que tu ne sois pas assez amoureux de moi pour rester et je trouverais assez de ressources pour élever mon bébé toute seule. Mais je t'en supplie, n'inflige pas une telle blessure à Petey et J.D. Je t'en supplie, ne fais pas ça. Ils ne pourraient pas supporter que tu les lâches.

Elle baissa la tête, en proie à un sentiment douloureux de frustration. Il s'approcha et lui releva le menton pour croiser son regard.

— Tu crois que je ne t'aime pas ? demanda-t-il d'une voix chaude et profonde. Si je savais comment te prouver à quel point j'ai besoin de ta présence… Quand je pense à toi, j'ai soudain envie de contes de fées, de poésie et de musique. Toutes ces bêtises romantiques que tu adores et que j'ai toujours méprisées, ajouta-t-il en lui prenant le visage à deux mains. Sais-tu quand je suis tombé amoureux de toi ?

Incapable de répondre, Jenna secoua la tête.

— Quand tu m'as demandé si je préférais les slips ou les boxer-shorts.

— C'était juste au moment où nous nous sommes rencontrés, dit-elle bouche bée.

— Oui, tu étais la première femme qui me forçait à me demander ce que j'attendais de la vie. Je crois que c'est pour ça que j'ai été si puant le lendemain, au téléphone. Il fallait absolument que je te repousse.

Elle toucha son visage comme si elle essayait d'en graver chaque trait dans sa mémoire.

— Ne pars pas, Mark. Je t'en prie. Je t'aime trop.

— Jenna, chuchota-t-il, en la prenant dans ses bras pour enfouir le visage dans sa chevelure. Je ne peux pas m'empêcher de t'aimer. Je serai ce que tu voudras que je sois. Je veux changer.

Elle se recula et le fixa d'un air sérieux.

— Non. C'est inutile. J'y ai beaucoup réfléchi. L'homme que tu es est celui dont je suis tombée amoureuse. Surtout ne change pas.

— On va y arriver, n'est-ce pas ? dit-il avec un sourire qui contenait la réponse.

— J'en suis convaincue. Nous connaîtrons des difficultés, bien sûr. Il y aura des moments où nous serons tentés de prendre la fuite, mais nous tiendrons le coup, parce que nous nous aimons et parce que c'est la vie que nous avons choisie.

Il embrassa ses lèvres délicates et, entre chaque baiser enflammé, il répétait son nom, encore et encore, tandis qu'elle lui redonnait tout l'amour qu'il lui prodiguait. Après un long moment, elle ouvrit les yeux et lui adressa un sourire épanoui.

— Alors, c'est décidé.

— Ça m'en a tout l'air, répondit-il, distraitement, en caressant la peau douce de ses joues.

— J'ai une demande à te faire, dit-elle. En fait, ce serait plutôt une exigence.

— Tout ce que tu veux.

— Je veux que nous signions un contrat prénuptial.

— Et qu'est-ce qu'il dira ? demanda-t-il en lui adressant un regard inquiet.

— Qu'il n'y aura pas de trahison entre nous.

— Tu peux compter sur moi, répondit-il solennellement.

— Et que ton nom disparaîtra de la liste des dix célibataires les plus séduisants. A partir d'aujourd'hui, tu n'es plus sur le marché.

— Princesse, j'ai fait ôter mon nom de cette liste, le jour où je t'ai rencontrée.

Épilogue

— Tiens-toi tranquille, mon cœur, dit Mark en tentant d'amadouer sa fille. Il n'y a plus qu'un seul bouton.

— Non, papa, gémit Eve, qui tirait sur le col de son chandail en grimaçant. Trop chaud.

Son père écarta doucement les petites mains et remit le pull en place. La nuit dernière, alors qu'Halloween approchait, une vague de froid s'était abattue sur Atlanta, après des mois de canicule. Pourtant, sa fille n'en avait cure. Tout ce qu'elle voulait, c'était porter le moins de vêtements possible.

— Il va faire un froid de loup au parc, aujourd'hui, lui expliqua-t-il. Il faut bien s'emmitoufler.

— Veux pas, répliqua la petite fille.

Refuser d'obéir était l'activité favorite de l'enfant depuis qu'elle avait atteint ce que les manuels de puériculture appellent « la période d'opposition ». C'est-à-dire deux ans. Jenna disait qu'elle avait hérité de l'entêtement de son père.

— Désolé, ma chérie, mais papa ne cédera pas.

Ayant fini de renâcler, la fillette retrouva sa gaieté et se dirigea en chancelant vers le coin de la pièce où se trouvaient ses jouets. Mark la considéra d'un œil attendri. Il ne pouvait détacher les yeux de cette jolie petite poupée, douce et gentille au rire communicatif et à l'intelligence brillante. On pouvait dire que l'enfant qu'ils avaient conçu cette nuit-là à New York représentait l'idéal de tous les parents.

Maintenant que sa fille était prête, il se retourna pour jeter un coup d'œil par la fenêtre. Quand ils avaient acquis la vieille bâtisse, il était persuadé qu'il détesterait ce jardin, qui, comme la maison, nécessitait d'énormes travaux. C'était le genre d'entreprise pour laquelle il n'avait aucun goût et qui réclamait des qualifications qu'il ne possédait pas. Mais quand il s'agissait de rendre Jenna heureuse, il était prêt à toutes les concessions et il avait donc fait contre mauvaise fortune bon cœur et avait signé sans barguigner le contrat d'achat.

Il s'était ensuite attelé au moyen de transformer cette horreur croulante en logis confortable. Maintenant, il en connaissait le moindre recoin par cœur et spécialement ce jardin. Il avait participé avec Jenna à la création des massifs de fleurs, de la petite mare aux poissons rouges et avait même édifié une cabane pour les garçons dans les branches gigantesques du vieux chêne.

Tout n'avait pas été un franc succès, dans cette renaissance, loin s'en faut : son beau-père avait dû venir à la rescousse, quand il avait entrepris de construire un barbecue. Avant qu'ils aient pris des dispositions pour protéger les carpes Koi qu'ils avaient implantées dans la mare, les chouettes et les ratons-laveurs s'étaient déjà emparés de trois d'entre elles. Depuis un mois, il menait une guerre acharnée contre les taupes qui retournaient son gazon tout neuf et tout indiquait que ce conflit de territoire était en train de tourner à l'avantage des taupes.

Malgré tout ça, le jardin du fond portait son empreinte et il en était fort satisfait.

Il aperçut, à travers la fenêtre, J.D. et Petey, fin prêts pour se rendre à la fête de tante Penelope, qui jouaient sur la balançoire. Leurs joues, rougies par l'air frais, brillaient comme des pommes. Mark tapota la vitre pour attirer leur attention et ils lui firent un signe de la main en souriant. Il leur adressa une mimique qui signifiait qu'ils devaient rentrer. Aussitôt, Petey, toujours prêt à prendre la tête des opérations, hocha la tête et sauta de la balançoire en poussant son frère devant lui.

Les fils de Jenna étaient les siens maintenant, car il les avait officiellement adoptés. Ils les aimaient autant que s'ils avaient été de son propre sang et les garçons le lui rendaient bien.

Pour J.D., la présence de Mark n'avait pas posé de problème. C'était un gosse facile, qui envisageait la vie comme une aventure et que tous les défis stimulaient. Le fait que son beau-père partage son intérêt pour les programmes spatiaux et ne rechigne jamais à de longues discussions sur l'éventualité d'une vie extraterrestre n'avait certainement pas nui à leur rapports.

Pour Petey, c'était une autre paire de manches. Il pouvait se montrer difficile, obstiné et volontaire. Mais c'était un enfant qui manquait désespérément d'un père et, avec le temps, tous deux avaient fini par trouver un terrain d'entente. L'intimité qui s'était établie, entre eux, semblait indestructible.

Comment avait-il pu autant redouter les responsabilités du mariage ? Avec le recul, cela lui semblait presque ridicule. Bien sûr, il lui arrivait encore parfois de frémir quand il avait à prendre une décision cruciale pour la famille et qu'il craignait de commettre une erreur. Cependant, cela ne durait jamais, parce que Jenna était à ses côtés, qu'elle chassait ses peurs et le soutenait à chaque étape du chemin.

Miraculeusement, sa présence transformait toutes les crises en problèmes gérables. Et pourtant, il avait mis du temps à accepter qu'il pouvait être un bon père et un bon mari et qu'il pouvait partager ses échecs et ses triomphes avec un autre être humain. Cela n'avait pas été facile. Durant les trois ans qui venaient de s'écouler, il avait souvent eu l'impression de chercher son chemin à tâtons.

C'était terrifiant.

Et exaltant.

Et profondément gratifiant.

En fait, il n'avait pas changé tant que ça. Au fond, il n'avait fait que redéfinir ses priorités. Il s'impliquait toujours autant dans ses affaires, surveillant de près les frais, les acquisitions et tous les mouvements de la Bourse. Ses journaux étaient prospères, y compris l'édition d'Orlando depuis qu'il en avait confié la direction à Deb.

Ce qui avait changé, en revanche, c'est que, depuis le jour où il avait épousé Jenna dans le salon de la maison de son père, trois ans plus tôt, il avait cessé de ressentir le besoin de s'absorber totalement dans son travail. Maintenant, quand il était au bureau, il aspirait toujours à rentrer à la maison, car il avait aussi découvert que gagner sa vie n'était pas aussi essentiel que de la *vivre* et, à sa grande surprise, il se révélait plutôt doué pour ça.

— Papa, un câlin.

La petite voix d'Eve le tira de ses pensées. Il se pencha en souriant sur le petit corps qui s'agrippait à ses genoux, pour découvrir qu'à part un slip couvert de fanfreluches sa fille était complètement nue. A l'évidence, il ne maîtrisait pas aussi bien la situation qu'il le présumait. Ses vingt minutes de lutte pour venir à bout de la robe et du collant de la fillette n'avaient servi à rien.

— Eve, ronchonna-t-il en entreprenant de ramasser les vêtements de sa fille, qui gloussait en s'accrochant à ses jambes comme une bernique à son rocher, on va être en retard à cause de toi et ta mère va me gronder.

— Non, je ne te gronderai pas, lança Jenna de la porte de la chambre. Même *moi* je n'arrive pas à l'empêcher de se déshabiller, en ce moment.

Mark sourit en regardant sa femme approcher. C'était un des plaisirs inattendus du mariage : il ne se lassait jamais de la contempler. Il s'était imaginé qu'il s'habituerait à elle, que la distraction et la fatigue feraient leur œuvre et qu'un jour, elle ne serait plus qu'une présence familière et agréable, or c'était le contraire qui s'était produit. Chaque fois qu'il la retrouvait, même après une absence de quelques minutes, il en avait le souffle coupé et sentait son cœur s'emballer comme quand il l'avait vue pour la première fois. C'était tellement idiot, romantique et gênant aussi d'être à ce point épris de Jenna.

— Au secours, appela-t-il en secouant sa jambe. Il m'est poussé une grosse pustule.

Eve gloussait de plus belle en assurant sa prise quand les garçons, débordant d'enthousiasme et d'énergie, firent irruption dans la pièce. Ils étaient excités à l'idée de passer la journée au parc en compagnie de tous leurs cousins. En les voyant, la petite libéra son père pour courir à leur rencontre en hurlant. Elle les adorait et ils le lui rendaient bien, même s'ils avaient rechigné au début à explorer l'univers mystérieux des petites filles.

— Regarde, Eve, dit Petey en tendant la main. Regarde le supercaillou que j'ai trouvé. Tu as vu les éclats brillants dessus ? Je suis sûr que c'est de l'or. Tu sais ce que c'est que l'or ?

— C'est pas de l'or, réfuta J.D. en se renfrognant. Ce n'est pas un stupide caillou terrien, c'est une météorite tombée d'une autre planète.

Fascinés, tous les trois se penchèrent sur la paume de Petey pour examiner le galet, sous le regard ému de leurs parents.

Jenna tourna le dos à Mark.

— Boutonne-moi, s'il te plaît. Je te promets de ne pas faire comme Eve. Je ne me déshabillerai pas.

— En ce cas, je ne suis pas très sûr d'en avoir envie, s'esclaffa son mari.

Lui ayant confié la robe le pull et les collants d'Eve il s'apprêta à fermer les trois petits boutons de sa blouse. Elle aurait pu parfaitement le faire toute seule, mais elle aimait partager ce petit rituel avec lui. Mark qui avait toujours été fou de son cou et de son dos en profita donc pour remonter lentement le long de sa colonne vertébrale en caressant la peau de pêche d'une main légère tandis que Jenna, immobile, inspirait plus profondément à chaque effleurement de ses doigts. Il la connaissait assez, maintenant, pour savoir qu'elle était entièrement concentrée sur les sensations qu'il éveillait en elle.

Pour lui, le dos de Jenna était une véritable œuvre d'art et c'était une des zones les plus sensibles de son corps. Aussi, quand il eut terminé sa tâche, enfouit-il son visage dans sa nuque où il posa les lèvres sur la petite vertèbre délicate qui disparaissait dans le col de sa blouse.

— Mission accomplie, murmura-t-il, en humant les effluves de sa chaude peau parfumée.

Jenna lui jeta un regard par-dessus son épaule et lui adressa un sourire qui l'électrisa.

— J'aurais voulu que ça dure.

Mark la fit se retourner, et l'attira à lui pour l'embrasser plus commodément en pensant que personne n'embrassait comme elle.

— Fais-moi penser à t'emmener faire des courses, demain, dit-il en taquinant les petits cheveux près de son oreille. Il faut qu'on change ta garde-robe. Dorénavant, je ne t'achèterai que des vêtements fermés dans le dos avec des milliers de boutons.

— Vous n'avez pas honte ! s'exclama Petey. C'est interdit de s'embrasser si tôt le matin.

Les deux époux rirent sous cape de se voir attrapés. Sans se retourner vers son fils, Jenna déclara :

— Les garçons, descendez avec Eve et enfilez vos manteaux. On arrive dans une minute.

Ses deux fils gloussèrent.

— Maman, répliqua J.D., on ne peut pas partir au parc avec Eve dans cette tenue.

— Oh ! s'exclama Jenna qui venait de réaliser qu'elle tenait toujours les vêtements de sa fille. Tu as raison. Ce n'est pas une bonne idée, dit-elle en riant. Viens un peu ici, Eve.

Par miracle, sa fille obéit et Jenna s'agenouilla en face d'elle. Au grand dépit de Mark, la gamine fut prête en un temps record et sa mère, après lui avoir donné un baiser sur le nez, l'envoya rejoindre ses frères qui étaient en train de découvrir que les jouets de leur sœur n'étaient pas si nuls que ça.

— Descendez tous les trois, répéta Jenna. On arrive dans une minute. J'ai quelque chose à dire à votre père.

— Ne soyez pas trop longs, ordonna Petey, avec une moue moqueuse. Je ne veux pas être en retard. Oncle Trent a promis de prendre sa place dans le réservoir, quel que soit le temps.

— On pourrait avoir un poney ? demanda J.D. qui galopait sur la licorne en peluche d'Eve.

— Non, répliqua Jenna.

— Je demandais à papa.

— Non, déclara Mark.

— C'était juste pour savoir.

Les garçons quittèrent la pièce, leur sœur sur les talons, et tous trois descendirent bruyamment l'escalier. Quand le calme fut revenu, Mark reprit Jenna dans ses bras et lui adressa un petit sourire.

— Tu n'avais pas l'intention de me convaincre d'acheter un poney, j'espère ? Le jardin est beaucoup trop petit.

— Non, mais on devrait envisager d'agrandir la maison. Le médecin a téléphoné. On attend un bébé.

Le sourire de Mark s'effaça comme par enchantement. Il avait l'air stupéfait.

— Quoi ? Comment est-ce arrivé ?

— Eh bien…

Elle rougissait. Après tout ce temps, c'était amusant de constater la facilité avec laquelle le rouge lui montait encore aux joues.

— Pour le *comment*, je crois que nous savons, reprit-elle. Ce qui compte maintenant, c'est ce que tu veux faire.

Mark toucha légèrement le ventre de Jenna en tâchant d'imaginer la taille du bébé. Puis il posa sur elle ses yeux brillant d'amour et de fragile allégresse. Heureux, il décida de se laissa aller au plaisir de l'instant.

— Je t'aime, mon amour, chuchota-t-il en couvrant son visage de baisers. Je t'aime parce que tu désires porter mes enfants, parce que tu ne m'as jamais laissé tomber et que tu m'as rendu le plus heureux des hommes.

Jenna se mit à rire. Elle s'écarta de lui, redressa la tête et déclara :

— Je vois que tu es devenu un incurable romantique.

— Quand il s'agit de toi, je suis totalement irrécupérable, répondit-il en la serrant encore plus fort. On va avoir un nouveau bébé, murmura-t-il dans un souffle. Une petite sœur pour Eve.

— Ou un petit frère, corrigea Jenna. Dieu sait pourtant que j'ai assez d'hommes dans ma vie !

— On va tout de suite apprendre la nouvelle aux garçons, et avertir aussi Lauren et Vic. Pourquoi ne pas en profiter pour l'annoncer aujourd'hui à tous les MacNab d'un coup ?

— Calme-toi, répliqua Jenna en riant de plus belle. On n'est pas obligés d'en faire part au monde entier sur-le-champ. On a le temps.

— D'accord, répondit Mark en saisissant ses doigts pour lui embrasser le dos de la main. Mais, au moins, on le dit aux garçons.

Bonne pâte, sa femme hocha la tête et ils sortirent de la pièce.

La famille. Comme ce mot était merveilleux ! Une famille pouvait presque combler tous vos manques. Pourquoi avait-il fui cette vérité si longtemps ? Alors que cela avait donné tant de sens à sa vie et que cela lui avait procuré un tel sentiment d'appartenance ?

Parce que, avant tout, il lui avait fallu trouver la femme et les enfants qu'il fallait. Ceux qui valaient vraiment la peine qu'il prenne le risque d'essayer. Ils étaient siens, maintenant, c'était une certitude. Il était aussi un bon père et un bon mari, plus de doute là-dessus.

Et il comptait bien tenir bon.

PRÉLUD'

Le 1er mai

Prélud' n°21

Les silences du passé - Barbara McMahon

De retour à Maraville, April est plus que jamais confrontée à son passé. De qui est-elle née, et comment est-elle arrivée jusque dans les bras bienveillants de Maddie ? Pour lever les secrets, elle a besoin d'être épaulée : Jack Palmer sera-t-il l'homme de la situation ?

Prélud' n°22

Le secret des Anderson - Cynthia Thomason

« Jamais ma fille n'épousera un Anderson ! » Face à ce verdict de son père — qui lui interdit le bonheur avec Ethan Anderson —,Helen veut comprendre. Quel sombre secret se cache-t-il derrière les grilles de la belle villégiature des Anderson, pour que les deux familles soient devenues ennemies ?

Prélud' n°23

Comme un cheval sauvage... - Brenda Mott

Maintenant qu'un accident a brisé ses rêves de championne d'équitation, Caitlin n'aspire qu'à la solitude. Aussi voit-elle avec contrariété s'installer, dans la propriété voisine, un homme et sa petite fille — une petite fille fascinée par le cheval de Caitlin...

Prélud' n°24

Fille d'Irlande - Kate Hoffmann

Venue en pèlerinage sur la tombe de sa mère, dans ce coin d'Irlande qui est le terreau de toute son histoire familiale, Fiona revoit, comme dans un film, défiler les destins passionnément mêlés des Quinn et des McClain. Destins de trois générations d'hommes et de femmes, qui ont forgé sa propre vie, et dont elle est l'héritière ...

Prélud' n°25

Au plus fort de l'amour - Brenda Novak

Sur le point de mettre son bébé au monde, Katie ne sait vers qui se tourner. Désemparée, et pour sauver l'enfant, elle appelle finalement au secours le seul homme qu'elle aurait préféré éviter : Booker...

⸺ Le 1ᵉʳ mai ⸺

Dans l'œil du tueur - Gayle Wilson • N°286

Depuis qu'elle a participé, comme psychologue, à un entretien télévisé sur un tueur en série, Jenna vit dans l'angoisse. Tout le monde a cru qu'elle avait de la compassion pour l'assassin qui sévit à Birmingham. Or l'homme est cruel et vaniteux. Il jubile de l'intérêt que lui portent la presse et la police. Et il a vu Jenna parler de lui à la télévision... Sans le savoir, elle est devenue la prochaine victime sur sa liste...

Les bois meurtriers - Ginna Gray • N°287

Le tueur en série qui sévit à Mears, dans le Colorado, viole ses proies puis les laisse s'enfuir dans la forêt, pour les traquer sans pitié et les abattre de son fusil... Il a déjà fait plusieurs victimes lorsque l'inspectrice Casey O'Toole s'empare de l'affaire, et les pistes sont rares. Deux points communs rapprochent les femmes abattues : chacune a, comme Casey, les cheveux d'un roux flamboyant. Et elles ont toutes consulté le même chirurgien esthétique, le trop séduisant Mark Adams...

Noire vengeance - Maggie Shayne • N°288

Beth a tout perdu il y a 18 ans, lors d'une nuit sanglante. Elle est alors membre d'une secte dirigée par Mordicai Young, un homme fascinant, aux dons de medium. Mais la secte est détruite par les flammes... Beth ne veut plus jamais vivre ce cauchemar. Elle a changé de vie. Et reste sur la défensive. Car Mordicai cherche à la retrouver pour se venger. Elle doit se soumettre à son pouvoir et lui donner un héritier, à qui il pourra transmettre ses pouvoirs visionnaires...

Secret mortel - Laurie Breton • N°289

Fuir. Robin doit fuir tant qu'il en est temps. Elle possède de dangereux documents qui compromettent Luke Brogan, le policier le plus influent de la ville. Et cet homme sans scrupules est prêt à tout pour récupérer ces pièces à conviction. Elle doit disparaître. Changer de vie. Dorénavant,

Robin s'appellera Annie, et tiendra un motel à l'autre bout du pays. Mais la traque n'est pas finie, et le moindre indice peut remettre Luke Brogan sur ses traces...

L'Héritière des Highlands - Fiona Hood-Stewart • N°290

Devenue l'héritière du grandiose domaine familial de Dunbar, India prend subitement conscience de son attachement viscéral à cette vieille demeure, plantée au cœur des terres écossaises. Mais pourra-t-elle la conserver ? Un riche entrepreneur, Jack Buchanan, est tombé sous le charme de la propriété... et tente par tous les moyens de séduire la jeune femme accablée de solitude. L'heure est venue pour India de retrouver ses racines. Des racines qui vont chercher loin dans la terre de ses ancêtres, et jusque dans l'âme de Dunbar.

Le blason et le lys - Joan Wolf • N°291

Le jour des noces, le soleil ne se montra pas. Le ciel plombé semblait au diapason des sentiments d'Eleanor de Bonville alors qu'elle pénétrait dans la cathédrale. Mon Dieu, pourquoi avait-il fallu que sa soeur aînée meure à la veille de son mariage et qu'on la contraigne à prendre sa place ? Du coin de l'œil, Eleanor observa son promis. Lord Roger de Roche, comte du Wiltshire, semblait en proie à une insoutenable tension. Qui eût pu l'en blâmer ? De toute évidence, il n'était pas plus heureux qu'elle de cette union forcée... Oppressée, elle s'entendit prononcer le « oui » fatidique qui scellait son destin...

Le prédateur - Lynn Erickson • N°68 *(réédition)*

Si Anna Dunning n'est pas femme à perdre son sang-froid, les appels téléphoniques obscènes qu'elle reçoit depuis quelque temps la minent cependant à petit feu. Elle finit par accepter une protection rapprochée pour le regretter aussitôt : la présence constante à ses côtés d'un ancien flic accusé de falsification de preuves dans une affaire de meurtre et rongé par l'amertume ne fait qu'ajouter à sa nervosité. Une nervosité qui croît, à mesure que le mystérieux pervers se révèle plus insaisissable qu'une ombre...

Titres non disponibles au Québec.

ABONNEMENT...ABONNEMENT...ABONNEMENT...

✂ **Oui**, je désire profiter de votre offre exceptionnelle. J'ai bien noté que je recevrai d'abord gratuitement un colis de 2 romans* ainsi que 2 cadeaux. Ensuite, je recevrai un colis payant de romans inédits régulièrement.

Je choisis la collection que je souhaite recevoir :

(☞cochez la case de votre choix)

❏ **AZUR** : Z7ZF56
❏ **BLANCHE** : B7ZF53
❏ **LES HISTORIQUES** : H7ZF53
❏ **AUDACE** : U7ZF52
❏ **HORIZON** : O7ZF54
❏ **BEST-SELLERS** : E7ZF53
❏ **MIRA** : M7ZF52
❏ **JADE** : J7ZF52
❏ **PRELUD'** : A7ZF54
❏ **PASSIONS** : R7ZF53
❏ **BLACK ROSE** : I7ZF53

*sauf pour les collections Jade et Mira = 1 livre gratuit.

Renvoyez ce bon à : Service Lectrices HARLEQUIN
BP 20008 - 59718 LILLE CEDEX 9.

N° d'abonnée Harlequin (si vous en avez un) |_||_|_|_|_|_|_|_|_|_|_|

Mme ❏   Mlle ❏   NOM _____

Prénom _____

Adresse _____

Code Postal |_|_|_|_|_| Ville _____

Le Service Lectrices est à votre écoute au 01.45.82.44.26
du lundi au jeudi de 9h à 17h et le vendredi de 9h à 15h.

Conformément à la loi Informatique et Libertés du 6 janvier 1978, vous disposez d'un droit d'accès et de rectification aux données personnelles vous concernant. Vos réponses sont indispensables pour mieux vous servir. Par notre intermédiaire, vous pouvez être amené à recevoir des propositions d'autres entreprises. Si vous ne le souhaitez pas, il vous suffit de nous écrire en nous indiquant vos nom, prénom, adresse et si possible votre référence client. Vous recevrez votre commande environ 20 jours après réception de ce bon. Date limite : 31 décembre 2007.

Offre réservée à la France métropolitaine, soumise à acceptation et limitée à 2 collections par foyer.

Composé et édité par les
éditions Harlequin
Achevé d'imprimer en mars 2007

par

LIBERDÚPLEX

Dépôt légal : avril 2007
N° d'éditeur : 12716

Imprimé en Espagne